Elettra Ercolino, T. Anna Pellegrino

L'UTILE E IL DILETTEVOLE
Esercizi e regole per comunicare

2

è bello doppo
il morire, vivere,
anchora...

LOESCHER EDITORE

© Loescher Editore - Torino - 2012
http://www.loescher.it

Ristampe

6	5	4	3	2	1	N
2017	2016	2015	2014	2013	2012	

ISBN 9788820133849

Nonostante la passione e la competenza delle persone coinvolte nella realizzazione di quest'opera, è possibile che in essa siano riscontrabili errori o imprecisioni. Ce ne scusiamo fin d'ora con i lettori e ringraziamo coloro che, contribuendo al miglioramento dell'opera stessa, vorranno segnalarceli al seguente indirizzo:

Loescher Editore s.r.l.
Via Vittorio Amedeo II, 18
10121 Torino
Fax 011 5654200
clienti@loescher.it

Loescher Editore S.r.l. opera con sistema qualità
certificato CERMET n. 1679-A
secondo la norma UNI EN ISO 9001-2008

Realizzazione editoriale: Fabio Tasso

Impaginazione: Giorcelli & C. - Torino

Disegni: Ermanno Leso

Copertina: Graphic Center - Torino

Redattore responsabile: Paola Cardano, Laura Cavaleri
Ricerca iconografica: Emanuela Mazzucchetti, Liliana Maiorano

Stampa: Sograte Litografia s.r.l. - Zona Industriale Regnano - 06012 Città di Castello (PG)

iNDiCE

PASSATO E TRAPASSATO REMOTO

PASSATO REMOTO

	-are	**-ere**	**-ire**
io	-ai	-ei/-etti	-ii
tu	-asti	-esti	-isti
lui/lei/Lei	-ò	-è/-ette	-ì
noi	-ammo	-emmo	-immo
voi	-aste	-este	-iste
loro	-arono	-erono/-ettero	-irono

Il passato remoto indica un'azione passata, lontana nel tempo, completamente finita e senza relazioni con il presente. È una forma alternativa del passato prossimo.

È normalmente usato in letteratura e nella narrazione di eventi storici, mentre si usa poco nella lingua orale, tranne che nel Sud Italia e in Toscana:

> *Giacomo Puccini **nacque** a Lucca nel 1858.*
> *Quando **costruirono** questo ponte io ero ancora piccolo.*

PRINCIPALI VERBI IRREGOLARI

	io	**tu**	**lei/lui/Lei**	**noi**	**voi**	**loro**
assumere	assunsi	assumesti	assunse	assumemmo	assumeste	assunsero
avere	ebbi	avesti	ebbe	avemmo	aveste	ebbero
bere	bevvi	bevesti	bevve	bevemmo	beveste	bevvero
chiedere	chiesi	chiedesti	chiese	chiedemmo	chiedeste	chiesero
chiudere	chiusi	chiudesti	chiuse	chiudemmo	chiudeste	chiusero
conoscere	conobbi	conoscesti	conobbe	conoscemmo	conosceste	conobbero
correre	corsi	corresti	corse	corremmo	correste	corsero
crescere	crebbi	crescesti	crebbe	crescemmo	cresceste	crebbero
cuocere	cossi	cuocesti	cosse	cuocemmo	cuoceste	cossero
dare	diedi/detti	desti	diede/dette	demmo	deste	diedero/dettero
decidere	decisi	decidesti	decise	decidemmo	decideste	decisero
dipingere	dipinsi	dipingesti	dipinse	dipingemmo	dipingeste	dipinsero
dire	dissi	dicesti	disse	dicemmo	diceste	dissero

	io	tu	lei/lui/Lei	noi	voi	loro
dirigere	diressi	dirigesti	diresse	dirigemmo	dirigeste	diressero
discutere	discussi	discutesti	discusse	discutemmo	discuteste	discussero
distinguere	distinsi	distinguesti	distinse	distinguemmo	distingueste	distinsero
distrarre	distrassi	distraesti	distrasse	distraemmo	distraeste	distrassero
essere	fui	fosti	fu	fummo	foste	furono
fare	feci	facesti	fece	facemmo	faceste	fecero
fondere	fusi	fondesti	fuse	fondemmo	fondeste	fusero
leggere	lessi	leggesti	lesse	leggemmo	leggeste	lessero
muovere	mossi	muovesti	mosse	muovemmo	muoveste	mossero
nascere	nacqui	nascesti	nacque	nascemmo	nasceste	nacquero
parere	parvi	paresti	parve	paremmo	pareste	parvero
perdere	persi	perdesti	perse	perdemmo	perdeste	persero
piangere	piansi	piangesti	pianse	piangemmo	piangeste	piansero
prendere	presi	prendesti	prese	prendemmo	prendeste	presero
produrre	produssi	producesti	produsse	producemmo	produceste	produssero
rimanere	rimasi	rimanesti	rimase	rimanemmo	rimaneste	rimasero
rispondere	risposi	rispondesti	rispose	rispondemmo	rispondeste	risposero
rompere	ruppi	rompesti	ruppe	rompemmo	rompeste	ruppero
sapere	seppi	sapesti	seppe	sapemmo	sapeste	seppero
scendere	scesi	scendesti	scese	scendemmo	scendeste	scesero
sciogliere	sciolsi	sciogliesti	sciolse	sciogliemmo	scioglieste	sciolsero
scomparire	scomparvi	scomparisti	scomparve	scomparimmo	scompariste	scomparvero
scrivere	scrissi	scrivesti	scrisse	scrivemmo	scriveste	scrissero
stare	stetti	stesti	stette	stemmo	steste	stettero
tacere	tacqui	tacesti	tacque	tacemmo	taceste	tacquero
tenere	tenni	tenesti	tenne	tenemmo	teneste	tennero
togliere	tolsi	togliesti	tolse	togliemmo	toglieste	tolsero
tradurre	tradussi	traducesti	tradusse	traducemmo	traduceste	tradussero
valere	valsi	valesti	valse	valemmo	valeste	valsero
vedere	vidi	vedesti	vide	vedemmo	vedeste	videro
venire	venni	venisti	venne	venimmo	veniste	vennero
vincere	vinsi	vincesti	vinse	vincemmo	vinceste	vinsero
vivere	vissi	vivesti	visse	vivemmo	viveste	vissero

PARTICOLARITÀ

Generalmente, i verbi che terminano in **-dere**, **-cere**, **-gere** e **-gliere** alla prima persona singolare e alla terza persona singolare e plurale prendono la **s**:

*Pren**dere** → io pre**s**i, lui pre**s**e, loro pre**s**ero*
*Vin**cere** → io vin**s**i, lui vin**s**e, loro vin**s**ero*
*Dipin**gere** → io dipin**s**i, lui dipin**s**e, loro dipin**s**ero*
*Scio**gliere** → io sciol**s**i, lui sciol**s**e, loro sciol**s**ero*

ESERCiZi

1. DOV'È IL PASSATO REMOTO?

Sottolinea i verbi al passato remoto e scrivi l'infinito nella tabella, come nell'esempio.

L'ULTIMA LEGIONE

La gente arrivava alla spicciolata, in silenzio e a piccoli gruppi, nel buio più completo. Aurelio e Livia <u>si misero</u> in fila aspettando il loro turno per entrare: le scommesse clandestine sui combattimenti dei gladiatori attiravano molta gente. Ad un tratto si sentì un brusio correre fra la folla e poi un rumore di passi pesanti e un tintinnare di catene, e tutti indietreggiarono per lasciar passare il gruppo di combattenti che avrebbero dovuto affrontarsi in duello quella notte. Fra loro spiccava un gigante: Batiato! Aurelio si avvicinò, anche se Livia cercava di trattenerlo, e quando fu vicino alla lucerna, si scoprì il capo e disse: "Ehi, sacco di carbone, ho scommesso una montagna di soldi su di te, vedi di non deludermi". Batiato si voltò dalla sua parte al suono di quella voce e si trovò di fronte il vecchio compagno d'armi. Gli occhi gli brillarono di meraviglia nella semioscurità e quasi si tradirono per l'emozione, ma Aurelio gli fece un rapido cenno e si ricoprì immediatamente. Poco dopo vide anche Vatreno e non poté trattenere le lacrime. Livia intuì quello che gli stava passando per la mente, gli strinse forte il braccio e gli sussurrò all'orecchio: "Ce la faremo a liberarli, sono sicura che ce la faremo. Coraggio ora, entriamo".
Il sorvegliante allungò le mani verso Livia e Aurelio esclamò: "Lasciala stare, questa è la mia fidanzata".
L'uomo grugnì e rispose: "Tu però ti fai perquisire e mi mostri il lasciapassare". Aurelio mostrò la tessera e l'altro lo perquisì.

(V. M. Manfredi, *L'ultima legione*, Mondadori)

-are	-ere	-ire
	mettersi	

2. COMPLETIAMO LA TABELLA

	io	tu	lui/lei/Lei	noi	voi	loro
avere						
cogliere						
credere						
essere						
intuire						
sapere						
spendere						
spingere						
sussurrare						
venire						
vivere						

3. INCASTRO

Collega le frasi, come nell'esempio.

1. I soldati catturarono tutti i nemici,
2. I miei nonni si conobbero a una festa
3. Annibale varcò le Alpi con gli elefanti,
4. Il treno si fermò in una nuvola di vapore
5. Mi ricordo che l'estate del 1994
6. Il rapinatore entrò nella banca
7. Conobbi il mio migliore amico
8. Amerigo Vespucci nacque a Firenze
9. Fellini vinse moltissimi premi,
10. Salutai i miei cugini alla partenza della nave
11. Alla fine dell'Ottocento
12. Enrico Caruso fu il primo artista della storia

- [ ] a. e i passeggeri scesero stanchi per il lungo viaggio.
- [ ] b. e immobilizzò la guardia giurata.
- [ ] c. quando ancora frequentavo le elementari.
- [ ] d. fra cui cinque Oscar.
- [ ] e. e non li rividi mai più.
- [1] f. ma non ne uccisero neanche uno.
- [ ] g. a vendere più di un milione di dischi.
- [ ] h. cominciò la grande migrazione degli italiani.
- [ ] i. ma non arrivò a Roma.
- [ ] l. e morì a Siviglia.
- [ ] m. e si sposarono dopo pochi mesi.
- [ ] n. fu particolarmente calda.

4. EVENTI STORICI

Completa le frasi con i verbi e scegli tra le tre opzioni.

1. Federico Barbarossa, lottando contro i Comuni, (perdere) _____ la battaglia di **Legnano/Waterloo/Lissa**.

2. Durante il suo soggiorno a Roma, Canova (scolpire) _____ la statua di **Giordano Bruno/Paolina Borghese/Mosè**.

3. Bruto e Cassio (tradire) _____ e (uccidere) _____ **Cicerone/Giulio Cesare/Nerone**.

4. Garibaldi e i Mille l'11 maggio 1860 (sbarcare) _____ a **Nizza/Civitavecchia/Marsala**.

5. Le città marinare (combattere) _____ contro i pirati **saraceni/caraibici/malesi**.

6. Con il Trattato di Campoformio del 1797, Napoleone (cedere) _____ all'Austria **la Lombardia/il Veneto/il Trentino**.

Il capolavoro di Canova

7. Nel 1347 in Europa (scoppiare) _____ una grande epidemia di **peste/malaria/lebbra**.

8. Gli Etruschi (scoprire) _____ per primi i giacimenti minerari della **Puglia/Toscana/Valle d'Aosta**.

9. L'imperatore Federico II (fondare) _____ l'Università di **Bologna/Bari/Napoli**.

10. I romani (dovere) _____ respingere più volte le invasioni **barbariche/napoleoniche/arabe**.

5. DUE CELEBRI AMANTI

A. Scrivi il soggetto e l'infinito di questi verbi, come nell'esempio. Poi prendi le lettere indicate dai numeri e completa il titolo dell'opera da cui è tratta questa famosa frase, riferita ai due amanti Paolo e Francesca.

1. loro	scelsero	scegliere	(5)	9. ___	vinsi	_____	(4)
2. ___	salii	_____	(2)	10. ___	ruppe	_____	(2)
3. ___	chiusi	_____	(5)	11. ___	ammisi	_____	(3)
4. ___	visse	_____	(2)	12. ___	assunse	_____	(5)
5. ___	scrissero	_____	(5)	13. ___	fu	_____	(6)
6. ___	sciolsero	_____	(7)	14. ___	esclusi	_____	(6)
7. ___	spinse	_____	(4)	15. ___	piacqui	_____	(2)
8. ___	steste	_____	(3)	16. ___	ebbero	_____	(1)

GALEOTTO FU IL LIBRO E CHI LO SCRISSE

L _ _ _ _ _ _ _ _ _ _ _ _ _

B. Adesso completa con i verbi nel riquadro la storia di Paolo e Francesca. Attenzione, c'è un verbo in più.

> costrinse • decise • finse • si innamorò • intrecciò • ispirò • morirono • nacque • rientrò • sorprese • uccise • vissero

Paolo e Francesca sono due personaggi realmente esistiti, che 1._____ una tragica storia d'amore.

Francesca apparteneva ai da Polenta, una potente famiglia della Romagna, che nella seconda metà del XIII secolo 2._____ di allearsi con i Malatesta, un'altra importante dinastia di Rimini. Nel 1275 il padre la 3._____, con l'inganno, a sposare Gianciotto Malatesta, un uomo anziano e deforme di cui lei non 4._____ mai. Francesca 5._____ invece una relazione con il giovane e attraente cognato, Paolo. Il desiderio reciproco 6._____ mentre leggevano la storia dell'amore proibito di Lancillotto e Ginevra. Un giorno però il vecchio Gianciotto, avvertito da una spia, 7._____ di partire e 8._____ al castello attraverso un passaggio segreto; 9._____ i due amanti insieme e, accecato dalla gelosia, li 10._____. Nel corso dei secoli questa storia 11._____ le opere di molti artisti e ancora oggi è il simbolo della passione travolgente.

J. A. D. Ingres, *Paolo e Francesca*

6. UN PO' DI STORIA

Completa le frasi con i verbi e dopo indica se le affermazioni sono vere o false.

V   F

1. I Romani (conquistare) _____ l'Inghilterra e l'Irlanda. ☐ ☐
2. Tacito (scrivere) _____ importanti cronache storiche. ☐ ☐
3. L'imperatore Nerone (morire) _____ avvelenato. ☐ ☐
4. Giovanni Boccaccio (vivere) _____ la sua giovinezza a Napoli. ☐ ☐
5. Colombo (scoprire) _____ il Nuovo Mondo grazie all'aiuto
   economico della regina d'Inghilterra. ☐ ☐
6. Il primo duomo di Milano (crollare) _____ nel 1700. ☐ ☐
7. Napoleone Bonaparte (divenire) _____ re d'Italia nel 1805. ☐ ☐
8. Garibaldi (dividere) _____ l'Italia in tre parti: Nord, Centro e Sud. ☐ ☐
9. L'Italia (diventare) _____ una Repubblica nel 1852. ☐ ☐
10. Nel 1908 un violento terremoto (distruggere) _____ Messina. ☐ ☐
11. Nel 1922 i fascisti (prendere) _____ il potere dopo un'elezione
    democratica. ☐ ☐
12. Il 22 gennaio 1944 gli alleati (sbarcare) _____ ad Anzio. ☐ ☐

Giuseppe Gariba

7. UNA FAMIGLIA ITALIANA

Riscrivi il brano usando, dove possibile, il passato remoto.

> I miei genitori si erano conosciuti a Todi nel 1914 quando mio padre faceva l'insegnante nelle scuole medie. La mamma era una sua alunna: lui aveva 22 anni, lei 15. Si sono innamorati subito. Un anno dopo mio padre è partito come volontario per la guerra. Si sono sposati prima della fine della guerra – civilmente. La famiglia di mia madre proveniva da tradizioni carbonare ed era legata alla storia risorgimentale. La lotta per l'indipendenza e la libertà d'Italia era per mia madre una storia "che entrava in famiglia".
> Poco dopo la fuga del babbo mia madre ha lasciato Roma: ha venduto precipitosamente il mobilio e tutto quello che possedeva e nel dicembre 1926 si è trasferita con mia sorella e me a Todi, nella casa paterna. La mamma non si era mai occupata di politica; condivideva tuttavia le scelte di mio padre, che ambedue consideravano scelte morali. La polizia temeva – non a torto – la fuga di mia madre per raggiungere il marito, così ha inviato un dispaccio telegrafico per avvisare del pericolo. Intanto il babbo ci faceva pervenire le sue lettere attraverso strani giri, per evitare le intercettazioni. Ma nonostante tutte le precauzioni, la polizia è riuscita a fermarne alcune, contenenti anche un lungo elenco di cose di cui aveva più urgentemente bisogno. Quelle cose mio padre non le ha mai ricevute.
>
> (F. Magnani, *Una famiglia italiana*, Feltrinelli)

FRANCA MAGNA
UNA FAMIGLIA
ITALIANA

_____
_____
_____
_____
_____
_____
_____
_____

8. STRANEZZE D'ITALIA

Scegli la forma corretta del verbo in queste strane ma reali vicende.

1. Il karateka Vincenzo D'Onofrio nel giugno 2000 **stabillette/stabilì/stabilise** un incredibile record: **riuscitte/riuscì/riuscise** a frantumare ben 112 tegole in soli 9 secondi e 59 centesimi. **Migliorò/miglioratte/miglioré** poi il suo record nel novembre dello stesso anno quando a Dublino **rompé/rompette/ruppe** 159 tegole in 15 secondi!

2. Nel 1986, per il funerale dello scrittore antifascista Piero Chiara, si **organizzò/organizzatte/organizzasse** una solenne celebrazione con tutte le autorità, nel cimitero di Luino. Nello stesso giorno però si **svolgerono/svolsero/svolgettero** anche i funerali del padre di Dario Fo, futuro premio Nobel per la letteratura, che **arrivò/arrivatte/arrivasse** al cimitero seguito dalla banda dei bersaglieri. Così, ingannate dal sontuoso corteo di Fo, le autorità **seguittero/seguirono/seguissero** per errore il suo funerale.

3. Anni fa decine di automobilisti e camionisti, bloccati da un ingorgo sull'autostrada Salerno-Reggio Calabria, **vincettero/vincerono/vinsero** noia e tensione in modo estremamente inconsueto. Quando il caldo cominciava a farsi sentire e la rabbia cresceva a dismisura, **comparve/comparse/comparì** improvvisamente un pallone. Automobilisti da una parte e camionisti dall'altra **dattero/darono/diedero** vita a un match agguerrito, arricchito dal tifo di chi non **poté/posse/poterette** prendere parte alla partita. Risultato finale? Un pareggio.

4. Secondo lo studioso americano Marc Levoy, Michelangelo, quando **scolpitte/scolpì/scolpise** il bellissimo David, lo **fece/facette/faré** appositamente strabico per ottimizzare la visione degli spettatori, sia da destra sia da sinistra. **Fusse/essò/fu** un trucco di Michelangelo per garantire a tutti di guardare la scultura negli occhi.

5. Diversi anni fa, a Mantova, un'insegnante di un centro di formazione professionale **diresse/dirigé/dirigerette** i suoi cinquanta allievi in un singolare concerto: i ragazzi **eseguittero/eseguirono/eseguissero** la Sinfonia numero 40 di Mozart, oltre ad alcuni brani di Offenbach e di Strauss, e come strumento **adoperarono/adoperattero/adoperareno** esclusivamente la loro macchina per scrivere!

6. A Napoli, all'ospedale psichiatrico di San Gennaro, **ricoverarono/ricoverettero/ricoverono** un paziente che si era presentato con la sua inseparabile gallina. L'uomo non **volle/volette/volse** abbandonare la sua amica del cuore e per non far scoppiare risse in reparto i medici **acconsentittero/acconsentissero/acconsentirono** a farli dormire insieme. Probabilmente la presenza dell'animale domestico **risulté/risultatte/risultò**, in fondo, più "terapeutica" di tante cure farmacologiche.

9. PROVERBI

Abbina le due parti di questi proverbi.

1. Tanto tuonò
2. La gatta frettolosa
3. Nacque per nulla
4. La superbia andò a cavallo e
5. Raglio d'asino

☐ a. non giunse mai in cielo.
☐ b. tornò a piedi.
☐ c. che piovve.
☐ d. chi vive solo per sé.
☐ e. fece i gattini ciechi.

10. VERBI INTRECCIATI

Nell'intreccio sono nascoste le forme del passato remoto dei verbi nel riquadro; trovale e con le lettere rimaste avrai il titolo di un famoso e divertente romanzo di Luciano De Crescenzo.

amare • aprire • avere • avvisare • bastare • bere • cuocere • essere • fare • leggere • mettere • osare • parere • piangere • prendere • rimanere • scendere • scrivere • sparire • udire • vedere • vincere • volare

L	V	B	A	S	T	Ò	B	C	C	O	P
E	I	A	S	C	E	S	E	R	O	S	I
S	N	P	A	R	V	E	V	Ì	S	P	A
S	S	R	A	I	A	V	V	I	S	Ò	N
I	E	Ì	R	V	L	Ò	I	B	E	E	S
M	I	S	I	E	A	S	P	A	R	Ì	I
F	L	F	U	M	M	O	R	V	O	L	Ò
E	U	R	I	M	A	S	E	R	O	L	A
C	D	V	I	O	I	Ò	S	E	B	B	E
I	Ì	S	T	V	E	D	E	M	M	O	A

Il romanzo di Luciano De Crescenzo s'intitola:

____ _____ ____ _____ _____

11. DALL'INGEGNERIA ALLA LETTERATURA

Rimetti in ordine le varie parti della vita di Luciano De Crescenzo. Nel testo troverai anche due forme verbali sbagliate: individuale e correggile.

In pratica ho vissuto due vite: quella dell'ingegnere e quella dello scrittore, come dire che mi sono reincarnato alla bella età di 47 anni. Ma vediamo più da vicino come sono andate le cose...

A. Poi, nel '77, grazie a Dio, la Mondadori lanciò una nuova collana: la BUM, la Biblioteca Umoristica Mondadori, e, dal momento che in Italia a umoristi siamo messi maluccio, riuscii a pubblicare. All'inizio non è che vendetti chissà che (12.000 copie in un anno). Un ottimo risultato per un debuttante ma non tale da lasciare un posto fisso all'IBM! Continuai allora a fare l'ingegnere.

B. In seguito ho fatto tante altre cose. L'appetito, si sa, vien mangiando. Ho lavorato come sceneggiatore al fianco di Renzo Arbore nel *Papocchio* e in *FFSS*, e come regista in quattro film tratti dai miei libri, e precisamente in *Così parlò Bellavista*, *Il mistero di Bellavista*, *32 Dicembre* e *Croce e delizia*. Insomma sono stato fortunato.

C. Poiché alcuni anni prima ero stato un attento lettore di Giuseppe Marotta e mi piaceva il suo modo di raccontare Napoli, decisi d'imitarlo. Scrissi *Così parlò Bellavista* e inviai il manoscritto a vari editori ma non ottenni alcun riscontro positivo.

D. Quand'ecco un giorno arrivò il colpo di fortuna: a una cena conobbi un famoso presentatore con i baffi. Si chiamò Maurizio Costanzo. Gli confidai i miei dubbi sul mio futuro da scrittore e lui mi disse: "Proprio in questi giorni ho iniziato un programma in tv intitolato *Bontà Loro*. Venga in trasmissione e chieda lei stesso agli italiani se deve fare lo scrittore o se è meglio che continui a fare l'ingegnere".

E. Nel '76 ero un dirigente della IBM ITALIA. Percepivo un ottimo stipendio ma, nel medesimo tempo, non avevo molto da fare: ero un dirigente e non avevo niente da dirigere.
Un giorno presi l'influenza e restai a casa per una settimana. Tornato in ufficio, chiesi alla mia segretaria: "Mi ha cercato qualcuno?". "No" rispose lei e io mi resi conto che al di fuori dell'andare a mensa non avevo altro da fare. Allora mi mettei a scrivere.

F. Ebbene, non ci crederete, ma quella fu la svolta: dopo l'apparizione in TV, il libro partì alla grande e in poco tempo vendette seicentomila copie. Fui il primo scrittore per il quale Costanzo mostrò la copertina del libro alle telecamere. Insomma, diciamo la verità: senza la televisione io oggi sarei un ex ingegnere in pensione che una volta ha scritto un libro. Non bisogna meravigliarsi più di tanto, infatti, se Kafka in tutta la vita vendette solo cinquecento copie.

(www.lucianodecrescenzo.net)

L'ordine delle parti è ____ ____ ____ ____ ____ ____

Le forme verbali sbagliate sono: 1._____ → _____

2._____ → _____

12. CONOSCI LE MONETE ITALIANE?

Completa le frasi con i verbi nel riquadro e collega le monete alle descrizioni.

collocò • diede • dipinse • fu • nacque • ordinò • riprogettò • studiò • volle

1. L'imperatore Vespasiano _____ inizio alla sua costruzione nel 72 d.C.
2. _____ un grande scrittore medievale e padre della lingua italiana.
3. _____ originariamente come sinagoga di Torino.
4. Con quest'opera Boccioni _____ riprodurre l'uomo e la dinamicità del suo movimento.
5. Nel 1536 Michelangelo la _____ e vi _____ la statua di Marco Aurelio.
6. Botticelli la _____ su commissione del nipote di Lorenzo il Magnifico.
7. Nel 1240 Federico II ne _____ la costruzione in Puglia.
8. Disegno in cui Leonardo _____ le proporzioni del corpo umano.

 a) 2 euro
Dante Alighieri

 d) 20 centesimi
Forme uniche della continuità nello spazio

 g) 2 centesimi
La Mole Antonelliana

 b) 1 euro
L'uomo vitruviano

 e) 10 centesimi
La nascita di Venere

 h) 1 centesimo
Castel del Monte

 c) 50 centesimi
Piazza del Campidoglio

 f) 5 centesimi
Il Colosseo

a. ____	b. ____	c. ____	d. ____
e. ____	f. ____	g. ____	h. ____

13. LA STORIA DEI CORIANDOLI

Leggi il testo e metti i verbi sottolineati al posto giusto.

In passato, durante i matrimoni e in altre ricorrenze, si usava lanciare i semi della pianta del coriandolo rivestiti di zucchero, considerati una vera leccornia. Nel corso di un Carnevale, però, qualcuno 1. proseguì l'idea di rivestire tali spezie con il gesso, molto meno costoso dello zucchero: l'usanza 2. mise in tutta Italia e 3. ebbe fino alla seconda metà dell'800, quando un ingegnere di Crescenzago (vicino a Milano) 4. si diffuse e 5. produsse in vendita con successo i dischetti di carta che, ancora oggi, proseguendo la tradizione, si chiamano coriandoli.

1. _____   2. _____   3. _____
4. _____   5. _____

14. SCIOGLILINGUA

Completa gli scioglilingua con i verbi nel riquadro.

andò • buttò • chiese • fece • fu • insorse • rincorse • sbarbò •scorse • si perse • vennero

1. Apelle figlio d'Apollo
   _____ una palla di pelle di pollo
   tutti i pesci _____ a galla
   per vedere la palla di pelle di pollo
   fatta da Apelle figlio d'Apollo.

2. Al pozzo dei pazzi
   una pazza lavava le pezze.
   _____ un pazzo
   e _____ la pazza
   con tutte le pezze nel pozzo dei pazzi.

3. Chi _____ quel barbaro barbiere
   che _____ barbaramente
   la barba di Bartolomeo Barbetta
   in piazza Barberini?

4. Il re Serse _____ un orso
   e lo _____ a tutta forza.
   L'orso _____ con un morso.
   Serse non _____ soccorso
   e _____ dietro l'orso.

15. UN INDOVINELLO

Completa l'indovinello con i verbi e trova la soluzione.

Nella giungla i cannibali (catturare) _____ un esploratore. La tribù però lo (trovare) _____ talmente disgustoso che (decidere) _____ di non mangiarlo e (dare) _____ al condannato la possibilità di scegliere tre tipi di morte:
1. arrostito vivo
2. gettato nella buca dei leoni a digiuno da un anno
3. impiccato

Quale (scegliere) _____ l'esploratore? _____

16. UN PO' DI BUONUMORE

Trova e correggi l'errore nella barzelletta.

«... e il principe e la principessa vivettero felici e contenti...
Ma ricorda: questa è una favola!»

TRAPASSATO REMOTO

AUSILIARE +	PARTICIPIO PASSATO DEL VERBO
passato remoto di **avere** o **essere**	-are → **-ato**
	-ere → **-uto**
	-ire → **-ito**

Il trapassato remoto si usa di rado e quasi esclusivamente nella lingua scritta.
Indica un'azione anteriore a quella del passato remoto ed è introdotto da "dopo che", "(non) appena" e "quando":

*Il capitano, appena **ebbe ricevuto** il dispaccio dal comando, diede ordine di attaccare.*
*L'oratore, quando tutti i senatori **si furono seduti** ai loro posti, pronunciò la sua difesa.*

 ESERCIZI

1. **UNO SCRITTORE DI AVVENTURE: EMILIO SALGARI**

A. Leggi il testo e sottolinea i verbi al trapassato remoto.

Emilio Salgari è il più famoso scrittore italiano di romanzi d'avventura.
Nato a Verona nel 1862, appena ebbe concluso gli studi all'Istituto Nautico fece una breve esperienza per mare lungo le coste adriatiche, ma sfortunatamente non poté raggiungere tutti i Paesi descritti nelle sue opere, luoghi che conobbe solo sui libri e non visitò mai realmente. Dopo che ebbe pubblicato i suoi primi romanzi a puntate su settimanali veronesi e milanesi, collaborò con l'editore berlinese Donath, che si era da poco stabilito a Genova. Fu in questo periodo che scrisse il primo romanzo del "ciclo dei corsari": *Il Corsaro Nero*. Il romanzo ottenne un buon successo, centomila copie vendute, ma non diede all'autore la tanto sospirata tranquillità economica; in compenso servì a diffondere in tutta Italia il suo nome. Donath, dopo che l'ebbe stampato a dispense tra il 1898 e il 1899, ne fece un volume unico, che uscì nel 1901.

Salgari scelse come ambientazione delle sue opere non solo le Antille ma anche luoghi esotici orientali, come la Malesia e le Filippine. Famosissima e fortunatissima la storia di Sandokan, la Tigre di Mompracem, protagonista del "ciclo della pirateria della Malesia". Tanti successi letterari però portarono più beneficio agli editori che all'autore: per avere i soldi necessari a sopravvivere, infatti, il povero Salgari era costretto a scrivere tre libri l'anno. Questi enormi sforzi gli provocarono un forte stress, che si aggravò con la pazzia della moglie. L'esaurimento nervoso dello scrittore peggiorò anche dopo che ebbe rinchiuso la donna in manicomio, tanto che, ridotto allo stremo, nel 1911 si suicidò. Per ricordare questo autore di tante storie fantastiche, gli scienziati hanno battezzato un asteroide con il suo nome: 27094 Salgari.

B. Riporta nella tabella i verbi del testo al passato remoto e trasformali al trapassato remoto, come nell'esempio.

PASSATO REMOTO	TRAPASSATO REMOTO	PASSATO REMOTO	TRAPASSATO REMOTO
fece	ebbe fatto		

2. FRASI CELEBRI

Completa le frasi con i verbi alla forma opportuna e con i nomi dei personaggi storici, riportati nel riquadro, che pronunciarono le celebri parole scritte in blu.

> Catone • Cicerone • Furio Camillo • Galileo Galilei • Garibaldi • Giulio Cesare • i soldati italiani
> • Massimo d'Azeglio • Michelangelo • Pier Capponi • Vespasiano

1. _ _ _ _ _ _ _☐_ _ _ _, non appena (sapere) _____ della richiesta di riscatto di Brenno, (tornare) _____ a Roma e (gettare) _____ la sua spada sulla bilancia dicendo: "Non con l'oro, ma con il ferro si riscatta la patria".

2. _☐_ _ _ _, dopo che (parlare) _____ a lungo in Senato, (chiudere) _____ la sua oratoria con la sentenza: "Cartagine deve essere distrutta".

3. _ _ ☐_ _ _ _ _ dopo che (scoprire) _____ la congiura di Catilina, (pronunciare) _____ la famosa frase: "Fino a quando, o Catilina, abuserai della nostra pazienza?".

4. _ _ _ ☐_ _ _ _ _ _ _ quando (finire) _____ di scolpire il Mosè, (lanciare) _____ il martello sul ginocchio della statua e (dire) _____: "Perché mi guardi e non parli?".

5. _ _ _ ☐_ _ _ _ _ _ _ _ _ _ quando (ritrattare) _____ la sua teoria davanti al tribunale dell'Inquisizione, prima della fine del processo (dire) _____: "Eppur si muove!".

6. Dopo che gli Austriaci (sferrare) _____ l'ultima offensiva sul Piave, _ _ _ _ _ _ ☐_ _ _ _ _ _____ (scrivere) _____ sui muri delle case di Fagarè: "È meglio vivere un giorno da leone, che cent'anni da pecora".

7. L'imperatore ☐_ _ _ _ _ _ _ _ quando (ascoltare) _____ le lamentele di suo figlio Tito a proposito dell'indecorosa tassa sulla raccolta dell'urina, (replicare) _____: "Il denaro non puzza".

8. Quando Carlo VIII (leggere) _____ le condizioni della tregua, _ _ ☐ _ _ _ _ _ _ _ _ sde-
    gnato (gridare) _____: "Voi suonerete le vostre trombe, noi suoneremo le nostre campane!".

9. Durante la battaglia di Calatafimi, _ _ _ _ _ _ ☐ _ _ non appena (vedere) _____ che Nino
    Bixio voleva ritirarsi, lo (richiamare) _____ dicendo: "Qui si fa l'Italia o si muore".

10. _ _ _ ☐ _ _ _ _ _ _ _ _ , dopo che (oltrepassare) _____ il Rubicone, (dire)_____:
    "Il dado è tratto!".

11. _ _ _ _ _ _ _ _ _ _ _ _ _ ☐ _ , dopo che il re Vittorio Emanuele II (proclamare)
    _____ l'Unità d'Italia, (esclamare) _____: "Abbiamo fatto l'Italia,
    ora dobbiamo fare gli italiani".

**Adesso, con le lettere nelle caselle, scrivi il cognome del famoso politico italiano rinascimen-
tale, raffigurato nel dipinto, che pronunciò questa celebre frase:**

La storia è la maestra delle nostre azioni.

NICCOLÒ ☐ ☐ ☐ ☐ ☐ ☐ ☐ ☐ ☐ ☐ ☐

3. LE FOLLI IMPRESE DI GABRIELE D'ANNUNZIO

Ricostruisci gli avvenimenti dannunziani collegando le frasi.

Gabriele D'Annunzio è un famoso scrittore italiano vissuto tra la fine del XIX e l'inizio del XX
secolo. Oltre a essere un uomo di lettere, fu anche un ardito soldato, che, un po' per vanità
personale e un po' per amor di patria, compì delle rischiose imprese militari.

1. Quando le truppe alleate ebbero occupato Fiume,
2. Dopo che gli avieri ebbero rinunciato all'impresa a causa della nebbia,
3. Dopo che ebbe preso parte alla spedizione navale nella baia di Buccari,

☐ a. D'Annunzio lasciò davanti alla costa nemica tre bottiglie con dentro messaggi di sfida.
☐ b. D'Annunzio organizzò un colpo di mano paramilitare e occupò la città.
☐ c. D'Annunzio riuscì invece il 9 agosto 1918 a portarla a temine, sorvolando Vienna su cui lanciò manifesti patriottici.

4. LA LEGGENDA DELLA TORRE DEGLI ASINELLI

Gabriele D'Annunzio

Completa il testo con i verbi al passato e al trapassato remoto.

Nel 1100 c'era a Bologna un giovane operaio che trasportava sabbia e ghiaia per alcuni muratori; questi
lo (soprannominare) _____ Asinelli poiché per il suo lavoro si serviva di alcuni asini. Un giorno il ragazzo (passare) _____ nei pressi della casa di una nobile famiglia e (vedere)
_____ alla finestra una bellissima fanciulla della quale (innamorarsi) _____. Dopo
che ne (chiedere) _____ la mano al padre, (sentirsi) _____ rispondere
che per avere in sposa la giovane doveva costruire la torre più alta della città. Il nobile e ricco signore, naturalmente, riteneva impossibile una tale impresa e non (pensare) _____ più a quella proposta
di matrimonio. Il giovane, invece, aiutato dalla fortuna, (riuscirci) _____. Infatti un bel

giorno, mentre stava scavando sabbia e ghiaia nel fiume Reno, a un tratto (vedere) _____ luccicare qualcosa sul fondo dell'acqua
chiara: erano nientemeno che monete d'oro! Il povero operaio (mettersi)
_____ con tanta lena a scavare che in breve tempo (raccogliere) _____ tanto oro da caricare completamente i suoi asinelli.
Non appena (entrare) _____ in possesso di tanta ricchezza
non gli (essere) _____ difficile realizzare l'impresa: infatti (chiamare) _____ un muratore e gli (ordinare) _____
di costruire nel centro della città un'altissima torre. Dopo nove anni di lavoro,
non appena il ragazzo (terminare) _____ l'opera, (po-
tere) _____ sposare la sua amata. L'alta torre che era nata,
secondo la leggenda, da un grande amore, (prendere) _____
il soprannome del suo costruttore e da allora si chiama Torre degli Asinelli.

(http://digilander.libero.it/leggendeitaliane/index2.htm)

5. DONNE D'ALTRI TEMPI

Abbina le frasi alle immagini di queste tre donne per ricostruire le loro vicende.

a. Lorena, ___ ___   b. Dalia, ___ ___   c. Mafalda, ___ ___

1. quando finalmente ebbe deciso di
   raggiungere il marito in America,
2. non appena ebbe saputo
   dell'incidente,
3. dopo che Massimo fu tornato dal
   fronte,

x. si precipitò di corsa in fabbrica
   preoccupata per il marito.
y. accettò la sua proposta di
   matrimonio.
z. andò al porto a comprare due biglietti
   di terza classe per lei e per il figlio.

6. UN CANE PARTICOLARE...

Ricolloca nei punti giusti della barzelletta le tre frasi nel riquadro. Dopo, per sapere il finale, rimetti in ordine le ultime parole del testo scritte in blu.

> **A.** Camminarono entrambi per la strada, uno davanti e l'altro dietro a seguirlo, finché il cane si fermò davanti una casa.
> **B.** Il macellaio notò che il cane aveva in bocca anche un biglietto da 50 euro.
> **C.** Allora attraversò la strada e camminò fino a una fermata dell'autobus, mentre il macellaio stupefatto lo seguiva da vicino.

Un macellaio stava lavorando nel suo negozio e restò molto sorpreso quando vide entrare un cane. Lo cacciò fuori, ma lui tornò subito dentro. Cercò quindi di mandarlo via ancora, ma si rese conto che il cane aveva un foglio in bocca. Dopo che lo ebbe preso, lo lesse con curiosità:

"Mi potrebbe mandare 12 salsicce e tre bistecche di manzo, per favore?"

Così preparò un sacchetto con le salsicce e le bistecche, e lo ripose nella bocca del cane.

Il macellaio rimase molto colpito da questo fatto e, siccome era già ora di chiudere il negozio, decise di seguire il cane che stava andando in strada con il sacchetto tra i denti. Appena l'incredibile animale fu arrivato a un incrocio, si alzò sulle zampe posteriori e, con una delle anteriori, schiacciò il pulsante dei pedoni per cambiare il segnale del semaforo, aspettando pazientemente che diventasse verde. Alla fermata il cane guardò verso la mappa dei percorsi e degli orari e si sedette sul marciapiede ad aspettare il suo autobus. Ne arrivò uno che non era il suo, e non si mosse. Arrivò dunque un altro autobus e il cane, dopo che ebbe visto che era quello giusto, salì dalla porta posteriore affinché il conduttore non lo potesse vedere. Il macellaio, a bocca aperta, lo seguì. All'improvviso la bestiola si alzò sulle zampe posteriori e suonò il campanello della fermata, sempre con il sacchetto tra i denti. Non appena l'autobus si fu fermato, scese, e così fece anche il macellaio. Pose allora il sacchetto sul marciapiede e, prendendo la rincorsa, si lanciò contro la porta. Ripeté l'azione diverse volte, ma nessuno aprì. Girò allora intorno alla casa, saltò un recinto, si avvicinò a una finestra e con la testa colpì diverse volte il vetro. Ritornò alla porta che finalmente si aprì e comparve un uomo che cominciò immediatamente a rimproverarlo in modo rude.

Il macellaio corse verso l'uomo e gridò:

"Santo cielo, ma che cosa sta dicendo? Il suo cane è un genio!"

E l'uomo irritato rispose:

"Un genio??? Negli ultimi cinque giorni _____!!!"

casa che già chiavi di dimentica è la le questo seconda stupido volta

(www.nardonardo.it)

CONCORDANZA DEI TEMPI - INDICATIVO

Il tempo di una frase subordinata dipende da quello della principale e può indicare un'azione anteriore, contemporanea o posteriore.

Se il tempo della principale è **presente**, nella subordinata si avranno:

○ passato prossimo, imperfetto, trapassato prossimo, passato remoto per esprimere un'azione avvenuta prima:

> Andrea <u>racconta</u> sempre che da piccolo **era** un bambino bellissimo.

○ presente o presente di "stare" + gerundio per esprimere un'azione che avviene nello stesso momento:

> <u>So</u> per certo che a quest'ora mio padre non **è** in casa.

○ presente o futuro per indicare un'azione che avverrà successivamente:

> Perché non mi <u>dici</u> chiaro e tondo che **accetterai** quell'offerta di lavoro in Vietnam?

Se il tempo della principale è **passato**, nella subordinata si avranno:

○ imperfetto, trapassato prossimo, passato remoto, trapassato remoto per esprimere un'azione avvenuta prima:

> Al centro commerciale, l'altoparlante <u>ripeteva</u> in continuazione che **si era perso** un bambino.

○ imperfetto o imperfetto di "stare" + gerundio per esprimere un'azione avvenuta nello stesso momento:

> Ieri Mara mi <u>ha detto</u> che **stava andando** alla polizia a denunciare il furto della sua bici.

○ condizionale passato o imperfetto per indicare un'azione avvenuta successivamente:

> <u>Ero</u> certo che anche quel giorno **sarei stato** occupato fino a sera.

Se il tempo della principale è **futuro**, nella subordinata si avranno:

O futuro anteriore, passato prossimo o passato remoto per esprimere un'azione avvenuta prima:

> *Caterina e Simona* <u>potranno</u> *annaffiare il giardino solo dopo che il sole* **sarà tramontato**.

O futuro semplice o futuro di "stare" + gerundio per esprimere un'azione che avverrà nello stesso momento:

> *Domani purtroppo non ci* <u>vedremo</u>*: quando tu* <u>arriverai</u> *a casa, io mi* **starò imbarcando** *sull'aereo.*

O futuro semplice per indicare un'azione che avverrà successivamente:

> *Giovedì la ditta* <u>comunicherà</u> *ai dipendenti i periodi in cui* **potranno** *fruire delle ferie.*

PRINCIPALE PRESENTE *Sonia* **spiega** *perché...*	SUBORDINATA REALIZZATA NEL PASSATO (ANTERIORITÀ) passato prossimo, imperfetto, trapassato prossimo, passato remoto *al referendum ha votato contro l'energia nucleare.* SUBORDINATA CHE SI REALIZZA NEL PRESENTE (CONTEMPORANEITÀ) presente, presente di "stare" + gerundio *al referendum vota contro l'energia nucleare.* SUBORDINATA CHE SI REALIZZA NEL FUTURO (POSTERIORITÀ) presente, futuro *al referendum voterà contro l'energia nucleare.*
PRINCIPALE PASSATA *Sonia* **ha detto** *che...*	SUBORDINATA REALIZZATA NEL PASSATO (ANTERIORITÀ) imperfetto, trapassato prossimo, passato remoto, trapassato remoto *il giorno prima non era andata alla lezione di yoga perché era stata impegnata.* SUBORDINATA CHE SI REALIZZA NELLO STESSO MOMENTO (CONTEMPORANEITÀ) imperfetto, imperfetto di "stare" + gerundio *stava andando alla lezione di yoga perché si voleva rilassare.* SUBORDINATA CHE SI REALIZZA NEL FUTURO (POSTERIORITÀ) imperfetto o condizionale passato *il giorno dopo sarebbe andata alla lezione di yoga perché si voleva rilassare.*
PRINCIPALE FUTURA *Sonia ci* **informerà***...*	SUBORDINATA REALIZZATA NEL PASSATO (ANTERIORITÀ) futuro anteriore, passato prossimo o passato remoto *sulle decisioni prese, dopo che la riunione sarà finita.* SUBORDINATA CHE SI REALIZZA NELLO STESSO MOMENTO (CONTEMPORANEITÀ) futuro semplice, "stare" (futuro) + gerundio *man mano sulle decisioni che si prenderanno durante la riunione.* SUBORDINATA CHE SI REALIZZA NEL FUTURO (POSTERIORITÀ) futuro semplice *sulle questioni che l'assemblea dei soci tratterà nella riunione di domani.*

ESERCIZI

1. TEMPORALI

Scrivi vicino a ogni frase se la subordinata è anteriore (A), contemporanea (C) o posteriore (P) rispetto alla principale.

1. Mia nonna mi ripeteva sempre che la sua gioventù era stata caratterizzata da un'estrema povertà. ☐
2. A distanza di tempo, non so ancora dirti se ho fatto bene a investire tutti i miei risparmi in questo affare. ☐
3. Una volta il galateo diceva che l'uomo doveva cedere il passo alle signore. ☐
4. Valeria, dopo che sarà passata a prendere a scuola Sofia, verrà a pranzo a casa mia. ☐
5. Le prove dimostravano che l'omicidio era avvenuto ben prima della mezzanotte. ☐
6. Spero che un giorno tutti i tuoi desideri si avvereranno! ☐
7. Penso che andrò al cinema stasera. ☐
8. Sappiamo perfettamente cosa vuoi dire con queste parole! ☐
9. Alessandro, quando si sarà sposato con Anke, andrà a vivere in Germania. ☐
10. Tu andare in pensione? Ma non avevi detto che avresti lavorato fino a settant'anni? ☐
11. Giada si lamenta sempre perché in questo periodo non riesce a trovare lavoro. ☐
12. Quando ho iniziato a lavorare non avevo ancora compiuto sedici anni. ☐
13. Mi stai dicendo che non partirai più per il viaggio in Nepal? Ma perché? ☐
14. Purtroppo sapremo solo il mese prossimo se la fabbrica chiuderà e licenzierà i suoi dipendenti. ☐
15. Sono contento, perché da oggi finalmente ho la connessione wireless a casa! ☐
16. Dai! Mi dici chi verrà alla mia festa con te? ☐
17. I promotori finanziari assicurano sempre che i loro investimenti frutteranno molti soldi. ☐
18. Martedì sera a cena ci racconterai com'è andato l'incontro con i genitori della tua ragazza. ☐

2. UNA SCELTA DI VITA

A. Scegli la forma corretta del verbo.

Abbiamo un problema a casa: mia sorella Ambra vuole lasciare temporaneamente l'università e partire per sei mesi di volontariato ad Haiti. Lì c'è un'ONG che da alcuni mesi **si sta occupando/si occupava** della costruzione di un ospedale per i bambini poveri. Ovviamente i miei genitori non sono d'accordo: sostengono che questa avventura non **avrebbe giovato/gioverà** al suo futuro lavorativo e le **farà/avrebbe fatto** solo perdere tempo e concentrazione. Ambra invece dice di essere arrivata a prendere questa decisione dopo un'attenta riflessione nata da un incontro fortuito: alcuni mesi fa, infatti, mentre **era andata/andava** al cinema con un'amica, si **è fermata/stava fermando** ad un banchetto dimostrativo dell'ONG e **ha iniziato/avrebbe iniziato** a parlare con i volontari che le hanno illustrato il progetto dell'ospedale. Da quel momento Ambra **ha cominciato/stava cominciando** a riflettere sulla sua vita, sul suo impegno sociale e sull'egoismo delle persone più ricche e fortunate, capendo così che questa **è stata/sarà** una buona occasione per fare del bene e dare un senso alla sua vita. Anche il suo ragazzo in un primo momento non ha preso bene la notizia, ma adesso dice che Ambra **avrebbe fatto/sta facendo** una grande cosa e questo **sarà/era** molto utile per lei stessa e per agli altri. Io sono sicuro che mia sorella **aveva preso/ha preso** una bellissima decisione e che **crescerà/cresce** molto come persona e insieme speriamo che i nostri genitori un giorno **avrebbero capito/capiranno** l'importanza di questa esperienza e **saranno/sarebbero stati** fieri di lei.

B. Trova le forme verbali errate e correggile.

Ambra scrive una mail per tranquillizzare la famiglia.

Invia messaggio	Salva in Bozze	Annulla

A: ✉	giorgio.bianchi@gpfl.gl	☐ Mostra CCN
		☐ Priorità alta
		☐ Avviso di lettura
CC: ✉		☑ Salva in posta inviata
Oggetto:	Saluti da Haiti	
Allega: File Jumbo		

Solo Testo HTML

Controllo ortografico | Aggiungi firma ▾

Cari tutti,
so che vi state preoccupando per me ma voglio tranquillizzarvi. Ero arrivata da poche ore e l'impressione che ho di questo villaggio è davvero ottima. La gente è molto semplice e ospitale: credo che qui mi sentirò davvero a casa. Appena sono scesa dall'autobus i bambini mi stanno invitando a entrare nelle loro case per conoscere le loro mamme e mi hanno anche chiesto di insegnargli l'italiano! La responsabile del progetto dice che il lavoro sarà abbastanza duro ma mi darà anche tante soddisfazioni. Mi ha anche assicurato che sarà molto facile stabilire delle buone relazioni con gli altri cooperanti e soprattutto con la gente del posto. Ho già conosciuto la ragazza con cui dividerò la camera nei nostri bungalow: è neozelandese e studia psicologia come me. Janet, si chiama così, era arrivata sei mesi fa e si fermerà per altri sei, il doppio di quanto resterò io! Qui fa caldo ed è umido, ma le previsioni assicurano che in settimana l'aria si rinfrescherà un po'. Lo spero proprio!
Adesso che sapete come stanno andando le cose qui, siete stati un po' più tranquilli?
Vi abbraccio forte.
Ambra

Controllo ortografico | Aggiungi firma ▾

Invia messaggio	Salva in Bozze	Annulla

1._____ 2._____ 3._____ 4._____

3. QUALE DEI TRE?

Scegli il verbo corretto.

1. Pensavo che gli invitati alla cena **portavano/avrebbero portato/porteranno** almeno il dolce e il vino!
2. So che questa materia adesso vi sembra difficile, ma con pazienza e impegno **riuscirete/eravate riusciti/riusciste** a capirla.
3. Bello questo film? Io dico che **sarebbe/era/sarà** un flop!
4. Sto leggendo sul giornale che ieri **ci sono stati/c'erano/ci sono** disordini alla manifestazione contro il razzismo.
5. Potrai rilegare la tesi solo dopo che il professore la **correggerà/avrà corretta/corregge**.
6. Il dj di MTV dice che l'album dei Modà **scalerebbe/sta scalando/scalava** le vette delle classifiche italiane.
7. Quando ci siamo innamorati, ci siamo promessi che non ci **saremmo lasciati/lasceremo/lasciavamo** mai!
8. Ma sei matto? Stai dicendo che **hai voluto/volevi/vorresti** lasciare il tuo lavoro? Ti prego, pensaci bene prima di fare questa follia!
9. Ti ripeto che non ti **tradivo mai/ho mai tradito/avevo mai tradito**!
10. L'11 aprile, quando si terrà l'assemblea condominiale, l'amministratore **presenterà/avrà presentato/presenta** il consuntivo del bilancio 2010.
11. Marilisa mi sta descrivendo minuziosamente la scena a cui **ha assistito/assisterà/assisterebbe** poco fa in metropolitana.
12. Denise mi ha raccontato come **ha salvato/aveva salvato/avrà salvato** tutti i suoi undici bellissimi gatti dai pericoli della strada.

Modà

4. COMPLETIAMO

Completa il racconto con i tempi opportuni dei verbi.

Addio!
Il maestro era commosso. Salutava la quinta B, la classe a cui (affezionarsi) _____ di più dall'inizio della carriera.
«Addio, ragazzi. L'anno prossimo sarete in prima media, (voi, leggere) _____ libri che non vi (io, potere) _____ far leggere, (voi, risolvere) _____ problemi che vi (io, accennare) _____ soltanto e non verrete di certo a trovarmi. È giusto così. Ma (dovere) _____ sapere che vi ho voluto e vi (volere) _____ sempre bene. Forse un giorno, quando sarò in pensione, una o uno di voi mi (fermare) _____ per la strada, mi (dire) _____ che è diventato papà, o mamma, e...»
Suonò la campanella. I bambini sciamarono fuori. Tutti, tranne uno, che si avvicinò al maestro.
«Non vai, Alessio?», disse l'uomo con la voce rotta dall'emozione.
Il bambino non rispose.
«La scuola è finita», disse il maestro.
Il bambino lo guardò con occhi disperati.
«L'anno prossimo sarà l'anno più bello della tua vita di studente», continuò il maestro cercando di non piangere.
«Sì, ma...», cominciò a dire il bambino.
«Il tuo maestro ti vorrà sempre bene, Alessio mio».

«Mi può restituire la macchinina?».
Il bambino (diventare) _____ tutto rosso in faccia e (sembrare) _____ più piccolo di dieci centimetri, ma (riuscire) _____ a parlare.
Il maestro cadde dalle nuvole.
«Quella macchinina nera, la Smart che mi (sequestrare) _____ prima delle vacanze di Pasqua».
«Ah, sì».
Il maestro aprì il suo cassetto e, dopo averlo mezzo svuotato, (trovare) _____ il modellino della Smart. Gli (sembrare) _____ di essere in un incubo.
Il bambino s'infilò la macchinina in tasca e corse verso l'uscita.
Il maestro si mise a piangere e sperò che Alessio non si voltasse indietro, ma il bambino si voltò.
«Magari un giorno ci incontriamo quando lei è in pensione e io le dico che (avere) _____ ancora la mia macchinina e ci (giocare) _____ ancora!».
Il maestro si voltò di spalle e fece segno di sì con la testa.

(F. De Propris, novembre 2005)

5. RISCRIVIAMO

Riscrivi sul quaderno il testo al passato.

Vi dico in genere i menù che io e Giovanna ci prepariamo in questo lungo inverno: rape rosse e soia con cipolle. Quando io sostengo che avremmo bisogno di più calorie Giovanna alza le spalle e dice: "Possiamo anche fare il risotto con la soia, il riso è un alimento completo", come dice il suo ricettario di cucina zen. Allora io dico che basta fumare un po' di meno ed ecco che col prezzo di un pacchetto di sigarette ci compriamo per esempio due etti di stracchino.
La soia poi è diventata uno di quegli alimenti per i vegetariani ricchi che comprano tutto nelle erboristerie, ma noi conosciamo una bottega in vico della Maddalena frequentata da ragazzi cosiddetti extracomunitari, da tossici e prostitute e anche da vecchi pensionati dove la soia costa milleottocento lire al chilo. Con mezzo chilo di soia ci mangia una banda di persone abbastanza affamate.
Giovanna una sera arriva e ha una bella sorpresa: una grande pagnotta pugliese con un bel mazzo di aglio per squisite bruschette. Dice che non ha saputo resistere a questa tentazione e che anzi stanotte ha sognato che noi due insieme facevamo fuori una montagna di pane e di aglio e che, quando si è svegliata, è stata presa da questo fortissimo desiderio.
Io penso che almeno nei sogni potremmo mangiare cibi più lussuosi. Comunque questi desideri materiali di Giovanna mi hanno dato grande gioia perché finalmente si mangia.
Mentre banchettiamo lei a un tratto rimane con il pane a mezz'aria, sgrana gli occhi e dice: "Ehhhhhhh! Ehi!"
Io: "Sì...", continuando a ingozzarmi.
Lei: "Perché secondo te mi è venuta questa voglia così incontenibile? Mi sa che sono incinta!"

(R. Campo, *In principio erano le mutande*, Feltrinelli)

6. LAVORIAMO CON LA CONCORDANZA DEI TEMPI

A. Completa la prima parte dell'articolo con i verbi.

QUELLE DIECI INCREDIBILI STORIE:
COSÌ FACEBOOK VA OLTRE IL LIMITE

Dal neosposo che aggiorna lo status sull'altare al ragazzo che ritrova la madre dopo 12 anni. Fra danno e beneficio, le tante possibilità di utilizzo di un social network da 350 milioni di utenti

ROMA – Ormai non possiamo più meravigliarci: Facebook (diventare) 1. _____ una pop star che fa parlare di sé ogni giorno, combinando le cose più assurde; e il nostro atteggiamento rispetto a questo social network da 350 milioni di utenti (essere) 2. _____ quello di un genitore alle prese con un figlio egocentrico. Tuttavia a tutto c'è un limite e le dieci storie che il sito Oddee.com (raccogliere) 3. _____ per raccontarle a tutti i naviganti, questo confine lo (superare) 4. _____ ampiamente: riuscite a immaginare uno sposo che aggiorna lo status da "fidanzato" a "sposato" direttamente dall'altare, di fronte allo sguardo allibito del prete? Se la risposta è no fate uno sforzo, perché questa è solo una delle dieci storie più incredibili del web, tutte ovviamente con Facebook come protagonista.

Al primo posto c'è quella della bella Danielle Smith, moglie e mamma di due sorridenti bambini biondi. La signora del Missouri all'inizio dell'anno (pubblicare) 5. _____ un'immagine della famiglia talmente perfetta da sembrare finta: moglie e marito con le teste reclinate a forma di cuore, pargoli biondi e ridenti, l'icona del perfetto idillio coniugale. Come biasimare il pubblicitario della Repubblica Ceca che (utilizzare) 6. _____ la foto per la pubblicità di un grande magazzino di Praga dopo che l'(vedere) 7. _____ casualmente in Internet? L'immagine della signora Smith con marito e prole ha campeggiato per settimane nella capitale ceca, stampata su un maxipannello da dieci metri per cinque; Danielle l'(scoprire) 8. _____ solo grazie ad un amico di famiglia in vacanza a Praga che (imbattersi) 9. _____ con il naso per aria in quattro volti americani familiari.

La seconda storia incredibile è decisamente meno comica ma può servire a mettere in guardia gli utenti più avventati. Nathalie Blanchard, impiegata della IBM di Bromont, nel Quebec, a causa di Facebook (perdere) 10. _____ il sussidio per malattia, e tutto per una foto che (mettere) 11. _____ nel suo profilo e in cui (apparire) 12. _____ in costume su una spiaggia d'estate. Niente di male a pubblicare le immagini delle vacanze, ma alla signora i medici (diagnosticare) 13. _____ la depressione e quella foto (dimostrare) 14. _____, secondo l'ufficio legale della compagnia, che la Blanchard, in quel momento, era ben lungi dall'essere malata ma (godersi) 15. _____ una bella vacanza in barba alla malattia.

Al terzo posto troviamo lo sposo ideale, quello che tutte le donne vorrebbero avere, per lo meno per il gusto di farsi una risata al momento del fatidico "sì". Il suo nome è Dana Hanna ed è uno sviluppatore di software diventato famoso perché (aggiornare) 16. _____ il suo status su Facebook proprio mentre (sposarsi) 17. _____. Naturalmente prima (chiedere) 18. _____ e ottenuto il consenso del prete e della neomoglie, così Dana (potere) 19. _____ cambiare la propria situazione sentimentale in diretta e (lanciare) 20. _____ anche un tweet su Twitter. Una dimostrazione d'amore senza precedenti.   (www.repubblica.it)

B. Completa la seconda parte dell'articolo con i verbi nel riquadro.

---

aveva cambiato • aveva conosciuto • aveva pubblicato • aveva sottovalutato • avrebbe chiesto
• avrebbe festeggiato • è naufragato • è riuscito • era • ha aperto • ha cancellato • ha ritrovato
• ha scoperto • ha utilizzato • sembrava • si interrogava • si sono conosciuti • si sono incontrati
• si trovava • tradiva

Ma Facebook non sempre serve a suggellare le unioni, anzi più spesso le spezza. Ne sa qualcosa la povera Emma Brady, trentacinquenne inglese che dopo sei anni di matrimonio, proprio poiché il marito Neil 1. _____ il suo status sul social network, 2. _____ che le 3. _____ la separazione. Il quinto posto della classifica è invece ccupato da una storia più seria: il diciannovenne Rodney Bradford 4. _____ a evitare una condanna per furto grazie all'aggiornamento di uno status. Una frase piuttosto scema, "*Where's my pancakes?*", che il suo avvocato 5. _____ come alibi, dimostrando che al momento della rapina il ragazzo 6. _____ davanti al PC e 7. _____ sulla collocazione della propria merenda preferita.

E ancora più utile il social network lo è stato per il ventiduenne egiziano Alex Anfuso: 8. _____ infatti _____ sua madre grazie a una frase che 9. _____ tempo prima:"Cerco mia madre". Meno intelligente l'obiettivo di José Romero, adolescente dell'Ecuador che per scherzo qualche mese fa 10. _____ un gruppo intitolato "Se raggiungo il tetto di 1 milione di amici mi tatuo 151 Pokemon sulla schiena". A prescindere dalla scelta raccapricciante dell'oggetto del tatuaggio, il ragazzo 11. _____ forse _____ la caparbietà del cosiddetto popolo di Facebook, che in poche ore ha aderito alla scommessa, esigendo poi di vedere le foto della sua schiena decorata con Pikachu e compari. La promessa naturalmente non è stata rispettata e José 12. _____ il gruppo dal web.

Sempre a proposito di promesse, ma stavolta mantenute. L'ottava storia incredibile è la storia d'amore tra Kelly Hildebrandt e Kelly Hildebrandt, un uomo e una donna con lo stesso nome, che 13. _____ su Facebook ironizzando sul fatto di chiamarsi nello stesso modo. Dopo qualche messaggio privato 14. _____ , innamorati e infine sposati. Meno edificante la vicenda della tredicenne che ha intrecciato una relazione con un uomo che 15. _____ sul network. Sempre su Facebook la madre l'ha scoperta e ha avvertito la polizia.

Per finire, l'ultima storia incredibile riportata dal sito ha come protagonista Antonio, un ragazzo italiano. Il matrimonio fra lui e Valeria 16. _____ infatti _____ a pochi giorni dalla fatidica data proprio perché la futura sposa ha scoperto su Facebook che il suo amato non solo la 17. _____ ma 18. _____ anche _____ l'addio al celibato in compagnia di un'avvenente spogliarellista. Per vendicarsi la ragazza ha tappezzato i muri di Roma di manifestini con tanto di foto del fedifrago. O almeno, così 19. _____ .
Infatti si è poi scoperto che tutta l'operazione 20. _____ una messa in scena di marketing "virale".

(www.repubblica.it)

7. LABIRINTO

Partendo dalla frase iniziale scritta in blu, collega i vari riquadri scegliendo le forme verbali corrette.

Lo storico francese Jérôme Carcopino racconta nei suoi *Ricordi romani*:

> **Un giorno dovetti guidare attraverso il Foro e il Palatino un gruppo di turisti.**
> **Alla fine della passeggiata, dall'alto del Palatino,**

A

1 sono voluto tornare a mostrar loro i monumenti già visitati

2 volli tornare a mostrar loro i monumenti già visitati

3 ero voluto tornare a mostrar loro i monumenti già visitati

B

1 "Riconoscerete laggiù il tempio dedicato alla divinità di G. Cesare"

2 "Riconoscevate laggiù il tempio dedicato alla divinità di G. Cesare"

3 "Riconosceste laggiù il tempio dedicato alla divinità di G. Cesare"

C

1 "l'altare indica il sito del rogo dove ardevano il condottiero"

2 "l'altare indica il sito del rogo dove hanno arso il condottiero"

3 "l'altare indica il sito del rogo dove arsero il condottiero"

D

1 A questo punto sentivo la voce pietosa di una signora

2 A questo punto sentii la voce pietosa di una signora

3 A questo punto ho sentito la voce pietosa di una signora

E

1 che esclamava desolata:

2 che ha esclamato desolata:

3 che esclamerà desolata:

F

1 "Ah, poveretto, quanto doveva aver sofferto!"

2 "Ah, poveretto, quanto dovette aver sofferto!"

3 "Ah, poveretto, quanto deve aver sofferto!"

G

1 Mi girai: la signora fu molto carina.

2 Mi girai: la signora era molto carina.

3 Mi girai: la signora è stata molto carina.

H

1 Mi era mancato il coraggio di dirle la verità...

2 Mi è mancato il coraggio di dirle la verità...

3 Mi mancò il coraggio di dirle la verità...

I

1 Vilmente la lasciai ripartire persuasa che G. Cesare

2 Vilmente l'ho lasciata ripartire persuasa che G. Cesare

3 Vilmente la lasciavo ripartire persuasa che G. Cesare

L

1 a suo tempo ebbe subìto il martirio di Giovanna d'Arco

2 a suo tempo ha subìto il martirio di Giovanna d'Arco

3 a suo tempo aveva subìto il martirio di Giovanna d'Arco

M

1 mentre invece ad ardere sull'altare era solo il suo cadavere

2 mentre invece ad ardere sull'altare fu solo il suo cadavere

3 mentre invece ad ardere sull'altare fu stato solo il suo cadavere

dopo che il condottiero morì **AVVELENATO**

dopo che il condottiero morì **PUGNALATO**

dopo che il condottiero morì **STRANGOLATO**

(*Guida ai misteri e segreti di Roma*)

8. UN ALTRO CASO PER IL COMMISSARIO INVESTIGONI

Completa le frasi con i verbi nel riquadro coniugati al tempo giusto e abbinale ai fumetti.

> aggredire • arrivare • avere • cercare • chiamarsi • derubare • dire • dovere • essere • finire
> • incrociare • ordinare • pensare • portare • potere • ringraziare • sembrare • sparare
> • succedere • telefonare • tirare

1. _____, tutto a posto.
2. La _____.
3. Dannazione! Cosa _____?
4. La polizia _____ subito, e anche il meccanico _____ qui tra breve con le ruote.
5. Non fare una mossa o _____! _____ fuori i soldi e il cellulare.
6. Quell'auto _____ abbandonata...
7. Ci _____ io: prima _____ al 113, poi al meccanico del paese vicino e gli _____ due gomme nuove.
8. E noi, agente, _____ in commissariato questo signore: ci _____ delle spiegazioni...
9. Buonasera, _____ Investigoni: la mia auto _____ due gomme bucate, mi _____ e mi _____ anche _____.
10. Perché _____ questo?
11. Chiodi sulla strada e due ruote forate... Non _____ ripartire: _____ aiuto in quella cascina che _____ prima a 2 km da qui.

IL COMMISSARIO INVESTIGONI STA GUIDANDO SU UNA STRADA DI CAMPAGNA BEN POCO FREQUENTATA

ALL'IMPROVVISO...

DIETRO QUELL'AUTO PARCHEGGIATA C'È UNA BRUTTA SORPRESA

QUALCHE MINUTO PIÙ TARDI...

Perché Investigoni vuole interrogare l'uomo? Se non riesci a risolvere il caso... guarda le soluzioni.

CONDIZIONALE

FUNZIONI

Oltre alle funzioni trattate nel Volume 1 (vedi Unità 13, p. 137) e all'impiego nel periodo ipotetico (vedi Unità 6, p. 66), il modo condizionale può indicare:

1 una notizia non confermata:

*Secondo fonti giornalistiche, il ministro **sarebbe** ancora a colloquio con i rappresentanti sindacali.*

*Come riferito da alcuni testimoni, i rapinatori **sarebbero entrati** nella banca indossando dei passamontagna neri.*

2 un futuro nel passato, cioè <u>un'azione passata</u> ma futura rispetto a un'<u>altra</u>:

azione 1   **azione 2**   **presente**

azione 1

*Era tardissimo, <u>sapevo</u> che **<u>avrei fatto</u>** tardi all'appuntamento con Flavia e che lei **<u>si sarebbe arrabbiata</u>**.*

azione 2

azione 2

*Gregorio <u>mi disse</u> che il giorno dopo **<u>sarebbe partito</u>** per un anno di volontariato in Namibia.*

azione 1

3 un'affermazione o un'opinione espressa in forma attenuata, in tono non drastico:

*Guarda, non **saprei** proprio dirti se si tratta di un affare conveniente o meno.*
*Scusi Professore, se ha un po' di tempo **avrei** un paio di domande da farLe.*

ESERCiZi

1. CHE FUNZIONE HA?

Indica la funzione del condizionale in queste frasi.

> a. notizia non confermata • b. futuro nel passato • c. affermazione attenuata

1. Il traghetto avrebbe interrotto le comunicazioni subito dopo la mezzanotte. ___
2. Se non ti dispiace vado a letto, sarei un po' stanco! ___
3. Con l'allenamento intensivo che avevi svolto, sapevo che avresti vinto la gara! ___
4. Direi che questa può essere la soluzione ideale ai tuoi problemi. ___
5. Secondo gli aggiornamenti, fortunatamente nell'incidente non ci sarebbero stati feriti. ___
6. Mina camminava velocemente, era senza ombrello e di lì a poco avrebbe cominciato a piovere. ___
7. Secondo l'ente organizzatore, il numero degli spettatori al concerto si aggirerebbe intorno ai centomila. ___
8. Non ti ho mai promesso che saresti venuta a vivere con te! ___

2. CACCIA ALLA NOTIZIA

A. Sottolinea le notizie non confermate.

La conferma di Jackie Kennedy: l'avventura con Gianni Agnelli dopo i tradimenti di JFK

Per anni è stata poco più di un'indiscrezione, ma ora la relazione tra Gianni Agnelli (allora erede FIAT) e Jackie Kennedy avrebbe trovato definitiva conferma nelle parole della stessa ex *first lady*. È uno dei dettagli più curiosi emersi, a 17 anni dalla morte, da una serie di registrazioni che la figlia, Caroline Kennedy, ha deciso di rendere pubbliche. La moglie di John Fitzgerald Kennedy, stufa delle continue infedeltà del marito, si concesse un mese di vacanza in Italia con la sorella. Era l'estate del 1962. Affittarono Villa Episcopio a Ravello, a picco sulla scogliera amalfitana. A bordo dell'Agneta, lo yacht di Agnelli (che avrebbe trascorso gran parte del mese nella villa), le sorelle Kennedy assaggiarono la dolce vita della costa, in bar e ristoranti, sull'isola di Capri, alle rovine di Paestum. Tutto questo non è una novità, ma la conferma di Jackie Kennedy non era mai arrivata. Dalle registrazioni scopriamo inoltre il movente del tradimento: Jackie avrebbe trovato nella camera da letto della Casa Bianca un paio di mutandine che, secondo lei, sarebbero appartenute a una stagista di 19 anni.

Vita sentimentale a parte, le registrazioni gettano una nuova luce sull'assassinio di Kennedy, a Dallas, in Texas, il 22 novembre del 1963. Jackie credeva che dietro l'omicidio ci fosse l'allora vice presidente Lyndon Johnson, che avrebbe orchestrato l'omicidio assieme alle lobby del petrolio del Texas. Lee Harvey Osward, che sparò al presidente, era solo la mano di un complotto molto più grande.

Temendo che le sue rivelazioni potessero innescare una spirale di vendette contro la sua famiglia, Jackie Kennedy aveva chiesto che le registrazioni fossero pubblicate solo 50 anni dopo la sua morte. Ma a rompere il silenzio è stata la figlia, Caroline, che ha deciso di rendere pubbliche le "dichiarazioni esplosive" della madre a soli 17 anni dalla sua morte. Caroline sarebbe giunta a un accordo con ABC per cui, in cambio della rivelazione delle dichiarazioni di Jackie Kennedy, l'emittente s'impegna a cancellare la serie televisiva "The Kennedys".

(http://america24.com)

B. Adesso completa le frasi con il condizionale o l'indicativo.

1. La figlia di Jackie, Caroline, (volere) _____ pubblicare le registrazioni di sua madre.
2. Jackie (venire) _____ in Italia perché stanca dei continui tradimenti del marito.
3. Agnelli, durante il soggiorno di Jackie in Italia, (passare) _____ molto tempo a Ravello.
4. Le mutandine trovate da Jackie in camera da letto, (essere) _____ di una stagista, amante di suo marito.
5. Le registrazioni (fare) _____ largo a nuove ipotesi sull'assassinio di Kennedy.
6. Caroline (accordarsi) _____ con ABC per evitare la messa in onda della serie televisiva "The Kennedys".

3. NOTIZIE BIZZARRE

Completa ogni articolo con il gruppo di verbi adatto. Usa il condizionale presente o passato.

> **A.** apparire • confermare • essere • nuotare • potere • risalire • trovare

> **B.** chiedere • dire • iniziare • rispondere • sentirsi • svenire • trovarsi

> **C.** accadere • contattare • decidere • dovere • durare • essere • provare

1. RAPINATORE "STESO" DALLE CHIACCHIERE DELLA SUA VITTIMA

TORINO – Un libraio 40enne di Torino ieri mattina ha steso con le sue chiacchiere il rapinatore che aveva deciso di portargli via l'incasso, convincendolo a rinunciare al colpo. Sembra addirittura che il rapinatore, cappuccio regolamentare in testa, _____ male e _____ al libraio di chiamargli un'ambulanza. L'uomo di 37 anni, armato di coltello e di una pistola giocattolo, era entrato ieri alle 12 in una libreria del centro intimando al titolare di consegnargli l'incasso. Il titolare però, secondo quanto affermato da lui stesso _____ a chiacchierare. "Periodaccio questo – _____ al bandito – si fanno pochi affari". "Va male anche a me" _____ l'altro; alla fine della conversazione continuata per circa 25 minuti, il rapinatore _____ quasi _____ chiedendo così l'intervento di un'ambulanza. I carabinieri lo hanno denunciato a piede libero e al momento _____ ancora in ospedale, sotto osservazione.

2. LAGO CHIUSO PER COCCODRILLO

CASERTA – Secondo quanto asserito da diversi testimoni, nel lago di Falciano, vicino Caserta, _____ indisturbato un coccodrillo. Da circa una settimana, pescatori e abitanti che frequentano il lago parlano di una strana presenza che _____ recentemente _____ nelle sue acque e lunedì scorso il sindaco ha ordinato la chiusura dell'intero lago. Anche una nota dell'Asl _____ l'avvistamento dell'animale. La prima segnalazione _____ allo scorso 24 aprile, quando un pescatore _____ nel lago i resti di un pesce dal peso di circa 2 kg, quasi completamente sbranato. L'uomo ha giurato, poi, di aver visto un animale verde, un coccodrillo. La sua testimonianza _____ attendibile, dal momento che il pescatore in passato ha lavorato in un circo a stretto contatto proprio con i rettili. Il coccodrillo, non abitualmente di casa in questo territorio, _____ essere fuggito dalla villa di qualche capoclan camorrista. Spesso infatti i boss tengono animali esotici nelle loro ville: per manie di grandezza ospitano leoni, tigri, serpenti o, appunto, coccodrilli.

3. NAPOLI, ALLARME FANTASMI ALL'ARCHEOLOGICO IN RESTAURO

NAPOLI – Il Museo Archeologico Nazionale di Napoli _____ di rivolgersi a dei veri e propri "ghostbuster" per far luce su una storia che ha parecchi lati oscuri. Prima c'è stato l'allarme di alcuni operai: "In questo cantiere succedono cose strane". Poi le cose strane, come oggetti spostati e secchi pieni trovati vuoti, _____ veramente. Infine, esce fuori una foto che _____ la presenza di un fantasma. Secondo il quotidiano _Il Mattino_, la vicenda _____ già da qualche mese. A raccontarla è l'architetto Oreste Albarano, responsabile dei lavori al museo. Pur non credendo ai fantasmi, sollecitato da alcuni operai, si è recato personalmente sul luogo. Ha fatto alcune foto con il suo cellulare ed ecco la sorpresa: sullo sfondo la sagoma di una bimba. Da qui il coinvolgimento di alcuni esperti, docenti universitari, che a settembre _____ arrivare a Napoli: a caccia di fantasmi.

Ma la direttrice del museo nega. "Questa foto, in giro da più di un anno, per me non ha alcun significato: con le tecnologie oggi si può fare di tutto. Smentisco anche la voce secondo cui _____ degli acchiappafantasmi".

A Napoli affermano che la storia del fantasma _____ solo una montatura per attirare l'attenzione: i fondi per il restauro del museo sono infatti finiti.

4. UN PO' DI CRONACA

Riscrivi gli articoli usando il condizionale dove possibile.

A.

VIOLATA NELLA NOTTE LA TOMBA DI MIKE BONGIORNO. TRAFUGATO IL CORPO

Shock stamattina per il custode del piccolo camposanto di Dagnente (Novara) per la sparizione della salma del celebre presentatore dalla cappella di famiglia

Secondo fonti investigative, oltre al feretro di Mike Bongiorno dal cimitero di Dagnente sono sparite anche le cassette con le immagini delle telecamere esterne al cimitero.

Questa mattina presto, sul posto sono arrivati gli investigatori, che dovranno stabilire la dinamica di quanto è accaduto e soprattutto cercare elementi utili per ritrovare la salma del noto conduttore. Da un primo sopralluogo degli inquirenti, sembra che i ladri non abbiano lasciato impronte digitali;

un lavoro quasi impeccabile e studiato nei minimi particolari, ma, a detta di fonti ben informate, i malviventi hanno commesso un errore: un cellulare spento, tenuto in tasca, che può aiutare gli inquirenti a trovare qualche traccia utile.

Sgomento da parte del sindaco di Arona, che ha dichiarato: "Metteremo a disposizione tutto quanto necessario per ricostruire la vicenda e soprattutto per ritrovare quanto prima la salma di Mike Bongiorno".

Alcune indiscrezioni circa i motivi del trafugamento puntano sull'ipotesi di un sequestro a scopo di estorsione, ma al momento non è giunta alcuna rivendicazione del furto, né sono arrivate alla famiglia richieste di denaro per la restituzione della bara.

Secondo quanto riportato dal _Corriere_, le indagini possono essere "lunghe e complesse". Questo quanto ha affermato Giulia Perrotti, procuratore capo di Verbania.

B.

INCENDI, DENUNCIATI QUATTRO OPERAI PER I ROGHI SUI MONTI INTORNO A GENOVA

Intanto la situazione migliora: spente le fiamme a Bavari e nella zona della piscina Sciorba. Bruciano ancora i boschi nella zona dei Tre Pini, in Valbisagno

GENOVA – Quattro operai sono stati denunciati dagli uomini della Forestale per incendio colposo. Secondo diversi testimoni, sono stati loro ad appiccare involontariamente uno degli incendi che da giorni stanno distruggendo le colline intorno a Genova. Dalle prime ricostruzioni degli inquirenti, gli uomini, al lavoro nel cimitero di Nervi, hanno perso il controllo di un fuoco acceso per smaltire alcune vecchie bare; il fuoco si è poi esteso al monte Moro e al monte Fasce, dove tutt'ora i Vigili del Fuoco sono all'opera per cercare di domare le fiamme. Sempre a detta degli inquirenti, un quinto uomo, il cui nome non è stato ancora reso noto, è responsabile di un altro incendio intorno a Genova: secondo alcune indiscrezioni, si tratta di un contadino che si è addormentato mentre bruciava l'erba secca nel suo campo.

C.

LE SCARPE NUOVE FANNO MALE. NETTURBINI FERMANO IL LAVORO

Singolare protesta in Sicilia, causata da calzature antinfortunistica poco comode

Sette operatori ecologici si sono astenuti dal lavoro perché, secondo quanto da loro riferito, le scarpe antinfortunistica fanno male ai piedi. Accade a Isola delle Femmine, piccolo comune alle porte di Palermo, dove sette operatori ecologici hanno deciso di astenersi dal lavoro perché le scarpe antinfortunistica che hanno ricevuto in dotazione provocano, a detta loro, dolori lancinanti ai piedi. Secondo fonti giornalistiche, i sette operatori ecologici hanno fatto pervenire, tramite il responsabile della sicurezza, una lettera al presidente della società, lamentando anche l'inadeguatezza del guardaroba assegnato a ogni singolo lavoratore: un giubbotto e un paio di pantaloni estivi. I cittadini si lamentano

che la protesta riguardante gli indumenti, e la conseguente astensione dal lavoro, ha creato disservizi nella raccolta dell'immondizia in paese. Secondo le ultime indiscrezioni, la società responsabile della raccolta dell'immondizia ha così deciso di ricomprare le scarpe antinfortunistica, pertanto la situazione deve tornare alla normalità nel giro di qualche giorno.

5. IL MISTERO DELLA GIOCONDA

Leggi l'articolo e dopo inserisci correttamente le sei affermazioni in basso all'interno della tabella.

Una storica dell'arte italiana rivendica di avere risolto il mistero del Codice Da Vinci, riuscendo per la prima volta a identificare il ponte alle spalle di Monna Lisa nel celebre ritratto della Gioconda.

Ponte del Diavolo – Per secoli, il sorriso enigmatico della donna che compare nel quadro ha intrigato gli esperti con suggestioni presentate come la vera storia del capolavoro di Leonardo. Il mese scorso, un'altra ricerca avrebbe identificato una serie di numeri e lettere negli occhi di Monna Lisa e sul ponte sopra la sua spalla sinistra. Ora la storica dell'arte Carla Glori afferma che il ponte gobbo di pietra sarebbe quello che si estende sopra il fiume Trebbia a Bobbio, vicino a Piacenza, noto appunto come Ponte Gobbo o Ponte del Diavolo. Un'infrastruttura antichissima, costruita nel settimo secolo dai monaci dell'Abbazia di San Colombano.

Mistero alla Dan Brown – La teoria della professoressa Glori sembrerebbe quasi derivare dalle pagine romanzate del libro di Dan Brown. Nel *Codice Da Vinci* si afferma che il quadro della Gioconda conterrebbe indizi nascosti sul luogo in cui si trova il Sacro Graal, la coppa utilizzata da Cristo durante l'ultima cena.

La soluzione dell'enigma – Glori, autrice di un libro sulla Gioconda dal titolo *Enigma Leonardo*, afferma che le sue ricerche l'avrebbero portata a identificare il soggetto come Bianca Giovanna Sforza e il ponte sullo sfondo con quello che si estende sopra il fiume Trebbia a Bobbio. "Cinque secoli fa, Bobbio era un importante centro di cultura, famoso per la sua biblioteca, oltre che un crocevia importante grazie al castello situato nella città". E, sempre secondo Carla Glori, "non sarebbe così improbabile che Da Vinci abbia visitato Bobbio a causa della sua famosa biblioteca e che abbia dipinto il ritratto a memoria pochi anni più tardi, probabilmente mentre stava vivendo in Francia".

Lettere negli occhi – Solo un mese fa Silvano Vinceti, storico dell'arte di Pavia, aveva annunciato di avere scoperto delle lettere alfabetiche negli occhi della Monna Lisa. "Nell'occhio destro appaiono le iniziali LV, che significherebbero Leonardo Da Vinci. Nell'occhio sinistro invece ci sono dei simboli ancora non meglio identificati. Potrebbero essere la lettera C, la E o anche la B. Sappiamo per certo che Da Vinci usava spesso i simboli per comunicare qualche cosa, per cui possiamo essere sicuri che questi messaggi individuati negli occhi della Gioconda provengono da lui". Vinceti aveva inoltre dichiarato che nel ponte che si vede nello sfondo del dipinto appare il numero 72. Visibili con una lente di ingrandimento di grande potenza, i simboli sarebbero stati individuati grazie alla scoperta di un codice molto antico che ne parlava.

(http://it.notizie.yahoo.com)

1. Il ponte di pietra è quello sul fiume Trebbia a Bobbio.
2. Il ponte è stato costruito nel VII secolo dai monaci di San Colombano.
3. Le teorie di Carla Glori derivano dal libro di Dan Brown.
4. Bobbio era un centro famoso per la sua biblioteca.
5. Leonardo Da Vinci ha visitato Bobbio.
6. Negli occhi di Monna Lisa sono presenti lettere e simboli.

Notizie confermate	Notizie non confermate

6. QUALE DELLE TRE?

Guarda le vignette e completa i dialoghi scegliendo la frase più adatta alla situazione rappresentata.

1. a. Posso andarmene?
b. Io me ne andrei, se non ti dispiace!
c. Sì, basta, me ne vado!

2. a. Sì, ma perché non ci mettiamo a tavola?
Io avrei anche fame!
b. Niente film, adesso voglio mangiare!
c. E allora spegni la TV!

3. a. Fa' come dico!
b. Mi dispiace, ma non saprei davvero
cosa consigliarti!
c. Decidi immediatamente!

4. a. Direi di ripararlo, tesoro!
b. Non ne posso più del tuo pallone!
c. Bene, adesso chiamerei il falegname!

5. a. Dove crede di andare? Paghi anche gli extra!
b. Lo so che ha già saldato il conto, Signore,
ma ci sarebbero da pagare anche questi extra.
c. Deve pagare tutto!

6. a. Veramente nell'acqua per la pasta
ci andrebbe il sale grosso!
b. Macché sale fino, idiota! Mettici quello grosso!
c. Ma cosa dici? Impara a cucinare!

7. UN FUTURO IMPREVEDIBILE

Leggi la storia di Valentina e Mauro e riscrivila nel passato.

Valentina il 14 febbraio 2005 parla con il suo ragazzo Mauro.
1. Gli promette che dopo l'università si sposeranno e avranno tanti bambini.
2. Pensa che rimarranno a vivere nel loro piccolo paese.
3. Dice che abiteranno in campagna e avranno due cani e due gatti.
4. È sicura che non si lasceranno mai.
5. È certa che niente potrà turbare il loro matrimonio.
6. Giura che saranno felici e che la loro vita sarà bellissima.
7. Gli assicura che lo amerà per sempre.
8. Prevede che passeranno una serena vecchiaia con tanti nipotini.

Ma oggi Valentina vive a Londra, lavora alla BBC e convive con John, un suo collega giornalista.
Eppure anni prima aveva parlato con il suo ragazzo Mauro e

1. *gli aveva promesso che* _____
2. _____
3. _____
4. _____
5. _____
6. _____
7. _____
8. _____

8. LA SETTIMANA SCORSA

Guarda i disegni e completa le frasi con il condizionale.

1. Lunedì avevo sentito che martedì _____

2. Martedì ho saputo che mercoledì _____

3. Mercoledì temevo che giovedì _____

4. Giovedì mi avevano detto che venerdì _____

5. Venerdì speravo che sabato _____

6. Sabato avevo paura che domenica _____

9. INDIETRO NEL TEMPO

Trasforma le frasi, come nell'esempio. Attenzione agli indicatori temporali.

1. I giornalisti sportivi prevedono che oggi Flavia Pennetta vincerà il Roland Garros.

   I giornalisti sportivi prevedevano che ieri Flavia Pennetta avrebbe vinto il Roland Garros.

Flavia Pennetta

2. Spero che domani verrete tutti a cena da me.

3. Marta dice che l'estate prossima andrà in vacanza in Liguria.

4. È tardissimo, ho paura che perderemo il treno.

5. Penso che mio figlio un giorno diventerà dottore.

6. La maga prevede che mi trasferirò in un paese asiatico per lavoro.

7. Sono sicuro che passerai l'esame di anatomia con il massimo dei voti.

8. Sembra che a giorni tornerà il freddo polare.

9. È l'una passata: è probabile che troveremo l'ufficio postale chiuso.

10. Nadia mi ha confidato che Luca mi telefonerà per chiedermi un appuntamento.

10. PREVISIONI DEL FUTURO AI TEMPI DEI ROMANI

Ai tempi dell'Impero romano si prevedeva il futuro osservando il volo degli uccelli. Un sacerdote fece queste previsioni: completale con il verbo appropriato e indica nella casella quali si sono avverate e quali no.

> allearsi • andare • cadere • cominciare • conquistare • distruggere • diventare • incoronare • passare
> • rimanere • scoprire • unificare

Il sacerdote aveva previsto che:

☐ 1. l'Impero romano _____ a causa delle invasioni barbariche.
☐ 2. Roma _____ la capitale del Cristianesimo.
☐ 3. i turchi _____ la Sicilia.
☐ 4. Cristoforo Colombo _____ un nuovo continente.
☐ 5. un forte terremoto _____ l'Aquila nel 1740.
☐ 6. la Corsica _____ sotto il dominio francese.
☐ 7. un papa _____ Napoleone Bonaparte re di Roma.
☐ 8. Giuseppe Mazzini _____ la nazione nel 1861.

☐ 9. l'Italia per tutta la prima guerra mondiale _____ neutrale.

☐ 10. nella seconda guerra mondiale l'Italia _____ con il Portogallo.

☐ 11. la famiglia reale _____ in esilio in seguito al *referendum* del 1940.

☐ 12. negli anni Settanta _____ un lungo periodo di terrorismo, definito "anni di piombo".

11. LE BUGIE BISOGNA SAPERLE DIRE (prima parte)

Leggi il testo e inserisci nello schema i verbi sottolineati.

Prima del momento della narrazione	Momento della narrazione	Dopo il momento della narrazione

Rincasando dopo aver tradito sua moglie Isabella, Corrado non <u>era</u> tranquillo. Era tardi e, al suo rientro, Isabella <u>avrebbe potuto sospettare</u> qualche cosa. Occorreva trovare una scusa. Solida. Sicura. Una bugia inconfutabile. <u>Avrebbe raccontato</u> di essere stato a fare qualcosa di cui non <u>aveva potuto fare</u> a meno; e in un luogo da cui non <u>era potuto venir</u> via prima.

Ma che <u>si scervellava</u>? L'aveva a portata di mano, la scusa. Non era fissata per oggi la conferenza del suo direttore, il commendator Ciclamino? Corrado <u>avrebbe detto</u> di essere stato alla conferenza di Ciclamino e d'aver dovuto aspettare la fine per congratularsi.

<u>Avvertì</u> una leggera punta di rimorso, mentre <u>architettava</u> la bugia, al pensiero di Isabella, di quella donna fedele e innamorata che era piena di fiducia in lui. Perché ingannarla? Bah, <u>sarebbe stata</u> l'ultima bugia.

(A. Campanile, *Manuale di conversazione*, Rizzoli)

...la storia continua nell'Unità 7.

12. UN PO' DI BUONUMORE

A. Trova gli errori nei testi e abbinali alle vignette.

☐ 1. Ma tesoro, mi avevi promesso che da sposati tutti i lunedì sarò potuto uscire con i miei amici per il poker!!!

☐ 2. Rossi! Lo so che l'avrei trovata davanti al distributore dell'acqua!

☐ 3. Avevo promesso a mia moglie che non mi avrei più girato a guardare le belle ragazze...

☐ 4. Ma non avevi detto che avresti prenderesti solo una cosina per tenerti leggero?

☐ 5. In effetti le previsioni avevano detto che ci sarebbe stare un po' di vento...

B. Le frasi finali di queste barzellette si trovano nelle strisce, disposte in maniera disordinata.

Inserisci le strisce all'interno della tabella, seguendo l'ordine logico, in modo da leggere verticalmente le frasi finali, che dopo abbinerai alle barzellette.

| D | ho | fare? | lontano | più |

| B | anni | zucchine | rubata | chi |

| H | trenta | senza | auto | a |

| G | purtroppo | potuto | andati | veniva |

| F | compiuto | frittata | l' | mente |

| C | esattamente | avrei | saremmo | mi |

| A | solo | la | con | in |

1. In campagna, una signora chiede a una vicina:
   – Come va, Clara?
   – Male. Purtroppo è morto mio marito...
   – Oh santo cielo! Ma come è successo?

| E | non | cos'altro | non | non |

   – Eh... mi aveva detto che sarebbe andato nell'orto a prendere un po' di zucchine per fare la frittata. Dopo un po', siccome non lo vedevo tornare, sono andata a vedere e l'ho trovato lungo disteso nell'orto: un infarto...
   – Terribile! E tu che cosa hai fatto?
   – _____?

2. La vecchia vedova Mastropolo da almeno cinque anni frequenta il signor Zillo, un anziano colonnello, vedovo anche lui. Durante una cena al ristorante, il colonnello chiede alla signora se lei un giorno lo avrebbe sposato e immediatamente la donna risponde "Sì". Il giorno dopo, quando il colonnello si sveglia, non si ricorda più cosa la signora Mastropolo ha risposto alla sua domanda: "Mi sembrava felice, forse ha detto che mi avrebbe sposato, però forse mi ha guardato in uno strano modo, mah...". Per tutta la mattina cerca di ricordare invano la risposta della signora, ma senza alcun successo. Allora si decide a prendere il telefono e la chiama. Un po' imbarazzato. finisce per dirle di aver dimenticato la sua risposta alla proposta di matrimonio. E la donna: "Oh, colonnello, sono molto contenta che mi abbia chiamato: mi ricordavo di aver promesso a qualcuno che lo avrei sposato, ma _____...".

3. Due ex compagni di scuola si incontrano dopo moltissimi anni.
   – Ma guarda chi si vede!!! Come ti è andata? Avevi detto che dopo il liceo avresti studiato medicina e saresti diventato un bravo chirurgo...
   – Sì, sì, mi sono laureato in medicina e adesso lavoro all'ospedale di Roma. E a te come va ? Avevi giurato che avresti fatto fortuna in America e nello stesso giorno avresti avuto trent'anni e un milione di dollari.
   – Ho mantenuto a metà il mio giuramento...
   – Hai guadagnato solo cinquecentomila dollari?
   – _____!

4. Al casello autostradale, mentre sta uscendo un'auto, scoppia un gran fragore di sirene e si accendono mille luci. Il casellante esce e dice all'autista che ha vinto 10 milioni perché è il milionesimo automobilista a transitare per quel casello. Arrivano gli agenti della Guardia di Finanza per la consegna del premio e chiedono la patente come documento di riconoscimento.
   Risposta negativa e allora chiedono la patente alla moglie dell'autista.
   Alla risposta, ancora negativa, chiedono il libretto di circolazione dell'auto. Altra risposta negativa.
   Allora il figlio della coppia, che era seduto sul sedile posteriore, rivolto al padre:
   "Pa', te lo avevo detto che _____!"

CONGIUNTIVO

Il congiuntivo ha quattro tempi: presente, passato, imperfetto e trapassato.

PRESENTE			
	-are	**-ere**	**-ire**
io	-i	-a	*-a
tu	-i	-a	*-a
lui/lei/Lei	-i	-a	*-a
noi	-iamo	-iamo	-iamo
voi	-iate	-iate	-iate
loro	-ino	-ano	*-ano

* Come per il presente indicativo (vedi Volume 1, Unità 4, p. 37), in alcuni verbi in -**ire** la desinenza è preceduta da -**isc**-.

ATTENZIONE

I verbi che finiscono in -**care** e -**gare** prendono sempre **h** davanti alla desinenza.
I verbi che finiscono in -**ciare** e -**giare** perdono la **i** davanti alla desinenza.

PASSATO	
AUSILIARE +	PARTICIPIO PASSATO DEL VERBO
congiuntivo presente di **avere** o **essere**	-are ➜ **-ato**
	-ere ➜ **-uto**
	-ire ➜ **-ito**

IMPERFETTO			
	-are	**-ere**	**-ire**
io	-assi	-essi	-issi
tu	-assi	-essi	-issi
lui/lei/Lei	-asse	-esse	-isse
noi	-assimo	-essimo	-issimo
voi	-aste	-este	-iste
loro	-assero	-essero	-issero

TRAPASSATO	
AUSILIARE +	PARTICIPIO PASSATO DEL VERBO
congiuntivo imperfetto di **avere** o **essere**	-are ➜ **-ato**
	-ere ➜ **-uto**
	-ire ➜ **-ito**

Il modo congiuntivo esprime la soggettività e l'incertezza dell'azione. Si trova prevalentemente in frasi subordinate, quando il soggetto della frase principale è diverso dal soggetto della subordinata. Nel caso in cui i due soggetti coincidano si usa (di +) infinito.

*Credo che tu **abbia parcheggiato** male la macchina.*

*Credo **di avere parcheggiato** male la macchina.*

*Preferisco che voi non **guardiate** questo film.*

*Preferisco non **guardare** questo film.*

Il congiuntivo indica:

1 desiderio e volontà:

*Desidero che il mio ricevimento nuziale **sia** perfetto.*
*Mia madre ha voluto che **pulissi** la mia camera prima di uscire.*

2 opinione e giudizio:

*Ho l'impressione che i prezzi **siano aumentati** troppo.*
*Pensi che mi **stia** bene questo cappello?*

3 speranza, augurio e attesa:

*Speriamo che **veniate** presto a cena da noi.*
*Rimando le mie vacanze in attesa che **venga** la bella stagione.*

4 sentimenti e stato d'animo:

*Non mi piace che i vicini **si impiccino** della mia vita privata.*
*Sei contento che Sonia ti **abbia chiesto** di uscire, eh?*

5 ipotesi e probabilità:

*Può darsi che Laura **abbia** già **visto** questo film.*
*Luca non è in casa, è possibile che **sia andato** al mare.*

6 dubbio, incertezza e timore:

*Ho paura che Rossella non mi **abbia detto** la verità.*
*Non so se Marco **abbia** già **prenotato** il volo per Toronto.*

7 concessione:

*Siamo usciti sebbene **fossimo** stanchi.*
*Lasciate che i bambini **giochino** liberamente con il cane.*

8 enfasi:

*Che **fosse** un artista di talento, lo si era già intuito dai suoi esordi.*
*Che la pizza **sia nata** in Italia è un fatto risaputo.*

Si usa inoltre:

○ nelle frasi finali introdotte dalle congiunzioni "perché", "affinché", ecc.:

*Metto il bucato vicino al termosifone <u>perché</u> **si asciughi** più in fretta.*
*Ti parlo così duramente <u>affinché</u> tu **capisca** il tuo errore.*

○ nelle frasi consecutive introdotte da "troppo", "poco", "abbastanza", "alquanto" o dalle locuzioni "in modo che", "cosicché", "abbastanza che", "non tanto che":

*È un lavoro <u>troppo</u> faticoso perché **possa** essere fatto da una persona sola.*
*Organizzate l'evento nei minimi dettagli <u>in modo che</u> nessuno **abbia** da ridire.*

○ nelle frasi esclusive introdotte dalle locuzioni "a meno che", "senza che", "sia che… sia che":

*Non potrò venire all'opera questa sera <u>a meno che</u> non **chiuda** prima il negozio.*
*Vado a correre al parco tutti i giorni <u>sia che</u> **piova** <u>sia che</u> **faccia** bel tempo.*

○ nelle frasi condizionali introdotte da "purché", "a patto che", "a condizione che", "laddove", "qualora", "caso mai", "ammesso che", "se anche", ecc.:

*Sarò da te alle otto, <u>purché</u> non **arrivino** improvvisamente dei clienti.*
*<u>Ammesso che</u> tu **abbia** ragione, devi convincere il giudice.*

○ nelle frasi temporali introdotte dalla locuzione "prima che":

*Vorrei bere un caffè <u>prima che</u> **arrivi** il treno.*
*Andiamo a fare un salto ai grandi magazzini, <u>prima che</u> i saldi **finiscano**?*

○ nelle frasi introdotte da un comparativo o da un superlativo relativo:

*È il film <u>più stupido</u> che **abbia** mai **visto** in vita mia.*
*La commedia che ho visto ieri è stata <u>più esilarante di quanto</u> mi **aspettassi**.*

○ nelle frasi relative che esprimono desiderio o volontà:

*<u>Cerco</u> un compagno di viaggi che **ami** l'avventura come me.*
*Il direttore <u>vuole</u> una segretaria che **sappia** parlare almeno quattro lingue.*

○ nelle frasi limitative introdotte dalle locuzioni "per quanto" o "per quel che":

*<u>Per quel che</u> ne **sappia**, Valeria dovrebbe arrivare oggi a Belluno.*
*<u>Per quanto</u> **leggano** ogni giorno diversi quotidiani, questa notizia gli è sfuggita.*

○ nelle frasi introdotte da verbi o forme impersonali:

*<u>Pareva che</u> **fosse cominciata** finalmente l'estate e invece tornò il brutto tempo.*
*<u>È opportuno che</u> voi **mandiate** un telegramma di auguri agli sposi.*

○ nelle frasi indipendenti che esprimono un desiderio:

*Magari **avessi** trent'anni di meno!*
*Ah, se solo non **avessi sperperato** tutti i soldi al casinò!*

○ nelle interrogative che esprimono un dubbio:

*Guarda Mario come va di corsa in ufficio: che **si sia svegliato** tardi anche stamattina?*
*Perché Giulio è così arrabbiato? Che **abbia** di nuovo **litigato** con la sua ragazza?*

○ dopo gli indefiniti che terminano in "-unque":

*In <u>qualunque</u> negozio **entrassi**, non c'era un paio di scarpe che mi andasse bene.*
*<u>Comunque</u> **vadano** le cose, sarò sempre dalla tua parte.*

CONCORDANZA	
PRINCIPALE PRESENTE **presente indicativo** *Credo che*	**SUBORDINATA CHE SI REALIZZA NEL FUTURO** congiuntivo presente o futuro indicativo *Romina vada/andrà al mare.* (domani)
	SUBORDINATA CONTEMPORANEA congiuntivo presente o forma progressiva con congiuntivo presente *Romina vada/stia andando al mare.* (adesso)
	SUBORDINATA REALIZZATA NEL PASSATO congiuntivo passato *Romina sia andata al mare.* (ieri) congiuntivo imperfetto* *Romina andasse sempre al mare da bambina.*
PRINCIPALE **CONDIZIONALE** *Vorrei che - Avrei voluto che*	**SUBORDINATA CONTEMPORANEA O FUTURA** congiuntivo imperfetto *tu mi dicessi la verità.* (adesso/domani)
	SUBORDINATA REALIZZATA NEL PASSATO congiuntivo trapassato *tu mi avessi detto la verità.*
PRINCIPALE PASSATA **passato prossimo** **imperfetto indicativo** **passato remoto** **trapassato prossimo** *Credevo che*	**SUBORDINATA CHE SI REALIZZA NEL FUTURO** congiuntivo imperfetto o condizionale passato *Romina andasse/sarebbe andata al mare.* (il giorno dopo)
	SUBORDINATA CONTEMPORANEA congiuntivo imperfetto o forma progressiva con congiuntivo imperfetto *Romina andasse/stesse andando al mare.* (in quel momento)
	SUBORDINATA REALIZZATA NEL PASSATO congiuntivo trapassato *Romina fosse andata al mare.* (il giorno prima) congiuntivo imperfetto* *Romina andasse sempre al mare da bambina.*

* Per azioni ripetute e frasi descrittive nel passato.

ATTENZIONE!

Dopo "magari", "come se", "se solo" si usa il congiuntivo imperfetto con valore di presente e il congiuntivo trapassato con valore di passato.

*Marco pensa esclusivamente a se stesso, come se la sua famiglia non **esistesse**.*
*Magari **avessi studiato** di più quando ero giovane!*

PRINCIPALI VERBI IRREGOLARI

	io-tu-lui/lei/Lei	noi	voi	loro
	PRESENTE			
andare	vada	andiamo	andiate	vadano
avere	abbia	abbiamo	abbiate	abbiano
bere	beva	beviamo	beviate	bevano
cogliere	colga	cogliamo	cogliate	colgano
dare	dia	diamo	diate	diano
dire	dica	diciamo	diciate	dicano
dovere	debba	dobbiamo	dobbiate	debbano
essere	sia	siamo	siate	siano
fare	faccia	facciamo	facciate	facciano
morire	muoia	moriamo	moriate	muoiano
piacere	piaccia	piacciamo	piacciate	piacciano
porre	ponga	poniamo	poniate	pongano
potere	possa	possiamo	possiate	possano
rimanere	rimanga	rimaniamo	rimaniate	rimangano
salire	salga	saliamo	saliate	salgano
sapere	sappia	sappiamo	sappiate	sappiano
scegliere	scelga	scegliamo	scegliate	scelgano
sedere	sieda	sediamo	sediate	siedano
spegnere	spenga	spegniamo	spegniate	spengano
stare	stia	stiamo	stiate	stiano
tenere	tenga	teniamo	teniate	tengano
togliere	tolga	togliamo	togliate	tolgano
tradurre	traduca	traduciamo	traduciate	traducano
trarre	tragga	traiamo	traiate	traggano
udire	oda	udiamo	udiate	odano
uscire	esca	usciamo	usciate	escano
valere	valga	valiamo	valiate	valgano
venire	venga	veniamo	veniate	vengano
volere	voglia	vogliamo	vogliate	vogliano

PARTICOLARITÀ

1 I verbi che terminano in -**gliere** e in -**gnere** nelle persone singolari e alla terza plurale invertono le consonanti **gl** → **lg** e **gn** → **ng**:

Scegliere → *io scelga, loro scelgano*
Spegnere → *io spenga, loro spengano*

2 I verbi che terminano in -**nere** nelle persone singolari e alla terza plurale prendono la **g** davanti alla desinenza:

Rimanere → *tu rimanga, loro rimangano*
Ottenere → *tu ottenga, loro ottengano*

3 I verbi che terminano in **-orre** prendono **ng** nelle persone singolari e alla terza plurale, le altre persone prendono solo la **n**:

*Supp**orre*** → *lui suppo**ng**a, voi suppo**n**iate*   *Prop**orre*** → *lui propo**ng**a, voi propo**n**iate*

4 I verbi che terminano in **-urre** prendono la **c** davanti alla desinenza:

*Trad**urre*** → *io tradu**c**a*   *Cond**urre*** → *io condu**c**a*

IMPERFETTO				
	io-tu	**lui/lei/Lei**	**noi**	**voi**	**loro**
bere	bevessi	bevesse	bevessimo	beveste	bevessero
dare	dessi	desse	dessimo	deste	dessero
dire	dicessi	dicesse	dicessimo	diceste	dicessero
essere	fossi	fosse	fossimo	foste	fossero
fare	facessi	facesse	facessimo	faceste	facessero
porre	ponessi	ponesse	ponessimo	poneste	ponessero
stare	stessi	stesse	stessimo	steste	stessero
tradurre	traducessi	traducesse	traducessimo	traduceste	traducessero
trarre	traessi	traesse	traessimo	traeste	traessero

ESERCIZI

1. **DOV'È IL CONGIUNTIVO?**

Leggi il brano e trascrivi nella tabella i verbi al congiuntivo. Attenzione ai tempi.

Venezia è un pesce

Assomiglia a un'enorme sogliola distesa sul fondo. Non si sa come mai questo animale prodigioso abbia risalito l'Adriatico e sia venuto a rintanarsi proprio qui. Avrebbe potuto continuare a scorazzare: un fine settimana in Dalmazia, domani a Istanbul, l'estate prossima a Cipro. Eppure ci sarà stato un motivo per cui abbia scelto di ancorarsi da queste parti.

È probabile che gli altri libri sorridano nel sentire quello che ti sto dicendo, perché ti raccontano la nascita della città e la sua fortuna commerciale fino alla decadenza: fiabe. Voglio che tu non creda che sia così. Venezia è sempre esistita come la vedi, o quasi. È da tempo immemore che naviga: si dice che abbia toccato tutti i porti. Sulle squame le sono rimaste attaccate madreperle orientali, sabbia fenicia, molluschi greci, alghe bizantine. Pare che un giorno si sia resa conto delle incrostazioni che aveva addosso, del fatto che le sue pinne fossero diventate troppo pesanti per sgusciare tra le correnti, e abbia deciso di risalire una volta per tutte in una delle insenature più a nord del Mediterraneo, la più tranquilla, la più riparata, e di riposare qui.

Il ponte che la collega alla terraferma assomiglia a una lenza: sembra che Venezia abbia abboccato all'amo. Forse abbiamo avuto paura che un giorno Venezia potesse cambiare idea e ripartire, l'abbiamo allacciata alla laguna perché non le saltasse in mente di salpare di nuovo, anzi peggio: l'abbiamo letteralmente inchiodata al fondale.

(T. Scarpa, *Venezia è un pesce*, Feltrinelli)

presente	passato	imperfetto	trapassato

2. CHE FUNZIONE HA?

Indica la funzione del congiuntivo in queste frasi.

> a. desiderio/augurio • b. timore/incertezza • c. ipotesi/probabilità • d. concessione • e. stato d'animo
> • f. enfasi • g. opinione/giudizio

1. Che il Gargano sia una zona turistica molto rinomata è cosa risaputa da tutti.   _____
2. Malgrado abbia avuto poco tempo per allenarsi, Eugenio ha vinto la gara di nuoto.   _____
3. Riteniamo sia ingiusto che vengano fatti esperimenti sugli animali.   _____
4. Vorrei tanto che la Ferrari tornasse a vincere il mondiale di Formula 1.   _____
5. Katia chiude sempre le finestre quando esce: ha paura che il gatto scappi.   _____
6. Spero che vi divertiate durante le vacanze a Parigi.   _____
7. Può darsi che i miei suoceri vengano a cena da noi stasera.   _____
8. Non so perché i ragazzi non siano scesi a Mestre invece che alla stazione di Santa Lucia.   _____
9. Ci dispiace tanto che Rebecca abbia preso quella brutta influenza.   _____
10. Sono contento che Elisabetta abbia finalmente trovato lavoro.   _____
11. Nonostante Sergio avesse lavorato sodo, non è riuscito a ottenere la promozione.   _____
12. Molte persone sono convinte che gli U.F.O. esistano veramente.   _____

3. INCASTRO

Collega le due parti delle frasi.

1. Stasera andrò fuori con gli amici
2. Ha una casa molto modesta
3. Conosco già molte persone
4. I Rossi viaggiano spesso
5. Continuano a portare quei vestiti
6. Quello che Teo ha fatto mi ha sorpreso
7. Non mi crede
8. Fa ancora molto freddo
9. Continuiamo a lavorare nella stessa azienda
10. Molti leggono quel giornale

MALGRADO

- a. siano molto anziani.
- b. le notizie siano molto di parte.
- c. lo conosca benissimo.
- d. abiti qui da poco.
- e. mi senta a terra.
- f. gli abbia sempre detto la verità.
- g. ci paghino poco.
- h. guadagni moltissimo.
- i. siano passati di moda da tempo.
- l. la primavera sia cominciata da un pezzo.

4. OCCHIO AL SOGGETTO

Completa i fumetti con la forma (di) + infinito o il congiuntivo.

5. MODI DI DIRE

Completa le frasi con il verbo e dopo abbina il modo di dire alla sua spiegazione.

1. Non me la racconti giusta! Credo proprio che tu (sapere) _____ cosa bolle in pentola!
2. A questo punto non hai scelta! È necessario che tu (sciogliere) _____ questo nodo gordiano al più presto!
3. Chi si credono di essere per parlarti con quel tono? Non è bello che i tuoi amici (salire) _____ _____ in cattedra ogni volta che avete una discussione!
4. Provo a chiedere di nuovo i soldi in prestito a Moreno, ma è probabile che (fare) _____ ancora una volta orecchie da mercante.
5. Voterò il candidato che ha promesso di potenziare i servizi sociali, sperando che il suo programma non (rimanere) _____ lettera morta.

6. Benché il suo capo (essere) _____ un osso duro, Clara riesce sempre a ottenere da lui quello che vuole.

☐ *a. dare consigli, informazioni o criticare in modo arrogante*
☐ *b. non essere realizzato o non avere effetto*
☐ *c. essere una persona combattiva che non si arrende e difficile da convincere*
☐ *d. risolvere un problema o una situazione importante e difficile*
☐ *e. essere a conoscenza dei progetti di qualcuno*
☐ *f. fare finta di non sentire o di non capire*

6. PRESENTE O PASSATO?

Completa i testi di queste barzellette con il congiuntivo.

1. Un tale ha la spiacevole sorpresa di trovare la propria auto, parcheggiata sotto casa, con una vistosa ammaccatura. Nel vedere un biglietto infilato sotto il tergicristallo si rincuora, poi lo legge. C'è scritto: "Gentile signore, purtroppo, nell'uscire dal parcheggio, ho urtato la sua macchina danneggiandola. La gente che mi osserva pensa che ora io (scrivere) _____ le mie generalità, come è giusto che si (fare) _____ in questi casi. Ma non mi sogno nemmeno di farlo. Buona giornata!"

2. Al cinema Pierino si alza per andare in bagno ma inciampa e pesta un piede a un altro spettatore. Al ritorno gli domanda:
   – Mi sembra che (essere) _____ Lei la persona a cui ho pestato un piede prima, giusto?
   – Già! Sono contento che (decidersi) _____ a chiedermi scusa!!!!
   – Io veramente volevo solo esser sicuro di ritrovare il mio posto nella fila...

3. Un signore è seduto nello scompartimento di un treno e tiene i piedi appoggiati sul sedile di fronte. A un certo punto passa il controllore per timbrare i biglietti e, quando lo vede, gli dice:
   – Mi scusi, ma non penso proprio che Lei anche a casa sua (mettere) _____ i piedi sulle sedie!
   – No... e credo che neanche Lei a casa sua (timbrare) _____ i biglietti!

4. – Pensi che le Filippine (essere) _____ molte lontane? – chiede un bambino a Pierino.
   – No, non molto...
   – Ma sei sicuro?
   – Certo, io ho un compagno di classe filippino e tutte le mattine arriva a scuola in bicicletta!

5. Pierino riceve come regalo di Natale un acquario. Il giorno dopo la mamma gli chiede:
   – Pierino, hai cambiato l'acqua ai pesci?
   – Credo non (essere) _____ necessario, non mi sembra (bere) _____ già _____ quella di ieri!

6. Dopo una partita vittoriosa, due tifosi di una squadra di rugby commentano:
   – Bravissimo l'allenatore! Però mi chiedo come (fare) _____ a velocizzare i giocatori per una partita così difficile!
   L'altro sogghigna:
   – Ha usato un trucco: pare che ieri, durante l'ultimo allenamento, (sostituire) _____ la palla con una bomba a mano!!!

7. Il commissario al suo vice:
   – Ha esaminato il caso di quel truffatore che ha fatto fortuna vendendo un elisir che pare (allungare) _____ la vita in modo eccezionale?
   – Sì, e non è la prima volta che lo prendono! Sembra che lo (arrestare) _____ già nel 1895, 1927, 1939, 1962 e nel 2002!

8. Un uomo sta morendo e dice al socio in affari, che sta in piedi vicino al suo letto:
   – Sai, non è giusto che io (morire) _____ senza confessarti che socio pessimo sono stato. Chi credi che (rubare) _____ il milione di euro alla compagnia due anni fa? E dove pensi che (finire) _____ i soldi dell'assicurazione l'anno scorso? Sono stato io... Ho persino licenziato la segretaria, perché si era innamorata di te!
   – Non preoccuparti – gli risponde il socio – Chi credi che (mettere) _____ il veleno nel tuo caffè?

7. UN DJ INNAMORATO

Completa le frasi con le espressioni nel riquadro e coniuga i verbi alla forma opportuna.

> a meno che • è il caso che • è ovvio che • è probabile che • è un peccato che • in modo che
> • malgrado • prima che • sebbene • sembra

1. Nicola è un ragazzo di Mola, una cittadina in provincia di Bari. È un bravissimo DJ, lavora in una piccola radio locale e non ne vuole sapere di tentare il grande salto e lavorare in TV. [_____] un talento così (andare) _____ sprecato.

2. Nicola ha qualche problema: la notte non riesce a dormire perché il bambino del vicino piange sempre. Forse [_____] lo (lui, chiamare) _____ per trovare una soluzione. Nel frattempo ha deciso di andare dal dottore per farsi prescrivere un sonnifero.

Mola di Bari

3. In realtà Nicola ha l'insonnia anche per un altro motivo: da molto tempo è innamorato di una brunetta di nome Angela ma, [_____] non (dichiararsi) _____ vincendo la sua timidezza, continuerà a passare le notti in bianco, pensando a lei.

4. Oggi però c'è lo sciopero dei mezzi pubblici, [_____] molta gente (andare) _____ a lavorare in macchina e che Nicola (rimanere) _____ imbottigliato nel traffico. Invece, fortunatamente, Nicola arriva [_____] lo studio medico (chiudere) _____.

5. [_____] il dottore (tentare) _____ di convincerlo a risolvere i suoi problemi in altro modo, Nicola vuole a tutti i costi i sonniferi.
   La sera, [_____] il medico gli (dire) _____ di prendere una sola pillola, Nicola non riesce comunque ad addormentarsi, e ne prende altre cinque, accompagnandole con un bicchiere di vino.

6. [_____], così facendo, (finire) _____ in coma in ospedale! In pochi minuti la notizia si diffonde: la radio in cui Nicola lavora annuncia che [_____] (trattarsi) _____ di un tentativo di suicidio per amore della bella brunetta.

7. Fortunatamente proprio in quel momento Angela è in ascolto. Esce di casa e si precipita in ospedale, [_____] al suo risveglio Nicola la (trovare) _____ vicino.

Due mesi dopo la radio annuncia le nozze del suo migliore DJ...

8. UN NUOVO CASO PER IL COMMISARIO INVESTIGONI

Completa le frasi.

Il miliardario Rocherdacchi ha convocato il commissario Investigoni, perché pensa che qualcuno dei suoi parenti (volere) _____ ucciderlo per ereditare la sua fortuna. È particolarmente preoccupato, visto che questa sera avrà luogo una cena di famiglia e potrebbe essere una buona occasione per l'eventuale assassinio.

Sono lieto che (venire) _____ tutti per passare insieme il Ferragosto

1

Un augurio a tutti voi presenti: che (potere) _____ passare il resto dell'estate in modo sereno e spensierato

2

A volte succede in queste case in campagna che (andare) _____ via la luce

Non credo che questo black-out (dipendere) _____ da problemi della centrale elettrica

"Signor Rocherdacchi dove siete?"

"Sono qui"

ALL'IMPROVVISO

3

4

Suppongo che qualcuno (pensare) _____ di fare uno scherzo; oppure devo credere che (avere) _____ cattive intenzioni?

5

Ma commissario, da cosa deduce che qualcuno (spegnere) _____ espressamente la luce?

Nooo, è impossibile!

Ma dai, non scherziamo!

6

Che cosa ha insospettito Investigoni? Se non lo hai capito, guarda le soluzioni.

9. FESTA DI LAUREA

Completa le frasi al congiuntivo, usando i verbi nel riquadro. Attenzione: un verbo è impiegato due volte.

andare • essere • filare • piacere • portare • potere • regalare

1. Carolina aveva organizzato la sua festa di laurea augurandosi che tutto _____ liscio come l'olio, invece tutto è andato storto.

2. Pensava che _____ tutti gli amici che aveva invitato, ma invece si sono presentate solo venticinque persone.

3. Aveva cucinato le salsicce supponendo che non ci _____ vegetariani, mentre c'erano ben tre amici che non mangiavano carne.

4. Credeva che a tutti _____ la musica rap, invece nessuno ha ballato.

5. Supponeva che si _____ fare rumore fino a tardi, invece i vicini sono andati subito da lei a lamentarsi.

6. Le sembrava che la birra comprata _____ sufficiente, mentre a metà serata era già tutta finita.

7. Immaginava che gli amici _____ la torta, invece è dovuta correre di corsa in pasticceria a comprarne una.

8. Infine sperava che i genitori le _____ una macchina nuova, mentre le hanno comprato un motorino.

10. TRASFORMIAMO

Completa le frasi, come nell'esempio.

1. Che bella sorpresa trovare dei prezzi così bassi!
   Sono contento che i prezzi siano così bassi.
   Non mi aspettavo che i prezzi fossero così bassi.

2. Al posto tuo, con questi capelli e questa barba, andrei di corsa dal barbiere...
   Sarebbe opportuno che _____
   Forse è il caso che _____

3. Certo che il mercato di Porta Portese non è più quello di una volta!
   È un peccato che il mercato di Porta Portese non _____
   Sarebbe bello che il mercato di Porta Portese _____

4. Hai letto la notizia? Anche quel politico è corrotto!
   È una vergogna che anche quel politico _____
   Non avrei mai creduto che anche quel politico _____

5. Sono disperato: con una pagella simile i miei genitori mi cacceranno di casa...
   Non vorrei che i miei _____
   Temo che i miei _____

6. Mannaggia, ho l'influenza! Mi salirà sicuramente la febbre.
   Mi auguro che non _____
   Preferirei che non _____

11. IO INVECE PENSAVO...

Replica alle affermazioni con le informazioni nel riquadro, come nell'esempio.

> Accademia Nazionale • Comune • estate • geologia • Germania • Mantova

1. Mario si è laureato in chimica.
   Davvero? Io invece pensavo si fosse laureato in geologia!

2. Roberto Bolle ha cominciato a studiare danza alla Scala di Milano.
   _____

3. I miei amici si sono trasferiti a Bergamo.
   _____

4. Irene e Domenico si sono sposati in chiesa.
   _____

5. Io sono nato poco prima di Natale.
   _____

6. Vincenzo ha lavorato alcuni anni in Inghilterra.
   _____

Roberto Bolle

12. QUALE DEI TRE?

Scegli le forme verbali corrette. Con le sillabe abbinate scrivi il nome e la professione del personaggio, ritratto nella foto, che ha pronunciato questa frase:

"A vedere certi film penso quanto sia bella la pubblicità".

_ _ _ _ _ _ _ _   _ _ _ _ _ _   famoso _ _ _ _ _ _ _ _ _

1. Ero certa che qualcuno poco prima **bussasse** A /**abbia bussato** E /**avesse bussato** O alla porta.
2. Non credo che Mario **faccia** LI /**fa** MA /**ha fatto** RE in tempo a raggiungerci in pizzeria.
3. La direttrice ha affermato che **interverrà** VIE /**intervenga** NU /**intervenisse** STE volentieri alla riunione di oggi pomeriggio.
4. I miei genitori sperano che io e mio fratello **abbiamo trovato** LO /**troviamo** RO /**trovassimo** TO un lavoro **e diventassimo** MA /**diventiamo** TO /**siamo diventati** TA indipendenti.
5. Non è necessario che vi **arrabbiate** SCA /**arrabbiaste** SCO /**foste arrabbiati** SCHE così tanto: era solo uno scherzo!
6. Sapevo che Valentino si **sia perso** SI /**sarà perso** LI /**sarebbe perso** NI senza l'uso del navigatore.
7. Dubito che tu **riesca** FO /**sei riuscito** PO /**riuscissi** RE a risolvere quest'enigma in 30 secondi.
8. Ci sembra di capire che i clienti non **intendono** GI /**intendano** TO / **abbiano inteso** LI pagare la fattura della merce consegnata.
9. È molto probabile che il mondo accademico **avesse accolto** GRO /**accolga** GRA /**accogliesse** TI con grande entusiasmo la notizia della scoperta di una nuova piramide.
10. La guardia forestale ha paura che l'incendio **fosse dilagato** CO /**dilagasse** STA /**dilaghi** FO incessantemente per tutta la notte.

13. CACCIA ALL'ERRORE

Trova gli errori in questo testo e scrivi la forma corretta.

LE PECORE DEPONGONO LE UOVA E LE FARFALLE FANNO IL FORMAGGIO

Una ricerca realizzata quest'anno dimostra che i bambini non sanno quello che mangiano, non sanno nemmeno da dove vengano le adorate patatine o gli hamburger. Dei mille bambini intervistati, più della metà pare non avessero saputo rispondere o abbiano dato spiegazioni un po' confuse.

Quando gli è stato chiesto da dove provenissero gli hamburger, solo uno su quattro ha capito che le mucche c'entravano qualcosa. Moltissimi pensavano che fossero prodotti direttamente da McDonald's o da Burger King. Che si tratterebbe di una domanda troppo difficile? Proviamo con un altro alimento: i bimbi credono che le uova vengono dalle pecore, che abitualmente le depongono e covano.

E il formaggio allora? Qui le risposte sono discordanti: alcuni ritengono che lo producano le farfalle, ma altri sono pronti a giurare che sia opera di topi e ratti. Molti suppongono anche che le patatine erano di plastica e l'amato bacon inglese proveniva dai cavalli, dalle capre o dai pavoni.

Tornando ai latticini, alcuni bambini sostengono che tra gli ingredienti dello yogurt ci siano stati i tacchini e le papere. Ma attenzione, c'è di peggio, perché pare che avevano detto addirittura che le patatine in sacchetto contengano coniglio, plastica e pecore. Solo il 43% dei bambini sapeva che il gelato si fa con il latte, mentre sembra che gli altri elencarono ingredienti come pesce, aria, formaggio o patate.

Eppure i piccoli intervistati, che hanno tra i sei e gli otto anni, hanno saputo riconoscere quasi tutte le verdure che gli sono state mostrate e non hanno avuto nessun problema a identificare gli animali. Insomma: preparati su carote, tuberi, mucche e tacchini, un po' meno sui loro derivati. Che serva una maggiore attenzione non solo alla dieta ma anche alla cultura del cibo?

(http://it.notizie.yahoo.com)

1. _____ → _____   5. _____ → _____
2. _____ → _____   6. _____ → _____
3. _____ → _____   7. _____ → _____
4. _____ → _____   8. _____ → _____

14. COMPLETIAMO

Completa le frasi.

1. Perché Serena è così in ritardo? Che (perdere) _____ l'autobus?
2. Sono ore che parla: (dire) _____ almeno cose interessanti!
3. In attesa che l'ufficio (aprire) _____, andiamo al bar a prendere un cappuccino?
4. Non so di cosa ti lamenti... (potere) _____ lavorare io alla radio al posto tuo!
5. Non vedo l'ora che (arrivare) _____ le vacanze: sono molto stanca.
6. Sarebbe opportuno che (voi, svolgere) _____ con maggiore attenzione il compito.
7. Non sapevo che voi (incontrarsi) _____ quando frequentavate l'università.
8. Andrea sospetta che in passato la moglie lo (tradire) _____ con Davide.
9. Per sposarsi è necessario che Maria (andare) _____ a fare i documenti in municipio.
10. Temevamo che Elena e Mario non (riuscire) _____ ad arrivare in tempo in aeroporto.
11. Bisogna che (tu, dormire) _____ un po' di più, hai certe occhiaie....
12. Perché hai paura che qualcuno (venire) _____ di notte a rubare in casa tua?
13. Sebbene (io, disdire) _____ l'abbonamento a quella rivista, la casa editrice ha continuato a inviarmela per altri sei mesi.
14. Lisa è un'egocentrica: vorrebbe sempre che tutti (ascoltare) _____ solo quello che dice lei.

15. INDIETRO NEL TEMPO

Trasforma le frasi dal presente al passato.

1. Malgrado Carlo stia svolgendo da un'ora il compito di matematica, non riesce ancora a risolvere il problema.

   _____

2. Tiziano mi presta la macchina purché gliela restituisca presto.

   _____

3. I soldati devono fare le esercitazioni tutti i giorni, sia che piova sia che nevichi.

   _____

4. Non mi piace molto lo spettacolo: nonostante gli attori siano bravi, la sceneggiatura è un po' troppo banale.

   _____

5. Quantunque Francesco abbia sempre delle idee originali, le sue trovate pubblicitarie non sono mai così efficaci.

   _____

6. Chiunque abbia rotto il vetro deve ripagarlo.

   _____

7. Il dottore ha detto che non vuole essere disturbato a meno che non si tratti di una questione urgente.

   _____

8. Sarebbe meglio che scattassi le foto prima che faccia buio.

   _____

9. Fabio vuole fermarsi all'autogrill perché gli sembra che abbiamo forato una gomma.

   _____

10. È la storia più assurda che io abbia mai sentito!

   _____

16. MAGARI...

Abbina le frasi e coniuga il verbo alla forma corretta.

1. Che peccato, la prima dell'*Aida* alle Terme di Caracalla è stata sospesa.
2. Questa mattina alla posta ci ho messo talmente tanto tempo che sono arrivata tardi all'appuntamento dall'oculista.
3. Accidenti, ho vinto al Lotto ma solo 10 euro!
4. Questa sera avrò a cena i miei cugini di Siena.
5. Il figlio di Stella è davvero un bel ragazzo.
6. Lavorare in ospedale è davvero sfibrante: facciamo dei turni massacranti.
7. Stai sempre chiuso in casa a lavorare, ma perché non esci ogni tanto?
8. Non sai quanto è stata divertente la festa di Luigi.

Terme di Caracalla

a. Magari (venire) _____ più spesso a Roma a trovarmi.

b. Magari (smettere) _____ di piovere! Sarebbe stato un bello spettacolo.

c. Magari (avere) _____ più giorni di riposo.

d. Magari ci (essere) _____ meno fila!

e. Magari (riuscire) _____ a liberarmi! Sarei venuto volentieri anch'io.

f. Magari (essere) _____ meno antipatico! Lo frequenterei di più.

g. Magari (potere) _____! Tu non sai quanto mi piacerebbe farmi delle belle passeggiate in bicicletta.

h. Magari (giocare) _____ anche il 38! Avrei fatto un bel terno.

1. _____   2. _____   3. _____   4. _____   5. _____   6. _____   7. _____   8. _____

17. LE CITTÀ INVISIBILI

Scegli le espressioni che richiedono l'uso del congiuntivo e indovina il nome del famoso personaggio storico nascosto nel racconto.

> – Hai **mai/sicuramente** visto una città che assomigli a questa? – chiese Kublai a **X**, indicando i ponti sui canali, i palazzi riflessi nell'acqua, i battelli dai lunghi remi, le chiatte dei mercanti, i balconi, le cupole, le isole della laguna. Il Khan era a Quinsai, l'antica capitale, ultima perla del suo regno.
> – No, sire, – rispose **X**, – **mai avrei immaginato/sapevo** che potesse esistere una città simile.
> **Appena/prima che** l'imperatore cercasse di scrutarlo negli occhi, lo straniero abbassò lo sguardo. Kublai **attendeva/raccontava** che il veneziano esponesse i risultati delle sue ambascerie. **X** parlò per tutta la notte e alla fine disse: – **Affermo/temo**, Sire, che non ci siano altre città che conosco di cui ti posso raccontare.
> – **Sono certo/penso** che ne resti una di cui non parli mai: Venezia.
> **X** sorrise. – E di cosa **credevi/dicevi** che ti parlassi?
> – **Indubbiamente/non mi sembra** che tu l'abbia mai menzionata.
> E **X**: – **Può darsi/forse** che sia così, ma ogni volta che descrivo una città dico qualcosa di Venezia.
> – Voglio che quando ti chiedo d'altre città, tu parli di quelle, e di Venezia, quando ti domando di Venezia.
> – È necessario, **così/affinché** si possano distinguere le qualità delle città, partire da una di riferimento, che per me è Venezia.
> – **Sarebbe meglio/bene** allora che cominciassi i racconti dei tuoi viaggi dalla partenza, descrivendo Venezia così com'è.
> – Le immagini della memoria, una volta fissate con le parole, si cancellano, – disse **X**. – **Ho paura/sono sicuro** che, se ne parlo, Venezia si perda tutta in una volta. O **può essere/probabilmente** che forse l'abbia già lentamente perduta.
>
> (I. Calvino, *Le città invisibili*, Einaudi)

Hai indovinato il nome del protagonista del racconto? Se non ci sei riuscito, risolvi il rebus.

M + 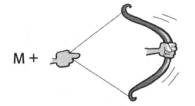  _ _ _ _ _ _ _ _ _ _

18. DICIAMOLO CON UN PO' DI ENFASI

Riscrivi le frasi trasformando il verbo al congiuntivo.

1. Eravamo certi che Fabrizio non è una cima.
   Che Fabrizio _____ .
2. È di dominio pubblico che Paola e Angelo sono amanti.
   Che Paola e Angelo_____ .
3. Tutti sapevano che quel palazzo, prima o poi, sarebbe crollato.
   Che quel palazzo prima o poi _____ .
4. Se qualcuno chiede di me, digli che sono partito per le vacanze.
   Chiunque _____ .
5. È un'opinione condivisa da tutti: purtroppo non si girano più i film di una volta.
   Che non _____
6. Mio marito è troppo appiccicoso, mi segue in ogni posto in cui vado.
   Mio marito è troppo appiccicoso, ovunque io _____ .

19. QUALE CONGIUNZIONE?

Completa le frasi con le congiunzioni appropriate.

1. Pago io l'abbonamento a teatro, _____ tu venga sempre con me.

2. Sono arrabbiata con voi! Non siete venuti a cena da me _____ vi avessi invitati ripetutamente.

3. Sono andato dal dottore _____ mi visitasse.

4. Ho telefonato a Luciano per salutarlo _____ partisse.

5. Vai in vacanza _____ non abbia abbastanza soldi per pagarla?

6. Mia sorella mi ha prestato un suo cellulare _____ le faccia una ricarica.

7. Ho scritto alla mia amica di Londra _____ mi trovi una buona scuola di inglese.

8. Siete riusciti ad arrivare in segreteria _____ chiudesse?

9. Ho smesso di studiare il russo _____ finisse il corso.

10. Scrivo un'e-mail all'avvocato _____ mi dia consigli legali.

11. L'ho riconosciuto subito _____ fosse ingrassato molto.

12. Ieri sono andato in palestra _____ fossi stanco morto.

20. FINALE A SORPRESA

A. Scegli uno dei due verbi proposti e completa le frasi al tempo opportuno.

In una notte di pioggia un uomo e una donna si scontrano in un incidente automobilistico in aperta campagna. Le due auto sono distrutte, sebbene nessuno dei due (essere/avere) 1. _____ ferito. Entrambi riescono ad aprire le porte e a strisciare fuori dalle macchine sfasciate; la donna dice all'uomo:
– Non riesco a crederci: tu sei un uomo… io una donna. E ora guarda le nostre macchine: sono completamente distrutte eppure noi siamo illesi. Questo è un segno: il destino ha voluto che ci (incontrare/allontanare) 2. _____, che (fare/diventare) 3. _____ amici e che (litigare/vivere) 4. _____ insieme in pace per il resto dei nostri giorni!
E lui:
– Sono d'accordo: penso proprio che (essere/dare) 5. _____ un segno del cielo!
La donna prosegue:
– E guarda quest'altro miracolo… nonostante la mia macchina (diventare/essere) 6. _____ completamente accartocciata, la bottiglia di champagne che avevo dentro non si è rotta. Di certo il destino ha voluto che noi (scontrarsi/brindare) 7. _____ per celebrare il nostro incredibile incontro…
La donna gli passa la bottiglia, lui la apre, e prima che lei (potere/dovere) 8. _____ dire un'altra parola, l'uomo se ne beve praticamente metà. Poi la passa a lei… ma la donna richiude la bottiglia senza berne neppure una goccia.
Lui le chiede:
– Tu non bevi???
E lei risponde:
– No… io aspetto che 9. _____.

(http://barzellette.dada.net)

B. Per sapere come finisce la storia, completa lo schema coniugando i verbi al congiuntivo secondo le indicazioni. Nelle lettere della colonna colorata troverai il finale.

porre – loro – pres.
stare – loro – imp.
trarre – io – pres.
dare – io – imp.
andare – tu – pres.
tradurre – noi – imp.
scegliere – tu – pres.
fare – voi – imp.
spegnere – lui – pres.
essere – noi – imp.
togliere – loro – pres.
bere – io – imp.
azzittire – lui – pres.
dire – tu – imp.
volere – voi – pres.

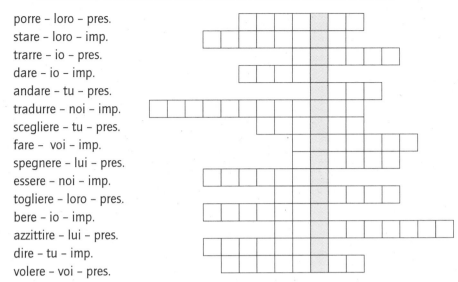

21. UN PO' DI BUONUMORE

Collega i testi alle immagini.

1. Vuoi suonarmi una canzone che hai scritto per me? Non sapevo neppure che suonassi uno strumento! Oh, è così romantico!
2. Ma dai... Non sapevo che si potesse fare il bucato on line!
3. Preferiamo che lei ritorni quando si sentirà meglio.
4. Spero che l'acqua non sia troppo calda...
5. Alla fine avevo più fame di quanto non credessi!
6. Voglio che lo prendiate indietro: non va bene con il mobilio.
7. Che mi prenda un colpo se riesco a ricordarmi perché sono salito fin quassù...

a. _____
b. _____
c. _____
d. _____
e. _____
f. _____
g. _____

LA FORMA PASSIVA

La forma passiva si può avere solo con i verbi transitivi. Nel passaggio dalla forma attiva a quella passiva il soggetto è posposto al verbo ed è preceduto dalla preposizione "da", mentre l'oggetto diventa soggetto. Nelle frasi che ne derivano, quindi, il soggetto grammaticale non compie l'azione ma la subisce.

Domani i sindacati confederati **firmeranno** *il contratto di lavoro.* (attiva)
oggetto

Domani il contratto di lavoro **sarà firmato** *dai sindacati confederati.* (passiva)
soggetto

La forma passiva si usa:

1 per spiegare regole o per esprimere necessità e doveri:

Bisogna che **sia fatta** *al più presto chiarezza su questa vicenda.*

2 nella narrazione di avvenimenti e negli annunci, per enfatizzare l'azione piuttosto che il soggetto:

Il cantante **è stato preso** *d'assalto dai suoi fan.*

Il passivo si può formare:

1 con l'ausiliare **essere** + participio passato:

Il quadro **sarà venduto** *all'asta al miglior offerente.*

2 con il verbo **venire** + participio passato (solo nei tempi semplici):

Il quadro **verrà venduto** *all'asta al miglior offerente.*

3 con il verbo **andare** + participio passato (solo nei tempi semplici), per esprimere un'idea di necessità, un suggerimento, una prescrizione o un ordine, e con i verbi "perdere", "smarrire", "sprecare" e "distruggere" (anche nei tempi composti):

Questo quadro **va venduto** *all'asta.*
Il quadro **andò distrutto** *durante l'incendio del 1944.*

4 con la particella pronominale **si** + il verbo alla terza persona singolare o plurale, quando il soggetto non è chiaramente espresso (nei tempi composti l'ausiliare è sempre "essere"). La forma passivante, rispetto a quella dell'impersonale (vedi Volume 1, Unità 14), prevede la presenza di un oggetto con cui il verbo si accorda:

In questo ristorante **si mangiano** *piatti tipici locali. (passivante)*
In questo ristorante **si mangia** *bene. (impersonale)*

Attenzione: in alcuni annunci la particella può seguire il verbo cui si unisce, formando una singola parola:

Si vende *quadro al miglior offerente.*
Vendesi *quadro al miglior offerente.*

5 con l'**infinito** preceduto dalla preposizione **da**, per dare l'idea di necessità o di opportunità:

Il 25 aprile è un giorno **da ricordare**.

ESERCIZI

1. DOV'È IL PASSIVO?

Leggi il testo e sottolinea le forme passive.

ASSALTO AL TRENO

Per una notte Casnate, piccolo paese in provincia di Como, si è trasformato in una località da Far West ma senza sparatorie, senza sceriffi e senza ladri di bestiame. C'erano però i banditi e c'era anche un treno che correva nella notte. L'assalto al treno, si sa, è uno dei classici delle storie dei fuorilegge nell'America del XIX secolo.

Le cose a Casnate si sono svolte in modo rapido e semplicissimo: i banditi hanno agito con freddezza e tempestività degne di applauso. Giovedì 26 aprile un treno merci, partito da Chiasso e diretto a Venezia, mentre sta marciando in aperta campagna, viene bloccato, dopo una curva, da un semaforo rosso. Il macchinista ferma il convoglio e si mette in contatto con la vicina stazione, domandando spiegazioni, ma nessuno sa niente del semaforo. Si dà inizio a un rapido giro di telefonate tra le varie stazioni della zona, senza però che il mistero sia chiarito. Un quarto d'ora dopo lo stop, il semaforo torna verde e il treno riparte. Una pattuglia di polizia è inviata sul posto per effettuare un sopralluogo nel punto in cui è stato fermato il treno. L'intera zona viene ispezionata con attenzione ma non viene segnalato nulla di irregolare. Un'ora dopo quel semaforo viene archiviato fra i tanti misteri che hanno luogo lungo i binari delle ferrovie.

Più tardi un automobilista avvisa i vigili che un camion si è rovesciato in una scarpata. Accorrono i vigili di Casnate e scoprono che il carico del veicolo è costituito da 240 scatoloni di sigarette piene di stecche di Merit e Marlboro. Viene immediatamente chiamata la Finanza, pensando che si tratti di merce di contrabbando, ma dopo l'apertura del primo scatolone, viene costatato che il carico è regolare, con il bollo del Monopolio di Stato, ed è in seguito collocato in un magazzino della caserma. Del conducente del camion nessuna traccia e non c'è alcun documento a bordo.

Il caso è risolto solo quando il treno merci arriva a Venezia: il portellone di un vagone del treno è stato forzato e il carico di sigarette che trasportava scomparso nel nulla. Un vero colpo da maestri, che spiega il mistero di quel semaforo rosso che era stato piazzato dopo una curva, in modo che il macchinista non potesse rendersi conto di quello che stava succedendo in coda. La fortuna però non ha più assistito i ladri nell'allontanarsi in fretta dal luogo del colpo: il camion si è ribaltato costringendo i banditi a fuggire abbandonando il bottino.

(C. Barigazzi, *La banda del semaforo, Enigmistica per esperti*)

2. AVVISI

Abbina le immagini alle frasi.

a. È vietato bagnarsi. _____
b. È stato smarrito un persiano. _____
c. È stato avvistato un UFO. _____
d. I programmi d'esame sono stati inseriti sul sito della facoltà. _____
e. La strada è stata chiusa causa lavori. _____
f. I banditi sono ricercati dalla Polizia. _____

3. ATTIVO E PASSIVO

Scrivi una frase alla forma attiva e una alla forma passiva per descrivere le immagini, come nell'esempio.

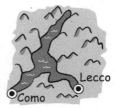

1. Il Lago di Como bagna Lecco.
   Lecco è bagnata dal Lago di Como.

2. La notte scorsa _____
   _____
   _____

3. Ieri mattina _____
   _____
   _____

4. È probabile che _____
   _____
   _____

5. Fra un po' _____
   _____
   _____

6. Nell'antichità _____
   _____
   _____

7. Domani _____
   _____
   _____

8. Era prevedibile che dopo qualche ora _____
   _____
   _____

4. TRASFORMIAMO

Trasforma le frasi da attive a passive.

1. La "banda del buco" ha svaligiato la gioielleria Damiani.

2. Gioacchino Rossini nel 1816 musicò *Il barbiere di Siviglia*.

3. La nonna ha tramandato in famiglia la ricetta degli struffoli napoletani.

4. Un regista iraniano ha vinto il primo premio alla Mostra del cinema di Venezia.

Irene Grandi

5. Irene Grandi canta il brano *Alle porte del sogno*.

6. Le sorelle Fontana confezionarono gli abiti da sposa di molte donne famose.

7. Paolo Rossi, durante i Mondiali di calcio del 1982, segnò la maggior parte delle reti italiane.

8. Nel Medioevo gli Aragonesi occuparono l'Italia meridionale.

9. Voglio che mettiate subito in ordine tutte queste carte.

10. Negli anni Settanta molti giovani seguivano la filosofia *hippy*.

11. La gente non dovrebbe ascoltare le promesse dei politici.

Sorelle Fontana

12. Pensavo che i revisori dei conti controllassero con maggior attenzione il bilancio della società.

13. Un uomo losco e poco raccomandabile aveva seguito la ragazza fino a casa.

14. Gli ospiti supponevano che avessi cucinato io tutte quelle pietanze.

15. Appena avranno pubblicato questo libro, tutti lo compreranno.

Paolo Rossi

16. Non hanno spedito l'invito per la celebrazione perché il ministro l'ha annullata proprio ieri.

17. Dovremmo lavare la verdura con cura prima di mangiarla.

18. Dicono che gli studenti abbiano ascoltato con molto interesse il seminario del prof. Marano.

5. LA PASTIERA NAPOLETANA

Completa la ricetta con i verbi nel riquadro utilizzando la forma passiva andare + participio passato.

amalgamare • conservare • imburrare • lasciare • lavorare • mescolare • scongelare

La pastiera napoletana è un dolce tipico di Napoli che si prepara soprattutto in occasione della Pasqua. Ecco gli ingredienti e la ricetta per prepararla:

Ingredienti per 12 persone	
- una confezione da 1 kg di pasta frolla surgelata (per i pigri che non vogliono farla in casa)	- 50 g di arancia candita
	- 50 g di zucca candita
	- mezzo bicchiere di latte
- 700 g di ricotta di pecora	- 30 g di burro
- 400 g di grano cotto	- 5 uova intere + 2 tuorli
- 600 g di zucchero	- 1 bustina di vaniglia
- 1 limone	- 1 cucchiaio di acqua di fiori d'arancio
- 50 g di cedro candito	- 1 pizzico di cannella

Poiché la pasta frolla 1. _____ a temperatura ambiente, tiratela fuori dal freezer qualche ora prima di cominciare a cucinare la torta. Versate, poi, in una casseruola il grano cotto, il latte, il burro e la scorza grattugiata del limone. Lasciate cuocere per 10 minuti ma ricordatevi che gli ingredienti 2. _____ spesso per farli amalgamare bene. Frullate a parte la ricotta, lo zucchero, le 5 uova intere con i 2 tuorli, la bustina di vaniglia, un cucchiaio di acqua di fiori d'arancio e un pizzico di cannella. L'impasto 3. _____ finché non diventa molto sottile. Aggiungete altra scorza di limone grattugiata e i canditi tagliati a dadini: il tutto 4. _____ con il grano. Prendete la pasta frolla, distendete l'impasto con il mattarello e rivestire la teglia: non scordatevi che prima però 5. _____. Dall'impasto eccedente ricavate delle strisce. Versate il composto di ricotta nella teglia, livellatelo, ripiegate verso l'interno i bordi della pasta e decorate con le strisce. La torta deve cuocere per un'ora e mezza a 180°, finché non avrà preso un colore ambrato. La pastiera, prima di essere servita, 6. _____ raffreddare e spolverata con lo zucchero a velo. È da tener presente, in ultimo, che se il dolce non è consumato subito, 7. _____ in frigo.

6. LAVORIAMO CON IL PASSIVO

Riscrivi le frasi in cui è possibile usare le forme passive venire e andare + participio.

1. Per superare la crisi, i cittadini dovranno fare molti sacrifici.

_____

2. Tempo fa si producevano cibi molto più genuini e naturali.

_____

3. Eugenio aveva gli occhi lucidi perché la sua ragazza lo aveva lasciato.

_____

4. Devi conservare i gelati nel congelatore, non nel frigo!

_____

5. Le patate sono bruciate! Dovevi spegnere prima il forno!

_____

6. Mi sembra che non abbiano fatto abbastanza pubblicità contro l'abbandono dei cani!

7. Pensavo che producessero il Chianti in Friuli, non in Toscana.

8. Vorrei che facessero più attenzione a quello che dico.

9. È una vergogna! La gente maltratta troppo gli animali!

10. Non possiamo assolutamente dire queste cose di Barbara: è una persona meravigliosa.

11. Hanno rinviato la partita a causa della nebbia.

12. Non è giusto che ogni volta Mario pulisca la cameretta senza l'aiuto di suo fratello.

7. PER UN PUGNO DI LIBRI

Completa con i verbi alla forma passiva e al tempo giusto.

La domenica pomeriggio va in onda su Rai Tre *Per un pugno di libri*, un programma televisivo condotto da Neri Marcorè con la partecipazione del prof. Piero Dorfles. La trasmissione è un gioco a premi in cui concorrono due classi delle scuole superiori, provenienti da regioni italiane diverse. Ogni squadra (sostenere) 1. _____ da un personaggio televisivo celebre che, insieme al portavoce della classe, è abilitato a rispondere ai quesiti.

Neri Marcorè e Piero Dorfles

Per un pugno di libri è più di un gioco a premi, è uno stimolo alla lettura per i partecipanti e per il pubblico da casa, non a caso non (vincere) 2. _____ soldi ma solo libri. Ciascuna puntata è incentrata su un classico della letteratura internazionale, che i concorrenti devono aver letto per poter superare le prove.
Alla fine della gara (assegnare) 3. _____ dei libri in base alle risposte date da ogni squadra.
Queste sono le prove che (svolgere) 4. _____ nell'edizione 2010/2011:

QUESTO L'HO SCRITTO IO!

A tre ragazzi di una classe (consegnare) 5. _____ tre buste, ciascuna contenente un'affermazione relativa all'autore del libro puntata; solo una di queste tre dichiarazioni corrisponde al vero. Le frasi (leggere) 6. _____ dai ragazzi e i concorrenti dell'altra squadra devono individuare chi dei tre dice la verità.

LO GNOMMERO

A ogni classe (sottoporre) 7. _____ una lista di parole in ordine sparso, che (riordinare) 8. _____ seguendo un'associazione logica.

PER CHI SUONA LA CAMPANELLA

Alcuni brani, tratti da opere letterarie molto note, (leggere) 9. _____ dal conduttore e i portavoce di ciascuna squadra devono individuare il titolo.

CACCIA AL TITOLO

Il conduttore rivela alle classi 10 indizi per indovinare il titolo di un'opera che ha delle attinenze con il libro puntata. Se si risponde dopo la lettura del primo indizio (vincere) 10. _____ 10 libri, se si risponde al secondo 9 e così via decrescendo fino ad arrivare all'ultima indicazione che varrà 1 punto.

FUORI GLI AUTORI

Ogni classe sceglie 5 rappresentanti che (convocare) 11. _____ al centro dello studio per rispondere ai quesiti posti dal conduttore. Il gioco è a eliminazione: chi sbaglia torna a sedere.

IL DOMANDONE

A ciascuna classe (porre) 12. _____ una domanda attinente alla trama e/o ai personaggi del libro. Alla fine del gioco, la classe che accumula più libri – tra tutte le prove – (dichiarare) 13. _____ vincitrice della puntata.

(www.perunpugnodilibri.rai.it)

8. UN FATTO DI CRONACA

Leggi l'articolo e completa le risposte.

Un bagnino trentasettenne, fra i più conosciuti a Rimini, è morto dopo un party a base di cocaina consumata in compagnia di alcuni amici. Era stato trovato in coma sabato mattina nel suo appartamento di Torre Pedrera ma non è stato possibile salvarlo ed è deceduto questa mattina intorno alle 12.30. I suoi amici, intontiti dall'alcol e dalla droga, non sono stati in grado di chiamare prontamente i soccorsi. Stando alla ricostruzione fatta dalla Squadra Mobile, l'uomo verso le 7.00 del mattino era ancora lucido.

È stato qualcosa che aveva ingerito a causare l'arresto cardiaco ma non è ancora chiaro chi abbia venduto la droga al gruppo di amici. Nessuno ancora è stato inserito nel registro degli indagati.
Oggi in Questura sono state ascoltate le testimonianze di quanti lo avevano incrociato nelle ore precedenti. Venerdì sera il bagnino era stato visto in numerose discoteche in compagnia di un amico. Aveva conosciuto una straniera e le aveva chiesto se avesse un'amica per un'uscita a quattro. Verso le 5 del mattino il gruppo si era recato nell'appartamento recentemente acquistato dal defunto in cui l'improvvisata comitiva aveva proseguito il consumo di droga e alcol. All'arrivo della polizia sono state rinvenute tracce di cocaina e molte bottiglie vuote di whisky. A quanto dicono i primi referti, per il bagnino sarebbe stata letale l'ennesima striscia di coca o una dose di integratore per culturisti che, associata a droga e alcol, potrebbe aver prodotto uno shock circolatorio.

(Il Resto del Carlino)

1. In quali condizioni era stato ritrovato il bagnino al momento dell'arrivo dei soccorsi?
   Il bagnino _____.
2. Perché i soccorsi non sono stati chiamati subito?
   I soccorsi _____.
3. Da cosa è stato provocato l'arresto cardiaco?
   L'arresto cardiaco _____.
4. Di chi sospetta la Polizia?
   Nessun nome _____.
5. Chi è stato ascoltato in Questura?
   In Questura _____.
6. Con chi era stato visto il bagnino venerdì sera?
   Il bagnino _____.
7. Che cosa è stato ritrovato dalla Polizia sul luogo del decesso?
   Sul luogo del decesso _____.

9. CHE VALORE HA?

Indica il valore della particella si in queste frasi.

> p. passivante • i. impersonale • r. riflessivo/pronominale

1. Si dice che Valeria abbia trovato un nuovo fidanzato. _____
2. Bisogna che mia madre si ricordi di telefonare al medico. _____
3. A volte si pensa che non valga la pena aiutare gli altri. _____
4. Dalla finestra si vede il castello sulla collina. _____
5. Alessandra preferisce non uscire perché non si sente bene. _____
6. Damiano non si distrae mai durante un esame. _____
7. Dalla Turchia si importano molte ceramiche pregiate. _____
8. Certo non si può dire che Giuseppe non faccia di tutto per trovare un lavoro. _____
9. Alessio si lava sempre le mani prima di mettersi a tavola. _____
10. Nel negozio all'angolo si vendono prodotti biologici. _____
11. In quel ristorante si mangia veramente bene. _____
12. Nei campi della zona del Fucino si coltivano le patate. _____

10. MERCATO IMMOBILIARE

Leggi gli annunci e distingui quelli reali (R) da quelli comici (C) proposti dal duo umoristico dei Fichi d'India.

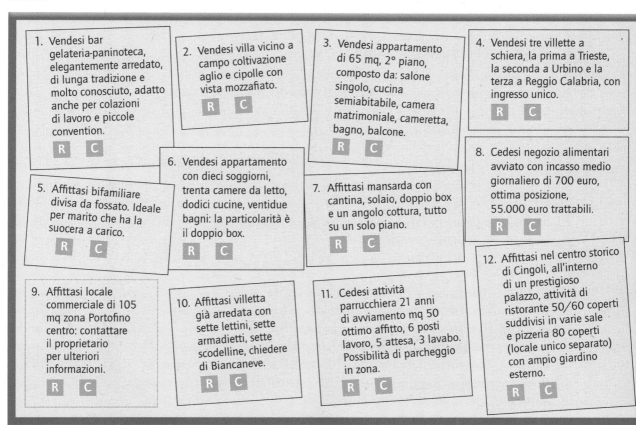

1. Vendesi bar gelateria-paninoteca, elegantemente arredato, di lunga tradizione e molto conosciuto, adatto anche per colazioni di lavoro e piccole convention. R C

2. Vendesi villa vicino a campo coltivazione aglio e cipolle con vista mozzafiato. R C

3. Vendesi appartamento di 65 mq, 2° piano, composto da: salone singolo, cucina semiabitabile, camera matrimoniale, cameretta, bagno, balcone. R C

4. Vendesi tre villette a schiera, la prima a Trieste, la seconda a Urbino e la terza a Reggio Calabria, con ingresso unico. R C

5. Affittasi bifamiliare divisa da fossato. Ideale per marito che ha la suocera a carico. R C

6. Vendesi appartamento con dieci soggiorni, trenta camere da letto, dodici cucine, ventidue bagni: la particolarità è il doppio box. R C

7. Affittasi mansarda con cantina, solaio, doppio box e un angolo cottura, tutto su un solo piano. R C

8. Cedesi negozio alimentari avviato con incasso medio giornaliero di 700 euro, ottima posizione, 55.000 euro trattabili. R C

9. Affittasi locale commerciale di 105 mq zona Portofino centro: contattare il proprietario per ulteriori informazioni. R C

10. Affittasi villetta già arredata con sette lettini, sette armadietti, sette scodelline, chiedere di Biancaneve. R C

11. Cedesi attività parrucchiera 21 anni di avviamento mq 50 ottimo affitto, 6 posti lavoro, 5 attesa, 3 lavabo. Possibilità di parcheggio in zona. R C

12. Affittasi nel centro storico di Cingoli, all'interno di un prestigioso palazzo, attività di ristorante 50/60 coperti suddivisi in varie sale e pizzeria 80 coperti (locale unico separato) con ampio giardino esterno. R C

(gli annunci dei Fichi d'India sono tratti da *Amici Ahrarara*, Baldini & Castoldi)

E adesso rispondi alle domande.

a. Quali annunci sono rivolti a chi vuole comprare un immobile? _____

b. Quali annunci sono rivolti a chi vuole utilizzare per un certo periodo un immobile? _____

c. Quale annuncio presenta difficoltà geografiche insormontabili? _____

d. Quale annuncio è collegato a una favola? _____

e. Quale annuncio potrebbe interessare un salumiere in cerca di un locale commerciale?

_____

11. IMPERSONALE O PASSIVANTE?

Riscrivi le frasi con il si **impersonale o passivante.**

1. Gli italiani nel 2010 hanno fumato meno.

_____

2. Tutti dovrebbero condividere le idee pacifiste di Gandhi.

_____

3. Tra breve non useremo più il telefono fisso: per comunicare useremo solo cellulari e computer.

_____

4. Pensavo che in questo ristorante i clienti potessero ordinare anche cibi vegani.

_____

5. In quell'albergo i turisti si rilassano, si divertono e pagano poco.

_____

6. Dopo il concerto andremo in discoteca.

_____

7. Fino a metà Ottocento la gente usava le candele per illuminare la casa.

_____

8. Se dormiamo poco, il giorno dopo non siamo abbastanza lucidi per lavorare bene.

_____

12. QUALE DEI TRE?

Scegli la forma verbale corretta e con la lettera nella casella a essa abbinata scrivi il cognome del politico che ha detto questa famosa frase:

"A parlar male degli altri si fa peccato ma spesso s'indovina!"

1. Cartagine **ebbe rasa** $\boxed{t}$ /**fu rasa** $\boxed{a}$ /**andò rasa** $\boxed{e}$ al suolo dai Romani.
2. Il monumento al Milite Ignoto **è dedicato** $\boxed{n}$ /**si è dedicato** $\boxed{l}$ /**si dedicarono** $\boxed{z}$ ai soldati morti in guerra e mai identificati.
3. Ero sicura che Iolanda **si sarebbe stata battuta** $\boxed{e}$ /**sarebbe stata battuta** $\boxed{d}$ /**verrebbe stata battuta** $\boxed{f}$ da Amalia al torneo di scherma.
4. Questa lettera **si scrisse** $\boxed{g}$ /**andò scritta** $\boxed{u}$ /**fu scritta** $\boxed{r}$ dalla mia bisnonna Carmela prima di emigrare in Brasile.
5. Dalle 14 alle 16 **non è potuto** $\boxed{s}$ /**si può** $\boxed{e}$ /**viene potuto** $\boxed{o}$ fare rumore nel condominio.

Altare della Patria

6. Gli scavi archeologici in Libia **si diressero** ⧠m̄/**andarono diretti** ⧠ē/**furono diretti** ⧠ō per oltre trent'anni da Sandro Stucchi.

7. Al ristorante **si mangia** ⧠t̄/**si mangiano** ⧠n̄/**si sono mangiata** ⧠p̄ la frutta con coltello e forchetta.

8. La notizia della fine della guerra **viene stata data** ⧠ī/**si è stata data** ⧠d̄/**è stata data** ⧠t̄ questa mattina alla radio.

9. Nizza e la Savoia **vennero cedute** ⧠ī/**ebbero cedute** ⧠ā/**si furono cedute** ⧠ū alla Francia in cambio della Lombardia.

Il famoso politico italiano è:

GIULIO ⧠ ⧠ ⧠ ⧠ ⧠ ⧠ ⧠ ⧠

13. L'ITALIA DA BERE

Completa con i verbi alla forma passiva o utilizza il si passivante; poi collega le descrizioni alla bibita.

a. (fare) _____ con un antico agrume di origine orientale che in Italia (coltivare) _____ soprattutto nella zona di Savona in Liguria e di Taormina in Sicilia. Si dice che questo frutto (introdurre) _____ nella nostra penisola da un viaggiatore savonese nel 1500. Questa bevanda di colore scuro (produrre) _____ oltre che in Italia anche a Malta.

b. È incolore e analcolica. Nella sua ricetta di base (prevedere) _____ acqua, zucchero e acido citrico, ma (potere) _____ aggiungere diversi aromi, come quelli del mandarino o del lampone. A volte (consumare) _____ mescolata con birra o con vino.

c. (preparare) _____ aggiungendo alla ricetta tradizionale il pregiato estratto di corteccia di china. Normalmente (considerare) _____ una bevanda per adulti, perché non sempre i bambini gradiscono il suo sapore asprigno.

1. gassosa _____   2. aranciata amara _____   3. chinotto _____

14. CACCIA ALL'ERRORE

Trova gli errori e scrivi la forma corretta.

2011

18 anni di eurochocolate un evento da incorniciare

EUROCHOCOLATE DIVENTA MAGGIORENNE

Quest'anno Eurochocolate, il famoso festival del cioccolato di Perugia, diventerà maggiorenne e già da adesso si prospetta "un evento da incorniciare". L'immagine scelta per rappresentare Eurochocolate 2011 gioca, quindi, sulla foto o ancora meglio sulla cornice porta-foto. Una cornice di cioccolato, talmente golosa che chi vi ha immortalato all'interno… non resiste alla tentazione di morderla. Accanto alla cornice fa bella mostra di sé la Chocolamp, la lampada che simula un'invitante cascata di cioccolata fusa che, nei giorni scorsi, proprio durante Eurochocolate, ha incontrato così tanto il favore del pubblico che i 2000 esemplari in vendita nell'area test vanno esauriti nel giro di due giorni. E proprio una maxi cornice di cioccolata di 2x3 m per un peso di 400 kg viene stata la protagonista della conferenza stampa di mercoledì 27 ottobre, dentro la quale sono avuti immortalati tutti gli ospiti della conferenza e lo staff di Eurochocolate.

«A diciotto anni un evento raggiunge la sua piena maturità» – spiega Eugenio Guarducci, ideatore del festival – "Non si vive di soli ricordi" è un po' il nostro motto. Non ci fermiamo mai ai ricordi, ma da quelli – belli e brutti che siano – partiamo per crescere ed andare avanti».

(www.eurochocolate.com)

Chocolamp

1. _____   2. _____
3. _____   4. _____

15. IL TORNEO DI BRISCOLA

Completa con i verbi alla forma passiva e, seguendo le indicazioni, elimina i concorrenti del torneo: scoprirai così chi è stato il vincitore. Attenzione, una frase può essere scritta solo alla forma attiva.

Al torneo di briscola del mese scorso (ammettere) _____ sedici concorrenti.

1ª fase   Il turno non (passare) _____ dai concorrenti i cui cognomi contengono una sola vocale ripetuta più volte.

2ª fase   (Eliminare) _____ i concorrenti i cui cognomi contengono un'unica consonante ripetuta più volte.

3ª fase   (Giungere) _____ in finale i concorrenti i cui cognomi non contengono consonanti doppie.

4ª fase   (Proclamare) _____ vincitore il concorrente il cui cognome è il primo in ordine alfabetico.

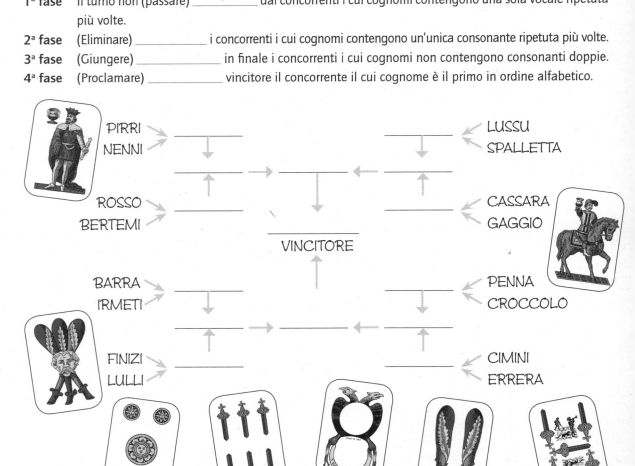

16. UN PO' DI BUONUMORE

A. Completa i testi delle vignette con i verbi nel riquadro.

sarò pur sempre ricordato • va saldato • venga contestata

1. Questa è l'offerta migliore: il conto _____ solo se si sopravvive.
2. Questa volta è impossibile che _____ la prova dell'effetto serra!!!
3. Beh, in fondo _____ come "la seconda pistola del West"...

B. Trasforma i verbi sottolineati alla forma attiva.

Un gruppo di amici, intorno ai quarant'anni, dibatteva e dibatteva per scegliere il ristorante dove passare una bella serata. Finalmente <u>venne deciso</u> di andare al "Ristorante Tropicale" perché le cameriere usavano minigonne corte e scollature generose.

Dieci anni più tardi, ai cinquanta, <u>fu ripreso</u> il dibattito quando il gruppo si riunì di nuovo per scegliere il ristorante dove passare una bella serata. Finalmente <u>fu scelto</u> il "Ristorante Tropicale" perché <u>venivano serviti</u> ottimi primi e c'era una vasta scelta di vini.

Dopo ulteriori dieci anni, ai sessanta, il gruppo si riunì di nuovo e ripresero a dibattere e a dibattere per scegliere il ristorante dove passare una bella serata. Finalmente <u>fu raggiunto</u> un accordo unanime sul "Ristorante Tropicale" perché lì si poteva mangiare in pace e c'era una sala per fumatori.

Dieci anni più tardi, ai settanta, il gruppo si riunì di nuovo e riprese a dibattere animatamente per scegliere il ristorante dove passare una bella serata. Finalmente <u>si optò</u> per il "Ristorante Tropicale" perché c'era una comoda rampa per sedie a rotelle ed <u>era stato installato</u> pure un piccolo ascensore.

Trascorrono ancora altri dieci anni, ormai tutti ottantenni, il gruppo si riunì di nuovo e riprese a dibattere per scegliere il ristorante dove passare una bella serata. Finalmente, dopo tante discussioni, <u>fu proposto</u> il "Ristorante Tropicale", che tutti dissero essere una gran bella idea poiché non ci erano mai stati...

1. _____   2. _____
3. _____   4. _____
5. _____   6. _____
7. _____   8. _____

PERIODO iPOTETICO

Il periodo ipotetico serve a formulare ipotesi ed è composto da due frasi: una in cui si pone la **condizione** (subordinata), l'altra in cui si esprime la **conseguenza** (principale).
La subordinata è introdotta da **se** e il verbo può essere all'indicativo o al congiuntivo.
Nella principale il verbo può essere all'indicativo, al condizionale o all'imperativo.

Non esiste un ordine all'interno del periodo ipotetico: può essere espressa prima la condizione e poi la conseguenza o viceversa:

Se hai tanta sete, fermati al bar e bevi una birra.

Fermati al bar e bevi una birra, se hai tanta sete.

Esistono tre tipi di periodo ipotetico:

1 **della realtà**: indica una situazione facilmente realizzabile.

Nella subordinata si utilizza l'indicativo presente o futuro, mentre nella principale l'indicativo, presente o futuro, o l'imperativo:

*Se non la **smette** di fare rumore, **chiamo** la polizia!*
*Se non **credete** alla notizia della radio, **andate** su Internet e **verificate**.*
*Se non **metti** la crema protettiva, con questo sole cocente **ti scotterai**.*
*Se **ti comporterai** bene a scuola, ti **comprerò** un videogioco nuovo.*

2 **della possibilità**: indica una situazione possibile o un desiderio.

Nella subordinata si impiega il congiuntivo imperfetto, mentre nella principale il condizionale presente, l'imperativo o l'indicativo futuro:

*Se Alessandro **smettesse** di fumare, sicuramente ci **guadagnerebbe** in salute.*
*Se per caso **decidessi** di andare al cinema, **chiamami**!*
*Se l'articolo non **fosse** di vostro gradimento, la ditta **provvederà** a risarcirvi.*

3 **dell'irrealtà o impossibilità**: indica una situazione irreale o non più possibile.

Nella subordinata si utilizza il congiuntivo imperfetto o trapassato, mentre nella principale il condizionale presente o passato:

*Se **potessi** rinascere, **vorrei** essere un pellerossa.*
*Se non **avessimo perso** tempo al supermercato, ora **saremmo** già a casa.*
*Se mi **avessi dato** ascolto, non ti **saresti cacciato** in questo guaio.*

1. CACCIA ALLE IPOTESI

Sottolinea nel testo i periodi ipotetici e indica nel riquadro a lato di quale tipo sono.

SIRENA O BALENA?

Qualche tempo fa, sulla vetrina di una palestra, comparve un manifesto che rappresentava una ragazza spettacolare, accompagnata dalla scritta: "QUEST'ESTATE VUOI ESSERE SIRENA O BALENA?"
Si dice che una donna, di cui non ci è pervenuta la tipologia fisica, abbia risposto alla domanda in questi termini:
Egregi signori, se osservate attentamente le balene vi accorgerete che sono sempre circondate da amici (delfini, foche, umani curiosi), che hanno una vita sessuale molto vivace ed allevano dei cuccioli che allattano teneramente. Si divertono come pazze coi delfini e si strafogano di gamberetti. Nuotano tutto il giorno e scoprono posti fantastici come la Patagonia, il mare di Barents o le barriere coralline della Polinesia. Se aveste un po' di fortuna potreste anche sentire il loro verso: infatti cantano benissimo e talvolta le registrano su dei CD. Sono impressionanti e sono amate, difese ed ammirate da quasi tutti.
Le sirene non esistono. Ma se esistessero farebbero la fila dagli psicologi in preda ad un grave problema di sdoppiamento della personalità (donna o pesce?). Non avrebbero vita sessuale (e del resto come farebbero?) perché ucciderebbero tutti gli uomini che si avvicinano. Non potrebbero fare neanche bambini. Se ci fossero simili creature, sarebbero graziose è vero, ma solitarie e tristi. E poi, diciamo la verità, chi vorrebbe vicino una ragazza che puzza di pesce? Non ci sono dubbi, io preferisco essere una balena.
P.S.: Se mi fossi lasciata influenzare dai media, che in quest'epoca ci mettono in testa che solo le magre sono belle, oggi sarei una donna sola e infelice. Io invece posso mangiare un gelato coi miei bambini, cenare con un uomo che mi piace, bere vino rosso coi miei amici. Noi donne prendiamo peso, perché accumuliamo tanta di quella conoscenza, che nella testa non ci sta più e si distribuisce in tutto il corpo. Noi non siamo grasse, siamo enormemente colte. Se vedo il mio sedere riflesso in uno specchio inevitabilmente penso "Mio Dio, come sono intelligente!".

(www.nardonardo.it)

N.B. In Italia "essere una balena" vuol dire "essere sovrappeso".

2. CHE TIPO È?

Indica il tipo di periodo ipotetico in queste frasi.

r. realtà • p. possibilità • i. irrealtà o impossibilità

1. Se Fabrizio non si fosse riaddormentato, non avrebbe perso l'autobus. _____
2. Se sapete la verità, vi prego di raccontarmi tutto. _____
3. Se fossi meno grassa, non avrei l'affanno quando salgo le scale. _____
4. Se Fernando dorme, non lo svegliare! _____
5. Se Bartolomeo supererà il periodo di prova, sarà assunto a tempo indeterminato. _____
6. Se Mariangela non si fosse rotta la gamba, ora sarebbe in palestra a fare ginnastica. _____
7. Se non ti allacci le scarpe, prima o poi inciamperai. _____
8. Se la smettessi di fare il pagliaccio, saresti più credibile. _____
9. Se mi chiedessero cosa vorrei fare da grande, risponderei: "L'astronauta". _____
10. Se non ci fosse stato lo sciopero della metropolitana, saremmo arrivati in tempo. _____

3. REALTÀ

Completa le frasi con i verbi nel riquadro coniugati al tempo opportuno. Le lettere nelle parentesi, prese in ordine, formeranno il titolo di un noto film di Luigi Magni sulla vita di San Filippo Neri.

andare (N) • andarsene (T) • aspettare (E) • avvisare (O) • cacciare (T) • cenare (U) • comprare (E) • fare (T) • perdere (E) • prendere (O) • rivolgersi (A) • sdraiarsi (P) • spedire (I) • sposare (S) • stare (E) • trovare (B) • uscire (T) • vendicarsi (S)

1. Se ami tanto Patrizia, perché non la _____?
2. Se Donato non smette di far arrabbiare i genitori, prima o poi lo _____ di casa.
3. Se domani la ditta non mi pagherà lo stipendio, (io) _____ ai sindacati.
4. Se Sofia non imparerà a memoria la poesia per la recita, _____ una brutta figura.
5. Se il treno arriverà in ritardo, (noi) _____ la coincidenza per Catania.
6. Se Giovanni non annaffierà le piante, al vostro ritorno le _____ morte.
7. Se non mi sbrigo a cucinare, questa sera i miei ospiti _____ davvero tardi.
8. Se credi che possa servirti, _____ pure la mia cassetta degli attrezzi.
9. Se finisci di scrivere quella lettera, (io) _____ subito alla posta e la _____ .
10. Se Clotilde continua a trattare male i suoi studenti, loro presto _____ .
11. Se i miei commenti ti danno così fastidio, la prossima volta _____ zitto.
12. Se non ce la fai a stare in piedi, perché non _____ un po' sul divano?
13. Se questa sera al cinema fanno un bel film, (io) ti _____ subito.
14. Se siete stanchi di studiare, _____ a prendere un po' d'aria.
15. Se non scendete subito, (noi) non vi _____ e _____ .
16. Veronica, se non finisci di fare i capricci, non ti _____ più il gelato per un mese!

Il titolo del film è:

_ _ _ _ _ _   _ _ _ _ _   _ _ _ _ _ _

Johnny Dorelli interpreta S. Filippo

4. POSSIBILITÀ

Guarda le immagini e completa le frasi usando il periodo ipotetico della possibilità.

1. Se Miriam fosse ricca, _____

2. Se Massimo fosse forte e muscoloso, _____

3. Se voi aveste le racchette, _____

4. Se io avessi il costume, _____

5. Se Giulia e Francesco sapessero sciare, _____

6. Se Antonietta non parlasse tanto, gli amici non _____

7. Se non bevessimo sempre tanto vino, non _____

8. Se non fosse vietato, si _____

9. Se tu fossi un poliziotto, _____

10. Se non piovesse, la famiglia Pica _____

5. LA MANDRAGOLA
Leggi il riassunto della commedia di Machiavelli e completa le frasi.

Callimaco è un giovane che studia in Francia. Sente parlare della bellezza di Lucrezia, una donna fiorentina virtuosa e onesta, sposata con l'anziano messer Nicia. Incuriosito, parte per Firenze e quando vede Lucrezia se ne innamora. Su suggerimento del suo servo Ligurio, Callimaco si finge medico per entrare nelle grazie di Nicia, che è disperato perché non riesce ad avere figli. Il giovane lo convince dicendo che l'unico modo per far restare incinta sua moglie, è farle bere una pozione di mandragola. Questa cura però ha un inconveniente: l'uomo che passerà la prima notte d'amore con Lucrezia morirà, dopodiché gli effetti malefici svaniranno. Nicia è talmente sciocco e desideroso di diventare padre che cade nel tranello. Il problema è convincere Lucrezia a bere la mandragola. La donna si rifiuta: è contraria all'idea di passare la notte con un altro uomo che non sia suo marito e a procurargli, inoltre, la morte. Nicia si rivolge a sua suocera e al confessore della moglie, Frate Timoteo, il quale in cambio di qualche denaro riesce a convincere Lucrezia. Il piano prevede di sequestrare uno sconosciuto per strada e metterlo nel letto con la donna. Ovviamente lo sconosciuto è Callimaco travestito, che una volta trovatosi da solo in stanza con Lucrezia, dopo aver soddisfatto il suo desiderio, le racconta la verità. La moglie giudica il marito così sciocco da meritarsi l'inganno e, vista la bellezza del giovane, decide di proseguire la relazione, facendolo diventare medico di famiglia. In quanto al figlio, prima o poi, avendo un amante giovane e più valido di Nicia, sicuramente rimarrà incinta.

1. _____, non si sarebbe incuriosito e non sarebbe partito per Firenze.
2. _____, non se ne sarebbe innamorato.
3. _____, non sarebbe entrato nelle grazie di messer Nicia.
4. _____, non sarebbe caduto nel tranello.
5. _____, Nicia non sarebbe riuscito a convincere la moglie.
6. _____, Frate Timoteo non avrebbe convinto Lucrezia.
7. _____, non si sarebbe meritato l'inganno.
8. _____, Lucrezia non avrebbe deciso di proseguire la relazione.

6. INCASTRO

Collega le due parti delle frasi.

1. Se non fossi caduta pattinando
2. Se le finestre fossero state chiuse bene
3. Se continuerai ad addormentarti sul lavoro
4. Se Filippo e Marina potessero
5. Se non abbasseranno il prezzo della villa
6. Se non telefonerete entro domani alla banca
7. Se fossimo stati più attenti
8. Se Marisa fumasse meno
9. Se Arturo non fosse stato tanto egoista
10. Se il segnale di pericolo fosse stato più in vista

- ☐ a. rischierete di trovarvi il conto bloccato.
- ☐ b. non avremmo perso le chiavi di casa.
- ☐ c. Roberta non lo avrebbe lasciato.
- ☐ d. ora non avrei il polso rotto.
- ☐ e. prima o poi ti licenzieranno.
- ☐ f. andrebbero a vivere in campagna.
- ☐ g. non ci sarebbero stati tanti incidenti.
- ☐ h. non troveranno mai un acquirente.
- ☐ i. non avrebbe la voce così rauca.
- ☐ l. i ladri non avrebbero rubato il quadro tanto facilmente.

7. COMPLETIAMO

Completa le frasi con i verbi al tempo opportuno.

1. Se Sandro (sapere) _____ che facevi la festa, (venire) _____ sicuramente.
2. Se Sonia e Tiziana da bambine (imparare) _____ a nuotare, ora non (avere) _____ paura dell'acqua.
3. Peccato, ti è andata male: se (arrivare) _____ cinque minuti fa, (incontrare) _____ quella ragazza che ti piace tanto.
4. Se Giulio non (essere) _____ sempre così scortese, (io, fermarsi) _____ volentieri a parlare con lui.
5. Non credo che i miei amici vadano in discoteca stasera: se ci (andare) _____, me lo (dire) _____.
6. Sei troppo orgoglioso: ieri ti (aiutare) _____ a fare i compiti, se solo tu me lo (chiedere) _____.
7. D'accordo, andiamo alla mostra di De Chirico: ma se (vedere) _____ che c'è troppa fila, (tornare) _____ un altro giorno.
8. Non ti preoccupare, se (io, dovere) _____ trovare qualcosa che hai dimenticato, te la (spedire) _____ sicuramente.
9. Guarda non è per cattiveria, ti (noi, chiamare) _____ per dirti che eravamo in ritardo, se solo non (noi, avere) _____ il telefonino scarico.
10. Ti complichi sempre la vita. Se ogni tanto (tu, dare) _____ retta a tua madre, forse poi non (trovarsi) _____ in situazioni spiacevoli.
11. Il medico è stato chiaro: se (io, iniziare) _____ subito la fisioterapia, fra due mesi (ricominciare) _____ a giocare a pallacanestro.
12. Se quando ero piccolo mi (loro, dire) _____ che Babbo Natale non esiste, non ci (io, credere) _____.
13. Come sempre hai pagato il sovrappeso. Non ci (essere) _____ problemi al *check-in*, se mi (tu, dare) _____ ascolto e (tu, pesare) _____ il bagaglio prima di uscire di casa.
14. All'incontro di ieri (noi, potere) _____ concludere l'accordo, se voi (essere) _____ un po' più accomodanti.

8. QUALE DELLE TRE?

Leggi le frasi e scegli la forma verbale corretta.

1. Se i governi del mondo non **s'impegnasse̲ro/s'impegneranno/s'impegnerebbe̲ro** a ridurre le emissioni inquinanti, il nostro pianeta sarà in serio pericolo.
2. Faremmo molto prima se **sbucceremmo/sbucciassimo/sbucceremo** tutti insieme le patate.
3. Olga ha deciso che se **trova/trovasse/avesse trovato** un'auto d'occasione, la compra.
4. Se Maurizio non **supe̲ra/avesse superato/supe̲rasse** il limite di velocità, adesso non dovrebbe pagare una multa salata.
5. Se non vi **ri̲volgerete/rivolgereste/foste rivolti** all'ufficio competente, non potrete risolvere il vostro problema.
6. Sarei riuscito a riposare un po' se i bambini non **urlasse̲ro/urleranno/avessero urla̲to** tanto.
7. Se **sarò/fossi/sarei** un attore, vorrei recitare in un film diretto da Lina Wertmüller.
8. Vi saremmo grati se **poteste/potreste/potrete** parlare a bassa voce.
9. Se veramente ti **piace/piacesse/piace̲rebbe** quel vestito, indossalo!
10. Se **avrei chiesto/avessi chiesto/chie̲dessi** consiglio a un consulente finanziario, forse non avrei perso tutti i soldi giocando in Borsa.
11. Se **avremmo ascoltato/ascoltassimo/ascoltiamo** tutto il giorno musica ad alto volume, avremmo un gran mal di testa.

Lina Wertmüller

E adesso prendi nell'ordine le lettere sottolineate delle forme verbali corrette e scrivi il titolo del primo film girato da Lina Wertmüller.

___ ___   ___ ___ ___ ___   ___ ___ ___ ___ ___ ___ ___

9. LAVORIAMO CON IL PERIODO IPOTETICO

Riscrivi le frasi formulando i tre diversi tipi di periodo ipotetico, come nell'esempio.

Se non (vedere) con i miei occhi, non ci (credere).

a. Se non lo vedo con i miei occhi, non ci credo.
b. Se non lo vedessi con i miei occhi, non ci crederei.
c. Se non l'avessi visto con i miei occhi, non ci avrei creduto.

1. Luca e Chiara, se non (piovere), (andare) all'università in bicicletta.
   a. _____
   b. _____
   c. _____

2. Emilio, se non (ricevere) tante telefonate di lavoro, (essere) più tranquillo.
   a. _____
   b. _____
   c. _____

3. Se (io, farsi) la doccia con l'acqua fredda, (io, ammalarsi) di sicuro.
   a. _____
   b. _____
   c. _____

4. Sabrina e io, se (avere) tempo libero, (leggere) tanti libri.
   a. _____
   b. _____
   c. _____

5. Se ci (essere) una forte scossa di terremoto, cosa (tu, fare)?
   a. _____
   b. _____
   c. _____

10. COSA FARESTI SE...

Cosa faresti se ti trovassi in queste situazioni? Scegli fra le tre alternative la risposta più logica e completala al tempo opportuno alla prima persona singolare. Con le lettere abbinate otterrai il cognome di un poeta del XIII secolo, autore del famoso sonetto *S'i fossi foco* (Se io fossi fuoco).

1. Se (essere) _____ un fotografo di fama internazionale,

   a. (scippare) _____ le foto dei nipoti dai portafogli delle vecchiette.   U

   b. (nascondersi) _____ dentro le cabine e (rubare) _____ le fototessere.   G

   c. (scattare) _____ foto di paesaggi mozzafiato.   A

2. Se (trovarsi) _____ su un'isola deserta abitata da cannibali,
   a. (farsi) _____ suggerire qualche ricetta di cucina.   E
   b. (mettersi) _____ in cima a un albero sperando di non essere visto.   N
   c. gli (offrire) _____ sale e pepe per condirmi meglio.   T

3. Se (avere) _____ la possibilità di salire su una navicella spaziale,
   a. (fare) _____ un giro nello spazio.   G
   b. (usare) _____ il teletrasporto.   L
   c. (andare) _____ a cena dai marziani.   A

4. Se (svegliarsi) _____ una mattina nel XVIII secolo,
   a. (salire) _____ in macchina e (andare) _____ in ufficio.   R
   b. (mettersi) _____ la parrucca e (incipriarsi) _____ il viso.   I
   c. (prendere) _____ la clava e (cacciare) _____ i dinosauri.   S

5. Se (lavorare) _____ per i servizi segreti,
   a. non (parlare) _____ con nessuno che non conosca la parola d'ordine.   O
   b. (telefonare) _____ a James Bond.   P
   c. (raccontare) _____ i segreti militari al nemico.   B

6. Se (potere) _____ incontrare il mio/la mia cantante preferito/a,
   a. gli/le (dire) _____ che le sue canzoni sono orribili.   Q
   b. gli/le (rubare) _____ le corde vocali.   Z
   c. (complimentarsi) _____ con lui/lei e (chiedere) _____   L
   una foto autografata.

7. Se (sapere) _____ fare magie,
   a. (fare) _____ crescere i brufoli a chi mi sta antipatico.   I
   b. (bruciare) _____ la bacchetta magica.   U
   c. (mangiare) _____ la bacchetta magica al posto dei grissini.   G

8. Se (finire) _____ improvvisamente tutti i soldi,
   a. (correre) _____ a fare shopping.   H
   b. (mettersi) _____ a chiedere l'elemosina.   E
   c. (essere) _____ più ricco di Paperon de' Paperoni.   T

9. Se (fare) _____ un viaggio in Antartide,
   a. (scattare) _____ le foto agli orsi bianchi.   E
   b. (salutare) _____ tutti gli abitanti.   D
   c. (parlare) _____ con i pinguini.   R

Paperon de' Paperoni

10. Se (presentarsi) _____ alle elezioni politiche,
    a. (promettere) _____ di risolvere i problemi del Paese.   I
    b. (usare) _____ delle spogliarelliste per farmi la pubblicità.   F
    c. (prendere) _____ in giro gli elettori, facendo le boccacce   U
    durante i comizi.

Il poeta è: CECCO ___ ___ ___ ___ ___ ___ ___ ___ ___

11. SE NON L'AVESSERO INVENTATO...

Scrivi cosa sarebbe successo se questi italiani non avessero creato le loro invenzioni, come nell'esempio.

Luigi Bezzera (macchina del caffè) • Enrico Fermi (reattore nucleare)
• Italo Marchioni (cono) • Guglielmo Marconi (radio) • Antonio Meucci (telefono)
• Antonio Pacinotti (dinamo) • Evangelista Torricelli (barometro)
• Alessandro Volta (pila)

*Macchina del caffè
di Bezzera*

1. (Io) mangiare il gelato solo in coppetta.
   Se Italo Marchioni non avesse inventato il cono, mangerei il gelato solo in coppetta.

2. (Tu) non potere cambiare i canali con il telecomando.
   _____

3. Samuele non parlare con gli zii in Australia.
   _____

4. (Noi) non bere espresso.
   _____

5. (Voi) non andare in bicicletta di notte.
   _____

6. Le centrali non produrre energia atomica.
   _____

7. Giorgia non sentire le notizie in macchina.
   _____

8. I metereologi non sapere che tempo fa.
   _____

12. INTERVISTA CON DIABOLIK

Completa l'intervista trasformando i verbi al tempo e al modo opportuno.

Un bandito per bene, Alessandro Esposto, genovese, è caduto nelle mani della Polizia dopo anni di imprendibilità: una faccia da bravo ragazzo, una famiglia a posto e un buon lavoro di installatore di impianti di sicurezza. Malgrado la sua professione, però, la sua specialità è sempre stata la rapina in banca.

G = giornalista   **D** = Diabolik

G. Ha mai approfittato del Suo lavoro per compiere dei furti nelle case dove aveva installato un impianto di sicurezza?

D. Nel mio lavoro sono sempre stato molto serio. Non ho mai rubato nelle case dei miei clienti, anche perché, se dopo il mio passaggio, (avvenire) _____ un furto, che figura ci (fare) _____ come installatore? I furti nelle case non sono mai stati la mia specialità. Quando ho violato la legge, ho fatto il rapinatore e nient'altro.

G. La Sua fama e la Sua perfezione Le hanno fatto meritare il soprannome di Diabolik, il famoso eroe dei fumetti, ma cosa (fare) _____ se durante una rapina (verificarsi) _____ un imprevisto?

D. I miei colpi erano studiati talmente a fondo che non potevano andare male. Non sarei mai ricorso alle armi, anche se (trovarsi) _____ con le spalle al muro. Quando un'impiegata di banca, terrorizzata è fuggita urlando verso l'interno dell'agenzia, io me ne sono andato tranquillamente come ero entrato. Sono sempre stato calmo e non ho mai fatto un gesto inconsulto, mai uno scatto di nervi.

G. **Come mai ha sempre agito da solo?**

D. Non ho mai voluto complici perché non mi fido di nessuno. Se qualcuno mi (tradire) _____ o (compiere) _____ qualche leggerezza, non me lo (perdonare) _____ mai.

G. **Ma per quale motivo un giovanotto senza problemi economici e bene inserito nella società ha deciso un bel giorno di trasformarsi in assaltatore di banche?**

D. Per l'amore del brivido e per il rifiuto di una vita troppo banale. Se entrare in una banca armato mi (procurare) _____ quelle emozioni che né il lavoro né l'ordinata vita genovese mi provocano, perché non (dovere) _____ tentare la sorte?

G. **Come spendeva i soldi dei bottini realizzati?**

D. Non mi sono dato mai alle spese folli, né alla dolce vita: trascorrevo le serate con gli amici o con la mia ragazza. Se (spendere) _____ grandi cifre, (attirare) _____ troppo l'attenzione. Ma delle rapine non erano tanto i soldi a interessarmi, quanto l'emozione che provavo nel metterle a segno.

G. **Qual era il segreto dell'imprendibilità di Diabolik?**

D. Consisteva tutto nella precisione con cui preparavo i colpi: sceglievo accuratamente la banca, la fotografavo e percorrevo più volte le possibili vie di fuga. Rischiavo di più quando rubavo le macchine per le rapine. Ero molto meticoloso anche nel trucco e nel travestimento: lenti a contatto colorate e cerone teatrale. Se i miei lineamenti (essere) _____ riconoscibili, (arrestare) _____ molto prima.

G. **Cosa ha determinato il suo arresto?**

D. Un puro e semplice colpo di sfortuna. Dopo che dei ladri erano entrati in una casa dove avevo installato l'impianto di sicurezza, i carabinieri, insospettiti, sono venuti a casa mia e hanno trovato diverse armi. Se dunque non (essere) _____ per quel furto, di cui non ero responsabile, probabilmente Diabolik (essere) _____ ancora in circolazione.

(C. Barigazzi, *I colpi di Diabolik*, *Enigmistica per esperti*)

13. CACCIA ALL'ERRORE

Riscrivi il testo correggendo gli errori e risolvi il problema matematico.

Tra due ragazzi:
"Se tu mi daresti una figurina, ne avrei quante te".
E l'altro: "E se tu ne regalassi una a me, io ne avessi il doppio di te".
Quante figurine ha ciascuno?

_____

_____

_____

_____

_____

Soluzione: _____

14. UN PO' DI BUONUMORE

Collega le frasi alle immagini.

1. Se non stesse russando, a quest'ora avrei già chiamato un medico legale.
2. Se passassi più tempo a pensare come farmi felice, avresti meno tempo per preoccuparti delle quotazioni in Borsa e del riscaldamento globale.
3. E se questa ricetta non dovesse riuscire, pigliate qualcosa dal freezer e schiaffatelo nel forno a microonde.
4. Ti dirò, Giulia, se dovessi tornare indietro lo risposerei, ma non prima di aver compiuto novant'anni.
5. Se non fossi così sicura che hai torto, quasi quasi sarei tentata di darti ragione.
6. Se le serve qualcosa, suoni.
7. Te l'avevo detto che, se avessimo fatto finta di non esserci, se ne sarebbero andati.
8. Se dovessi darti retta, non avrei neppure un amico!
9. ...e ricorda: se non riesci la prima volta, con il paracadutismo hai chiuso!

a. _____   b. _____   c. _____   d. _____   e. _____   f. _____   g. _____   h. _____   i. _____

15. DUE COPPIE IN CRISI

Una battuta della barzelletta A è stata scambiata con una della barzelletta B. Trova le frasi e rimettile al posto giusto.

Durante un litigio furibondo fra moglie e marito:

a. **LUI** : Se io fossi un po' più egoista, come dici tu, adesso non staremmo qui a discutere!
b. **LEI** : Allora, perché non ti risposeresti?
c. **LUI** : È una fissazione! Io ti amo sempre.
d. **LEI** : Non ti credo. Se tu mi avessi amata veramente avresti sposato un'altra!

1. **LEI**: Amore, se io morissi, ti risposeresti?
2. **LUI**: Certo che no!
3. **LEI**: No? Perché? Non ti piace essere sposato?
4. **LUI**: Certo che mi piace!
5. **LEI**: E allora, abbi una volta tanto il coraggio di dirmi che non mi ami più!
6. **LUI**: Ok, va bene, mi risposerei, se questo può farti piacere...
7. **LEI**: E dormiresti con lei nel nostro letto?
8. **LUI**: Dove vorresti che dormissimo?
9. **LEI**: Sostituiresti le mie foto con le sue?
10. **LUI**: Si... Certamente...
11. **LEI**: E userebbe la mia macchina?
12. **LUI**: No, non sa guidare...
13. **LEI**: ...?!?
14. **LUI**: Ops... accidenti!!!

16. CACCIA ALL'INDOVINELLO

Trova nella serpentina le parole che compongono l'indovinello e risolvilo.

```
                              B B S O
          O N O              E     N   E I T  →
      I B R   M              I     O   R
N       A     U          H I S C   O   Ù
I       F     I     I O T N     N   N P I
N       L   L N M O I M   O     O
S       T               M     N
E R A I             E S S I P
```

Indovinello: _____

Soluzione: _____

17. CITTÀ RIVALI

Separa le parole di questo famoso detto, qui scritto al contrario (da destra verso sinistra), riscrivilo in modo corretto e poi abbinalo al significato giusto tra quelli proposti.

IRABALOCCIPANUEBBERASERAMLIESSOFICONALIMAES

_____

☐ 1. Milano è più piccola di Bari.
☐ 2. Il mare di Milano è meno importante di quello di Bari.
☐ 3. Si dice ironicamente che Bari è più importante di Milano.

MODI INDEFINITI

INFINITO

L'infinito ha due tempi:

○ il presente, che termina in **-are**, **-ere**, **-ire** e **-rre**;

○ il passato, formato dall'infinito dell'ausiliare avere o essere + il participio passato del verbo.

AUSILIARE (Infinito di **avere** o **essere**) +	PARTICIPIO PASSATO DEL VERBO*
	-are → **-ato**
	-ere → **-uto**
	-ire → **-ito**
	per le forme irregolari, vedi Volume 1, pp. 90-91

L'infinito suggerisce indeterminatezza ed esprime il significato del verbo senza specificare persona o numero.

Il presente indica un'azione contemporanea o successiva a quella principale:

> *Sono contento di **essere** in vacanza a Venezia. (contemporanea)*
> *Penso di **arrivare** a casa per le quattro. (successiva)*

Il passato indica invece un'azione anteriore a quella principale:

> *Sono contento di **essere stato** in vacanza a Venezia.*

Nell'infinito passato, l'ausiliare "avere" perde la "e" finale:

> *Dopo **aver** letto tutte queste brutte notizie è difficile cominciare bene la giornata.*

L'infinito può avere valore di sostantivo; in questo caso può essere preceduto dall'articolo:

> ***Giocare** d'azzardo è un vizio molto pericoloso.*
> ***L'aver conosciuto** Vincenzo è stata la cosa più bella della mia vita.*

Alcuni infiniti sostantivati possono avere anche la forma plurale:

> *Lascerò tutti i miei **averi** al canile municipale.*

Nelle frasi principali l'infinito si usa:

○ nelle frasi interrogative o esclamative (in particolare dopo l'avverbio "ecco" e interiezioni come "ah", "oh"):

> ***Fare** una rapina in banca? Ma sei matto?*
> *Ecco l'arbitro **fischiare** la fine dell'incontro.*

○ in sostituzione dell'imperativo:

> ***Cuocere** a fuoco lento e **mescolare** di tanto in tanto.*

Nelle frasi subordinate si usa:

○ quando il soggetto della frase principale e di quella dipendente coincidono:

*La sera preferisco **mangiare** poco e **restare** leggero.*

○ preceduto da una preposizione:

*Bellissimo film, <u>da</u> non **perdere** assolutamente!*

○ preceduto dalle congiunzioni o dalle locuzioni: "anche, anziché, abbastanza da, tale da, senza, tan-to da, piuttosto che, oltre che, in quanto a, oltre a, in modo da, ecc."

*Preferirei morire <u>piuttosto che</u> **chiedergli** scusa!*

○ preceduto da "prima di":

*Rifletti bene <u>prima di</u> **aprire** la bocca e **dire** stupidaggini.*

○ preceduto dall'avverbio "dopo":

*Subito <u>dopo</u> **aver perso** il passaporto, siamo andati all'ambasciata italiana a chiederne un duplicato.*

○ in sostituzione di una frase relativa, preceduto dalla preposizione "a":

*Quando ho avuto bisogno, Barbara è stata l'unica <u>ad</u> **avermi dato** una mano.*

GERUNDIO

Il gerundio ha due tempi:

○ il presente, che termina in -**ando**, -**endo**:

-are → -**ando**
-ere → -**endo**
-ire → -**endo**

○ il passato, formato dal gerundio dell'ausiliare "avere" o "essere" + il participio passato del verbo.

AUSILIARE (Gerundio presente di **avere** o **essere**) +	PARTICIPIO PASSATO DEL VERBO*
	-are → **-ato**
	-ere → **-uto**
	-ire → **-ito**
	* per le forme irregolari, vedi Volume 1, pp. 90-91

Il gerundio esprime un'azione collegata al verbo della frase principale senza specificare persona o numero.
Il presente indica un'azione contemporanea a quella principale:

***Passeggiando** in montagna ho raccolto una stella alpina.*

Il passato indica invece un'azione anteriore a quella principale:

***Avendo dormito** poco ieri notte, non riesco a concentrarmi sul lavoro.*

Il gerundio può assumere diverse funzioni:

○ causale

Avendo *tanta esperienza nel settore, non ti sarà difficile trovare un nuovo lavoro.*

○ ipotetica

Cosa succede **premendo** *questo pulsante?*

○ concessiva

Pur **avendo rispettato** *il limite di velocità, mi hanno fatto la multa.*

○ temporale

Ho letto il giornale **facendo** *la fila al check in.*

○ modale

Le lingue si imparano **facendo** *pratica sul posto.*

○ esclusiva

Non avendo messo *gli occhiali, non riesco a leggere.*

PARTICIPIO

Il participio ha due tempi

○ il presente:

-*are* → -**ante**
-*ere* → -**ente**
-*ire* → -**ente**, -**iente**

○ il passato:

-*are* → -**ato**
-*ere* → -**uto**
-*ire* → -**ito**

* Per le forme irregolari del passato, vedi Volume 1, pp. 90-91.

Il presente indica un'azione contemporanea a quella principale; viene usato prevalentemente nel linguaggio burocratico-amministrativo:

La polizia ha raccolto una prova **invalidante** *le dichiarazioni dei testimoni.*

Il passato indica invece un'azione anteriore a quella principale:

Raggiunta *la spiaggia, ci siamo buttati subito in acqua.*

Il participio, oltre a svolgere funzione verbale, può avere valore di sostantivo o di aggettivo; in questo caso si declina per genere e numero:

○ presente

I **concorrenti** *di questo quiz sono sempre molto preparati. (sostantivo)*
Il grillo **parlante** *è uno dei personaggi più simpatici della favola di Pinocchio. (aggettivo)*

○ passato

Per fare il sugo preferisco usare la **passata** *di pomodoro. (sostantivo)*
Vittorio mi ha portato dal Perù una coperta di lana **colorata**. *(aggettivo)*

PARTICOLARITÀ DEI MODI INDEFINITI

Tutti i pronomi atoni, i riflessivi e le particelle nel presente si uniscono direttamente alla forma verbale:

*A volte riesci proprio a legger**mi** nel pensiero.*
*Svegliando**ti** sempre così presto, è ovvio che tu sia sempre stanco.*
*Le prime testimonianze riferente**si** alla cultura villanoviana risalgono al ix secolo a.C.*

Nel gerundio passato e nell'infinito passato si uniscono all'ausiliare:

*Dopo esser**sene** andato di casa, Boris ha imparato a cucinare.*
*Essendo**mi** stancato del suo comportamento egocentrico, ho deciso di lasciare Sara.*

Nel participio passato, invece, si uniscono al verbo:

*Riconosciuto**lo** colpevole, il tribunale lo condannò a tre anni di carcere.*

Le frasi subordinate in cui si usano i modi infinito, gerundio e participio, ossia non coniugabili a seconda della persona, sono definite implicite. Quelle, invece, dove si impiega un modo coniugabile per persona sono definite esplicite:

*Clelia, **essendosi scordata** di scongelare le verdure, non può preparare il minestrone. (implicita)*
*Clelia, poiché **si è scordata** di scongelare le verdure, non può preparare il minestrone. (esplicita)*

VERBI FRASEOLOGICI

I verbi fraseologici sono quei verbi che, uniti a un infinito o a un gerundio, formano locuzioni che evidenziano una determinata modalità secondo cui si realizza un'azione. Sono divisi in due categorie:

1 i verbi causativi, "fare, lasciare" + infinito: indicano che il soggetto causa o permette lo svolgimento di un'azione da parte di altri:

***Abbiamo fatto progettare** la nostra villa da un architetto molto noto.*
***Lascia passare** un po' di tempo, vedrai che tutto si sistemerà.*

2 i verbi aspettuali: evidenziano un determinato aspetto dell'azione:

- imminenza: "essere sul punto di, stare per, accingersi a" + infinito
  *Guarda che cielo grigio! **Sta per piovere**.*

- inizio: "cominciare a, mettersi a, prendere a" + infinito
  *Era talmente disperato che **prese a bere** senza sosta.*

- svolgimento: "stare" + gerundio (vedi Volume 1, Unità 17)
  ***Stiamo studiando** i verbi fraseologici.*

- durata: "andare" + gerundio, "continuare a, stare a, insistere a" + infinito
  *Malgrado i fischi del pubblico, il tenore **continuava a cantare**.*

- conclusione: "finire di, cessare di, smettere di" + infinito
  *L'anno scorso mio padre **ha smesso di lavorare** ed è andato in pensione.*

Altri verbi ("trovarsi, vedersi, limitarsi a, sentirsi, riuscire a, cercare di, tentare di, ecc.") attribuiscono sfumature di significato diverse al verbo che accompagnano:

***Mi sono sentito** offeso dalle tue parole!*
***Limitati a fare** il tuo lavoro e non fare domande.*

ESERCIZI

INFINITO

1. CHE FUNZIONE HA?

Indica la funzione dell'infinito in queste frasi.

> sostantivo (S) • imperativo (IM) • sostituzione frase relativa (FR) • interrogativa (IN) • esclamativa (E)

1. Lavori in corso, rallentare. ___
2. Chiedere un appuntamento a Luisa? Non accetterebbe mai!!! ___
3. Certo che fare tutto questo lavoro da soli è proprio da matti! ___
4. Ho visto un film che la critica definisce essere il più costoso mai girato finora. ___
5. L'aver avuto questa opportunità di lavoro all'estero è stata davvero una gran fortuna. ___
6. Ah, avere vent'anni di meno! ___
7. Aggiungere all'impasto un pizzico di noce moscata e un bicchierino di vino bianco. ___
8. Vendere la mia collezione di francobolli? Mai! ___
9. Ormai sono in molti a fare la raccolta differenziata. ___
10. Ecco finalmente arrivare anche l'ultimo partecipante alla maratona. ___
11. Non aprire le porte prima dell'arresto del treno. ___
12. Il Colosseo è il monumento che tutti ritengono simboleggiare meglio Roma. ___

2. FUMETTI IN MOSTRA

Scrivi gli infiniti alla forma attiva, passiva, riflessiva.

Il LUCCA COMICS & GAMES è la più importante rassegna italiana dedicata ai fumetti, ai giochi e alla fantasia in tutte le sue forme. Si svolge ogni anno nella città toscana e attira numerosi appassionati e visitatori da tutta Europa.

Il Lucca Comics è qualcosa che si deve (vivere) 1. _____, è un evento che non può (descrivere) 2. _____ o (liquidare) 3. _____ con qualche parola da manuale, non è solo una mostra, non è solo una serie di tendoni ed esposizioni: il Lucca Comics è un'intera città che adotta migliaia di persone per qualche giorno, sono strade che si riempiono della fantasia che vorremmo (vivere) 4. _____ e che ci è concesso (realizzare) 5. _____ solo in quel momento, in quel posto. Non conosco altre città medievali dove per qualche giorno diventa completamente indifferente (vestire) 6. _____ da gatto, da strega, da supereroe, da gigante di pietra, da qualunque cosa si voglia (essere) 7. _____, (indossare) 8. _____ una maschera, ed (essere) 9. _____ felici di (riconoscere) 10. _____ in quell'alter ego, (fare) 11. _____ scattare foto, (mettere) 12. _____ in posa, (recitare) 13. _____ quella parte che sogniamo da quando eravamo bambini, da quando ci veniva detto che l'immaginazione era solo dei piccoli. A Lucca ci sono persone di tutte le età, appassionati di fantasia e arte dai 100 anni in giù, e non storca la bocca chi pensa che un fumetto o un manga o un videogioco non sia una forma d'arte, vuol (dire) 14. _____ che non ha mai visto un artista all'opera e che non ha mai visto una tela bianca (diventare) 15. _____ l'immagine di un sogno in pochi minuti.

(http://lucca09.luccacomicsandgames.com)

3. PUNTI DI VISTA

Completa il testo con gli infiniti nel riquadro. Attenzione: un verbo non va alla forma infinita, ma deve essere coniugato!

> capire • comunicare • decidere • divertirsi • essere (2) • fare • immagazzinare • pensare • poterteli • risolvere • saperlo • spendere

Un insegnante di lingua italiana in Inghilterra stava spiegando alla sua classe che in italiano, diversamente dall'inglese, i vocaboli possono 1. _____ maschili o femminili: *House* in italiano è femminile: la casa. *Book* in italiano è maschile: il libro.
Uno studente curioso chiese: «e il computer di che genere è»?
L'insegnante, sorpreso, ammise di non 2. _____ e la parola non figurava nemmeno nel dizionario.
Così, per 3. _____ un po', la classe fu divisa in due squadre, ovviamente maschi da una parte e femmine dall'altra, e si chiese ai ragazzi di 4. _____ loro a che genere appartenesse il computer, dando almeno quattro buone ragioni.
La squadra dei ragazzi decise che il computer non poteva 5. _____ altro che femmina, in quanto:
a. eccetto il creatore, nessuno può 6. _____ la sua logica interna;
b. il linguaggio nativo che usa per 7. _____ con gli altri computer è incomprensibile per chiunque altro;
c. anche gli errori più piccoli restano 8. _____ per sempre in memoria per 9. _____ rinfacciare;
d. appena l'hai comprato ti ritrovi a 10. _____ mezzo stipendio in accessori.

La squadra delle ragazze, ovviamente, arrivò alla conclusione che il computer era di genere sicuramente maschile, perché:
a. se vuoi 11. _____ qualcosa con lui, prima lo devi accendere;
b. anche se ha molti dati, non riesce a 12. _____ da solo;
c. è stato inventato per 13. _____ i problemi, ma nella metà dei casi è lui il problema;
d. appena l'hai comprato ti accorgi che, se avessi aspettato ancora un po', ne avresti potuto trovare uno migliore...

4. LAVORIAMO CON L'INFINITO

Cambia i sostantivi con la forma infinita. Attenzione alle preposizioni.

1. Quando ero giovane mi piaceva molto il tiro con l'arco.

   _____

2. Ci sono tanti manifesti che sconsigliano la guida in stato di ebbrezza.

   _____

3. Licia vorrebbe tanto un lavoro part-time per potersi dedicare di più ai figli.

   _____

4. L'ufficio commerciale si occupa della spedizione della merce all'estero.

   _____

5. La pratica dello yoga favorisce il benessere dell'individuo.

   _____

6. Il ministero ha attivato un numero verde per il sostegno alle vittime del terremoto.

   _____

7. Lorenzo e Luca hanno problemi nell'inserimento dei dati nell'archivio.

   _____

8. Il lavoro dello psicologo consiste soprattutto nell'ascolto dei pazienti.

   _____

5. MODI DI DIRE

Inserisci i verbi nelle frasi e collega i modi di dire alle definizioni. Dopo indica quale di questi è rappresentato nella vignetta.

arrampicarsi • battersi • darsi • legarsela • levarsi • mettersi • muoversi • piangersi • prendersi • strapparsi

1. _____ per i capelli ☐
2. _____ come un leone ☐
3. _____ sugli specchi ☐
4. _____ al dito ☐
5. _____ addosso ☐
6. _____ con la grazia di un elefante ☐
7. _____ nei panni di un'altra persona ☐
8. _____ alla bella vita ☐
9. _____ un sassolino dalla scarpa ☐
10. _____ i capelli ☐

Modo di dire n. _____

a. lamentarsi della propria condizione di vita senza fare niente per porvi rimedio
b. litigare animosamente con qualcuno
c. togliersi una soddisfazione, dire apertamente la propria opinione su qualcuno o qualcosa, specialmente in senso polemico
d. disperarsi
e. non dimenticare un torto subito e aspettare il momento buono per vendicarsi
f. cercare d'immaginare di trovarsi nella situazione di qualcun'altro
g. essere maldestro e poco delicato
h. tentare di trovare soluzioni o spiegazioni impossibili
i. combattere coraggiosamente e instancabilmente per ottenere qualcosa
l. dedicarsi ai propri piaceri

6. SCRIVIAMOLO CORRETTAMENTE

Riscrivi le frasi in maniera corretta, usando l'infinito.

1. Credi che ti sei comportato correttamente con Giulia?

2. Fatti 3 km, ci siamo ricordati che abbiamo lasciato il fornello acceso e siamo tornati subito indietro.

3. Questa notte ho sognato che ero naufragato su un'isola deserta ed ero inseguito dagli indigeni.

4. Michele e Andrea hanno pensato che erano veramente furbi: sono usciti di nascosto ma sono stati scoperti e puniti dai genitori.

5. Non vi siete resi conto che avevate il sacchetto della spesa bucato e che le mele stavano cadendo lungo la via?

6. Fabrizio mi ha detto che aveva un appuntamento dal barbiere e per questo non poteva venire a pranzo con noi.

7. I turisti stranieri non hanno capito che dovevano girare alla seconda traversa a destra e per questo si sono persi.

8. Margherita e Miriana non riconoscono che non sono riuscite a fare un buon lavoro: sono troppo presuntuose.

7. COMPLETIAMO

Completa con le preposizioni.

Pino Caruso

1. Non c'è bisogno che riporti indietro la bottiglia al negoziante, perché è vuoto _____ perdere.

2. Direi di inserire l'allarme _____ essere sicuri che nessuno s'introduca durante la notte.

3. Davide, smettila _____ suggerire le soluzioni del problema a Paolo!

4. Il vigile ha fatto la multa a Simone _____ essere passato con il rosso.

5. È inutile che mi faccia tante domande, non c'è niente _____ sapere che tu già non sappia.

6. Ti scrivo la password che ti consente _____ accedere alla piattaforma on line.

7. La commedia di Pirandello che fanno questa sera al teatro Quirino è _____ non perdere assolutamente: ci recita Pino Caruso.

8. Ti invito _____ passare le vacanze questa estate nella mia casa in montagna.

8. RISCRIVIAMO

Unisci le due parti delle frasi usando dopo, prima, senza **e** invece. **Attenzione alle preposizioni, ai modi e ai tempi verbali.**

1. Giampiero ha prenotato il viaggio, ma non aveva chiesto agli altri se fossero d'accordo.

   _____

2. Non sprecate tempo: cominciate subito a preparare il materiale per l'esposizione.

   _____

3. Devo telefonare all'avvocato e poi preparerò i documenti da portare in tribunale.

   _____

4. I giocatori formarono le squadre e poi disputarono l'incontro.

   _____

5. Non arrenderti subito e prova a parlare con Mario per fargli cambiare idea.

   _____

6. Pina e Roberto si sono conosciuti in chat e poi si sono dati un appuntamento.

   _____

7. Non puoi prendere la medicina se non hai mangiato prima qualcosa!

   _____

8. Valeria e Paola hanno letto le trame dei film e poi hanno deciso quale andare a vedere.

   _____

9. QUESTO SI FA, QUESTO NON SI FA

Completa questi divieti e indicazioni con i verbi nel riquadro.

allacciare • attendere • calpestare • depositare • evitare • gettare • maneggiare • munirsi •
riporre • sostare • tornare

1. Vietato _____ in doppia fila.

2. Non _____ alcun oggetto dal finestrino.

3. _____ del biglietto prima di salire.

4. _____ rumori molesti dalle ore 14.00 alle 16.00.

5. Si prega di _____ indietro e _____ gli oggetti metallici nell'apposita cassettiera.

6. _____ le cinture di sicurezza.

7. Non _____ le aiuole.

8. _____ con cura.

9. _____ il proprio turno dietro la linea gialla.

10. _____ i libri consultati sull'apposito carrello.

10. AL BANCOMAT

Trasforma le istruzioni usando l'infinito, dove possibile, e riordinale in modo logico.

1. Ritiri la carta entro dieci secondi.

   _____

2. Desidera lo scontrino?

   _____

3. Scelga il tipo di operazione desiderata.

   _____

4. Scriva l'importo desiderato.

   _____

5. Inserisca la carta.

   _____

6. Digiti il codice PIN e si assicuri di non essere osservato.

   _____

7. Ritiri la somma.

   _____

8. Vuole fare altre operazioni?

   _____

9. Operazione in corso, attenda.

   _____

L'ordine corretto delle operazioni è ___ ___ ___ ___ ___ ___ ___ ___ ___

11. INFINITO PRESENTE O PASSATO?

Completa le frasi con l'infinito presente o passato.

1. Quello scrittore, che ha avuto così tanto successo con la sua ultima pubblicazione, è stato poi accusato di (plagiare) _____ un libro uscito quasi cinquant'anni fa.
2. Manca ancora mezz'ora alla partenza del treno, se mi sbrigo credo di (riuscire) _____ a prenderlo.
3. Sono contento di (venire) _____ a cena da voi! Ho mangiato davvero bene!
4. Pensavo di (rispondere) _____ correttamente ai quesiti dell'esame e invece ho sbagliato tutto.
5. Tutti i giornali hanno criticato la rock star per (ubriacarsi) _____ durante il concerto.
6. Il mio cane è stato premiato per (salvare) _____ un bambino che stava annegando.
7. Non credo di (andare) _____ alla festa stasera, non ho voglia di vedere gente!
8. Sono felice di (comprare) _____ questa macchina! Spendo pochissimo di benzina e riesco sempre a parcheggiare facilmente.
9. Pensiamo proprio di (andare) _____ a rilassarci alle terme il prossimo fine settimana.
10. Di norma gli studenti preferiscono (fare) _____ una pausa più breve e (uscire) _____ un po' prima da lezione.

12. RICICLIAMO!

Rimetti in ordine le congiunzioni.

Che cosa vuol dire riciclare la carta?

Come sapete, la carta si produce lavorando il legno degli alberi e la grande quantità utilizzata nel mondo (circa 300 milioni di tonnellate annue) è 1. anziché comportare l'abbattimento di intere foreste. 2. Tanto da danneggiare la natura con il disboscamento, come se non bastasse, la carta, quando non serve più, 3. in modo da essere riutilizzata, viene spesso buttata in discariche e in parte finisce anche nell'ambiente, contribuendo a inquinarlo. 4. Tale da essere gettata via, una parte consistente della carta potrebbe essere invece riciclata 5. oltre a ridurre la deforestazione. Si tratta di un movimento circolare che prevede un ritorno della materia alle cartiere che successivamente la rimettono in commercio. Anche se c'è ancora 6. oltre a lavorare per riuscire ad arginare i danni che le attività umane causano alla natura, si ritiene che i vantaggi che si ottengono da questo ciclo siano considerevoli, perché 7. piuttosto che essere ripetuto più volte, di fatto questo sistema è anche applicabile ad altri materiali, quali il vetro, la plastica, l'alluminio, il materiale organico, l'acqua, ecc.

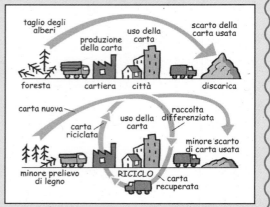

(www.funsci.com)

1. _____   2. _____   3. _____   4. _____

5. _____   6. _____   7. _____

GERUNDIO

13. LAVORIAMO CON IL GERUNDIO

Commenta ogni coppia di vignette usando due frasi nel riquadro. Attenzione ai tempi verbali.

l'anziana professoressa pensare con nostalgia alla scuola • incontrare Laura • Letizia lavare i piatti • dimenticare il passeggino a casa • Adriana e Rosa incontrarsi casualmente davanti alla farmacia • ascoltare la radio • andare a salutare gli studenti • Roberta tenere il bambino sempre in braccio • decidere di prendere insieme un caffè al bar • Cristoforo scendere le scale

1

2

3

4

5

14. DICIAMOLO IN MODO IMPLICITO

Riscrivi le frasi alla forma implicita, impiegando il gerundio al tempo opportuno.

1. Poiché abbiamo perso l'ultimo autobus, siamo stati costretti a chiamare un taxi.

    _____

2. Mentre tornavo dalla palestra, ho incontrato per strada Davide che portava a passeggio il cane.

    _____

3. Ho giocato troppo con la Playstation e adesso ho mal di testa.

    _____

4. Gabriele è davvero soddisfatto perché è stato selezionato per partecipare a una competizione agonistica.

    _____

5. Se fumassi di meno non avresti sempre la voce roca.

    _____

6. Visto che non avete abbastanza soldi per acquistare un appartamento, rivolgetevi alla banca per accendere un mutuo.

    _____

7. Dato che ho lasciato il cellulare a casa, non posso comunicare a Bruno che l'appuntamento è stato posticipato.

    _____

8. Lorenzo riesce a essere sempre così attivo anche se dorme poche ore a notte.

    _____

15. UN MOMENTO CATARTICO

Completa questo breve testo ironico coniugando i verbi.

> È un bel problema essere miopi. Sono entrato in un ambulatorio (dire) _____: "Dottore, dottore, ci vedo ogni giorno un po' di meno!", lui mi ha accompagnato gentilmente alla porta (sussurrarmi) _____: "D'accordo, d'accordo, ma adesso esca dalla mia macelleria!".
>
> (F. Oreglio, Bis. *Nuovi momenti catartici*, Mondadori)

16. SCIOGLINGUA

Completa gli scioglilingua con i verbi nel riquadro.

andando • assassinandosi • cogliendo (2) • correndo • scagliandola • sciupando • trotterellando

1. Trentatré trentini entrarono in Trento tutti trentatré _____.
2. Andavo a Lione _____ cotone, tornavo _____ cotone _____.
3. Sessantasei assassini andarono ad Assisi tutti e sessantasei _____.
4. Scopo la casa, la scopa si sciupa; ma se non scopo _____ la scopa, la mia casetta con cosa la scopo?
5. Guglielmo coglie ghiaia dagli scogli _____ oltre gli scogli tra mille gorgogli.
6. Torquato Tasso, _____ a spasso, cadde in un fosso e si fece male all'osso del dito grosso!

17. TRASFORMIAMO

Trasforma le frasi utilizzando il gerundio.

1. Alessio ha fatto di corsa la strada dal centro fino all'ospedale.

2. A causa della pioggia improvvisa, mi sono completamente inzuppata.

3. Durante la corsa dei sacchi, i concorrenti procedono a saltelli.

4. Il personale ospedaliero sfilò in corteo per protesta contro i tagli alle spese sanitarie.

5. Il furgoncino di Filippo e Marina sarebbe costato di meno con un pagamento in un'unica soluzione e non a rate.

6. Il dirigente mi rende la vita difficile con i suoi continui richiami.

7. Giacomo riuscì a farsi strada tra la folla a spintoni.

8. Grazie all'uso delle tecnologia informatica, si può comunicare gratuitamente con tutto il mondo.

18. DICIAMOLO IN MODO ESPLICITO

Riscrivi le frasi alla forma esplicita.

1. Girando per il mercato dell'antiquariato, ho visto molti oggetti interessanti.

2. Rileggendo le e-mail prima di spedirle, eviteresti di fare tanti errori.

3. Lavorando tutto il giorno curvo in cantiere, ogni tanto Gianni avverte forti dolori alla schiena.

4. Avendo completato tutti gli accertamenti, Valentina fu finalmente sicura di essere rimasta incinta.

5. Pur impegnandosi quotidianamente negli esercizi con il violoncello, Cecilia non riesce a migliorare le sue esecuzioni musicali.

6. Essendosi liberato dalla catena con cui era legato, il cane poté finalmente correre libero per i campi.

7. Seguendo tutte le istruzioni del tecnico, riuscirai a istallare correttamente il programma.

8. Pur avendo abbondantemente mangiato a pranzo, verso le cinque del pomeriggio Edoardo fu colto da una fame improvvisa.

19. INDOVINELLO CON CACCIA ALL'ERRORE

Trova l'errore e risolvi l'indovinello.

Un antico romano nacque l'ultimo giorno del 12 a.C. Supponendo che all'epoca per avere la patente per le bighe bisognasse attendere 16 anni e considerando che egli aspettò due giorni dopo avendo festeggiato il suo sedicesimo compleanno per presentare la domanda, di quale anno si trattava? _____

20. DUE PROVERBI

Trova i due proverbi mescolati in questa striscia.

DOMANDANDOL'APPETITOSIVAVIENAROMAMANGIANDO

1. _____
2. _____

PARTICIPIO

21. TRADIZIONI NATALIZIE ITALIANE

Trova i participi nelle frasi seguenti e inseriscili nella tabella a seconda del loro valore.

1. I passanti girano per la strade guardando le vetrine decorate alla ricerca di regali per parenti e amici.
2. I bambini si preparano al Natale facendo il presepe. Si tratta di una rappresentazione della nascita di Gesù Bambino che può raggiungere forme artistiche molto elevate, di cui ne sono esempio le opere degli artigiani delle botteghe di via San Gregorio Armeno a Napoli.
3. Una volta addobbato l'albero, le famiglie vi mettono sotto i regali.
4. I suonatori ambulanti vanno in giro per le vie eseguendo musiche tradizionali con le zampogne.
5. La sera della vigilia molte famiglie del centro e sud Italia mangiano baccalà e verdure fritti.
6. A mezzanotte, stappato lo spumante, si fa un brindisi e ci si scambia gli auguri.
7. In molti paesi e città italiani la notte di Natale permane la tradizione del presepe vivente, inaugurata da San Francesco d'Assisi nel 1223 a Greccio.
8. La mattina del 25 dicembre, riunite intorno all'albero, le famiglie scartano i regali.
9. I genitori più tradizionalisti raccontano ai bambini che i regali li ha portati Gesù Bambino, quelli più "americanizzati", invece, dicono che è passato Babbo Natale.
10. Le persone credenti partecipano alla messa solenne della Natività.
11. Spesso le famiglie hanno molti invitati a pranzo il giorno di Natale, per questo il cibo è abbondante e ci sono molte portate.
12. Conclusa la grande mangiata, si gioca a tombola e a carte. Di tanto in tanto si fa una pausa per offrire agli ospiti panettone, pandoro, pezzi di torrone e croccante.
13. Il giorno di Santo Stefano si cucina un brodino per digerire le grandi abbuffate dei giorni precedenti.

Sostantivi	Aggettivi	Verbi

22. UN FUMETTO TUTTO ITALIANO

Coniuga i verbi alla forma del participio. Attenzione ai tempi e agli accordi.

ALAN FORD E IL GRUPPO T.N.T.

(Nascere) 1. _____ in Italia negli anni Sessanta dalla straordinaria coppia di autori quale Max Bunker e Magnus, il fumetto di Alan Ford e del Gruppo T.N.T. non ebbe un successo immediato. Occorsero due anni per far sì che i personaggi di Alan Ford e del gruppo T.N.T., resi unici grazie alle trame originali e umoristiche che spaziano dal genere giallo alla satira sociale, entrassero di diritto nella migliore produzione italiana di fumetti. Il primo numero della serie si apre con la (comparire) 2. _____ di Alan Ford, un giovane grafico pubblicitario biondo, bello e squattrinato, che si reca erroneamente presso un negozio di fiori, dove incontra degli improbabili agenti segreti, (comporre) 3. _____ del "Gruppo T.N.T." (la sigla del tritolo). (Diventare) 4. _____ a sua volta membro del gruppo, Alan Ford si dimostra molto imbranato e combinaguai, soprattutto se (sopraffare) 5. _____ dalla sua proverbiale timidezza che lo fa arrossire di fronte alle belle ragazze, che di solito lo raggirano. Suo amico e collega inseparabile è l'agente Bob Rock, (contraddistinguere) 6. _____ dal grande naso e dalla bassa statura, che indossa perennemente una mantellina e un berretto rosso alla Sherlock Holmes. I due si fanno spesso aiutare da un cane dal fiuto (eccellere) 7. _____, Cirano, un enorme bracco italiano. Il capo del Gruppo T.N.T. è il Numero Uno, un vecchio ultracentenario, dall'età imprecisata, che, pur (paralizzare) 8. _____ agli arti inferiori, è ancora arzillo e lucido: è lui la vera mente operativa dello (scalcinare) 9. _____ gruppo. Gira perennemente su una sedia a rotelle (spingere) 10. _____ dall'ex-aviere Otto Grunf, a cui si devono le strampalate invenzioni che servono al gruppo per aiutarli in qualche strana avventura. Il braccio destro del Numero Uno è un signore sulla sessantina (chiamare) 11. _____ Cariatide, che gestisce il negozio di fiori ed è sempre accompagnato dalla sua inseparabile cavietta Squitty. L'(aiutare) 12. _____ di bottega è Geremia, un ometto pelato e sdentato, perennemente ammalato. Una delle persone più attive del gruppo è sicuramente il Conte Oliver, una specie di Arsenio Lupin inglese, che si diverte a rubare quasi come se si trattasse di uno sport. A chiudere la formazione del gruppo c'è il simpaticissimo Clodoveo, l'(amare) 13. _____ pappagallo del Numero Uno, che è più sveglio di tutti gli agenti (mettere) 14. _____ insieme.

(www.cartonionline.com)

23. VERO O FALSO?

Distingui i veri (V) participi presenti da quelli falsi (F).

1. rilucente ____
2. abilmente ____
3. obbediente ____
4. giunte ____
5. ruggente ____
6. salvagente ____
7. prorompente ____
8. imperante ____
9. tollerante ____
10. spinte ____

11. sorridente ____
12. punte ____
13. cruente ____
14. sporgente ____
15. allucinante ____
16. chiromante ____
17. passante ____
18. postulante ____
19. dipinte ____
20. sorprendente ____

24. LAVORIAMO CON IL PARTICIPIO

Completa il testo con i verbi del riquadro al participio presente o passato.

> colorare • fare • finire • incalzare • informarsi • rassicurare • seminare • sognare

1. _____ la festa, i padroni di casa salutarono gli ospiti.

2. Marianna, _____ le valigie, se ne andò via di casa.

3. Le notizie date alla radio sulla situazione economica italiana non sono per
   niente _____.

4. I contadini, una volta _____ il grano, possono finalmente godere
   di un periodo di riposo.

5. In questo brano della sinfonia, la musica assume un ritmo _____

6. Non sono sicura che Maria segua attentamente la lezione: ha sempre un'espressione _____.

7. _____ sui voli per Firenze, Gianmarco ha acquistato un biglietto online con la carta di credito.

8. Le murrine che Roberta ha acquistato a Venezia sono molto _____.

Le murrine

25. PARTICIPIO PRESENTE O PASSATO?

Trasforma le frasi utilizzando il participio presente o passato.

1. Alla fine dello spettacolo siamo andati a bere un cocktail in un bar vicino al teatro. _____

2. Hai letto la circolare che riguarda le nuove normative sulle misure antincendio?

3. Quando mi sono lasciata con Fabio, mi sono messa insieme a Luciano.

4. I soldati, qualora si addestrino adeguatamente, potranno intraprendere quella difficile missione.

5. Luisa, appena ha trovato un lavoretto per mantenersi, se n'è andata di casa.

6. Avete visto oggi in chiesa Simonetta e Marcello? Durante la cerimonia avevano gli occhi che splendevano
   di felicità.

7. Poiché si era rotto una gamba, Matteo ha dovuto camminare un mese con le stampelle.

8. All'atterraggio a Zurigo, il pilota ha dovuto attendere a lungo prima che gli fosse comunicata l'assegnazione della piazzola di sosta.

26. CHICHIBIO E LA GRU

Sottolinea i participi passati e trasformali come nell'esempio.

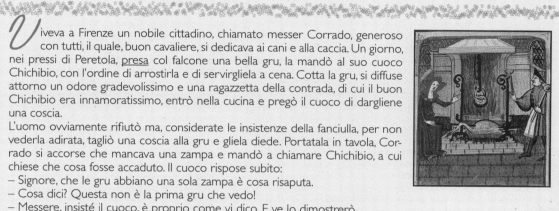

*V*iveva a Firenze un nobile cittadino, chiamato messer Corrado, generoso con tutti, il quale, buon cavaliere, si dedicava ai cani e alla caccia. Un giorno, nei pressi di Peretola, presa col falcone una bella gru, la mandò al suo cuoco Chichibio, con l'ordine di arrostirla e di servirgliela a cena. Cotta la gru, si diffuse attorno un odore gradevolissimo e una ragazzetta della contrada, di cui il buon Chichibio era innamoratissimo, entrò nella cucina e pregò il cuoco di dargliene una coscia.

L'uomo ovviamente rifiutò ma, considerate le insistenze della fanciulla, per non vederla adirata, tagliò una coscia alla gru e gliela diede. Portatala in tavola, Corrado si accorse che mancava una zampa e mandò a chiamare Chichibio, a cui chiese che cosa fosse accaduto. Il cuoco rispose subito:

– Signore, che le gru abbiano una sola zampa è cosa risaputa.

– Cosa dici? Questa non è la prima gru che vedo!

– Messere, insisté il cuoco, è proprio come vi dico. E ve lo dimostrerò.

Corrado rispose: – Va bene, lo vedremo domattina. Ma ti giuro che, se non sarà come dici tu, ti farò conciare in maniera tale da ricordarti di me finché campi.

Il mattino dopo, Corrado, a cui non era affatto sbollita l'ira durante la notte, preparatosi in fretta comandò di sellare i cavalli. Fatto montare Chichibio, lo condusse sulle rive di un fiume dove si vedevano sempre delle gru. Arrivati nelle vicinanze del fiume, videro ben dodici gru che se ne stavano tutte su una zampa sola come sogliono fare quando dormono.

Il cuoco le mostrò al padrone dicendo:

– Messere, potete vedere che ieri non vi ho mentito.

Corrado, guardati gli uccelli, si avvicinò e gridò:

– Oh! Oh!

A quel grido le gru tirarono giù l'altra zampa e, fatto qualche passo, volarono via.

Il padrone si rivolse allora a Chichibio dicendo:

– Che ti pare furfante? Non ti sembra che ne abbiano due?

Il cuoco, vistosi perso, tentò di cavarsela rispondendo:

– Messere, voi non avete gridato "oh, oh" a quella di ieri sera: se glielo aveste gridato, lei avrebbe tirato giù l'altra zampa come hanno fatto queste.

Corrado, divertitosi con questa risposta, mutò la sua ira in riso e allegria e disse:

– Hai ragione, Chichibio, dovevo fare così.

In questo modo, con la sua pronta risposta, il cuoco sfuggì al pericolo e si rappacificò col suo padrone.

(G. Boccaccio, *Decamerone*)

es. presa   → avendo preso   → dopo aver preso

1. _____ → _____ → _____
2. _____ → _____ → _____
3. _____ → _____ → _____
4. _____ → _____ → _____
5. _____ → _____ → _____
6. _____ → _____ → _____
7. _____ → _____ → _____
8. _____ → _____ → _____
9. _____ → _____ → _____
10. _____ → _____ → _____

27. DUE PROVERBI

A. Completa il proverbio con i participi nel riquadro.

calante • crescente • levante • ponente

Gobba a _____,
luna _____.

Gobba a _____,
luna _____.

B. Capovolgi e separa le parole di questo proverbio. **ONNAGNI'LOTAVORTEGGELALATTAF**

_____

28. ITALIA IN MINIATURA

Scrivi il verbo al modo giusto (infinito, gerundio o participio) e inserisci le preposizioni, prima o dopo il verbo, dove è necessario.

L'Italia in Miniatura, il parco tematico che unisce divertimento e apprendimento, si trova a Rimini, nel cuore della riviera adriatica dell'Emilia-Romagna. È un'esperienza unica per chi l'ha visitata: difficile (descrivere) _____, impossibile (dimenticare) _____.

È un'occasione (vivere) _____ un'avventura meravigliosa e altrimenti impossibile, (esplorare) _____ il patrimonio culturale d'Italia e d'Europa, attraverso oltre 270 perfette riproduzioni in scala di monumenti e capolavori architettonici.

(sognare) _____ occhi aperti, (provare) _____ un'emozione crescente, (farsi prendere) _____ entusiasmo, (sperimentare) _____ il grande piacere (capire) _____ e (scoprire) _____, grazie a un insolito mix di attrazioni e giochi.

(fare) _____ di una gita scolastica un vero e proprio viaggio d'istruzione, (partecipare) _____ percorsi didattici guidati (riservare) _____ scuole.

All'interno del parco, un'altra attrattiva è il Luna Park della Scienza, che offre agli studenti un viaggio istruttivo all'interno della fisica. (giocare) _____ macchine interattive si possono (sperimentare) _____ direttamente leggi della fisica, della meccanica, dell'ottica, dell'idraulica e dell'elettricità, e, finalmente, si può (comprendere) _____ il principio del funzionamento di alcuni meccanismi di uso corrente, che alla maggior parte di noi, comuni mortali, appaiono piuttosto "misteriosi". (capire) _____ e (imparare) _____ non è mai stato così facile e divertente.

(www.paginegialle.it)

29. DICIAMOLO IN MODO APPROPRIATO

Sostituisci i verbi nelle parentesi con altri più appropriati e coniugali al modo e al tempo opportuno, come nell'esempio.

1. Mio nonno, che ha partecipato alla Resistenza antifascista, (dire) raccontando i suoi ricordi di guerra, ancora si commuove.

2. Sarebbe meglio non (dire) _____ un segreto a persone verso cui non si nutre una fiducia totale.

3. (Tagliare) _____ i rapporti con i miei ex compagni di classe, non mi è sembrato il caso di invitarli al mio matrimonio.

4. Dopo (prendere) _____ l'incarico di responsabile del personale, il Dott. Rossi ha introdotto regole più elastiche negli orari di lavoro dei dipendenti.

5. (Tagliare) _____ il pane, lo imburrò, e ci spalmò della marmellata di arance.

6. (Dire) _____ le tue colpe sarai perdonato da tutti!

7. Ludovica è molto delusa! (avere) _____ molte speranze di vincere il concorso, la sua esclusione è stata un brutto colpo per lei!

8. (fare) _____ il contratto, i due contraenti si strinsero le mani e brindarono al buon affare.

9. Fortunatamente le guardie zoofile sono riuscite a (prendere) _____ la tigre scappata dalla riserva senza nuocerle minimamente.

10. Appena uscito dal ristorante, mi sono accorto di non (dare) _____ la mancia al cameriere.

11. Piuttosto che (fare) _____ sempre queste foto sfocate e mosse, perché non ti iscrivi a un corso e non ti compri una macchina professionale?

12. (fare) _____ un errore di questo genere, è difficile porvi rimedio!

13. Il rapinatore, (tenere) _____ la pistola, gridò: "Fermi tutti! Questa è una rapina!".

14. L'offerta che ti ha fatto Eugenio è unica! Ti consiglio di (prendere) _____ l'occasione al volo.

30. I CENTO GIORNI

Inserisci nella tabella i verbi, distinguendo tra servili, causativi e aspettuali.

Oggi è sabato e i ragazzi stanno già pensando al tanto atteso fine settimana. Malgrado debbano svolgere una difficile verifica, la loro mente è rivolta altrove e non smettono di fare programmi per i fatidici "cento giorni" che mancano all'esame di maturità. Si accingono a raccogliere offerte in giro per la scuola con in mano la cassetta di classe: infatti, per poter organizzare una grande cena e festeggiare il poco tempo che rimane prima di finire le superiori, sono necessari un bel po' di soldi.

L'insegnante non vuole che gli alunni si distraggano e continua a richiamare la loro attenzione sul lavoro da svolgere ma è difficile far fare un compito quando la testa insegue tutt'altri pensieri.

Non c'è niente da fare, i ragazzi non si lasciano convincere dai rimproveri della professoressa che, esausta, alla fine cede e sposta la verifica alla settimana successiva. Liberatisi finalmente dall'incubo del compito, gli allievi si mettono a stilare la lista degli acquisti da fare: panini, bibite, posate, piatti, bicchieri e tovaglioli. C'è, ovviamente, chi pensa alla musica: Gerry, che ha una grande quantità di canzoni in mp3, si è già accordato con Christian per andare a casa sua nel pomeriggio e fargli masterizzare su CD i brani delle sue compilation. I ragazzi sono eccitatissimi: vogliono passare una serata indimenticabile e curano ogni minimo dettaglio. Sarà una festa da sballo!

Chissà se lunedì, dopo un fine settimana così movimentato, l'insegnante terrà conto che gli studenti saranno troppo stanchi per potersi concentrare oppure, intransigente, farà recuperare a tutti i costi il compito saltato…

Servili	Causativi	Aspettuali

31. FARE O LASCIARE?

Completa le frasi con i verbi fare **o** lasciare **al tempo e al modo opportuno.**

1. Per favore sorellina, mi _____ indossare il tuo scialle per l'appuntamento di questa sera?
2. Se entro domani non mi _____ avere la vostra adesione, sarete esclusi dal viaggio d'istruzione.
3. Mirella, credimi, non vale la pena prendersela per queste sciocchezze! _____ perdere e pensa alla salute!
4. Giuliano, per cortesia, porteresti la macchina dal gommista a _____ controllare i pneumatici?
5. Quel portiere è proprio un incapace: tutte le domeniche _____ perdere la sua squadra!
6. Monica non si fida a _____ andare i suoi figli a scuola da soli e li accompagna sempre.
7. Sono andata dall'estetista a _____ fare la ricostruzione delle unghie.
8. Le scenette che fanno Luca e Paolo in *Camera Cafè* mi _____ ridere a crepapelle.

Luca e Paolo

32. AUTOSTOP

Scegli la forma corretta del verbo. Per sapere il finale della storia, rimetti in ordine logico le parole dell'ultima frase.

Questa è una storia vera, **essendo raccontata/raccontata** ancora oggi tra i vicoli storici di alcune città del sud Italia, dove semina angoscia e terrore.

Alcuni anni fa, in una gelida e tenebrosa notte autunnale, un tale era fermo sul bordo della strada dove da diverso tempo **stava facendo/stava per fare** l'autostop. Era il due novembre e **si stava per scatenare/si faceva scatenare** una terribile tormenta. Dopo molto tempo, non **essendosi ancora fermato/si stava per fermare** nessuno, l'uomo si venne a trovare in mezzo alla tormenta talmente forte che non riusciva a vedere oltre tre metri di distanza. Improvvisamente, intravide una sagoma, che alla fine realizzò **essere/stata** quella di un'auto nera delle pompe funebri che si avvicinava lentamente e si fermò proprio di fronte a lui.

Non **si sentì di pregare/si fece pregare**: salì nell'auto e chiuse la portiera. Dopo **accomodato/essersi accomodato** sul sedile anteriore, si girò e notò con terrore che non c'era nessuno al posto di guida. L'auto ripartì lentamente. Il tale era sopraffatto dal terrore, che aumentò a dismisura quando notò che l'auto **si stava dirigendo/dirigendosi** inesorabilmente verso una curva a gomito. Allora iniziò a pregare **chiedendo/avendo chiesto** perdono dei peccati e **avendo implorato/implorando** la salvezza della sua anima, in vista del tragico destino.

Improvvisamente, poco prima della curva, una mano tenebrosa entrò dal finestrino del posto di guida, afferrò saldamente il volante e sterzò, poi scomparve. **Paralizzato/paralizzante** dal terrore, l'uomo si aggrappò con tutte le sue forze al sedile, **essere rimasto/rimanendo** immobile e impotente.

Tale macabro evento si verificò a ogni curva, mentre la tormenta aumentava sempre più di intensità. Il terrore divenne panico quando cominciò a udire distintamente dei sospiri ovattati che provenivano da dietro, si voltò ma vide solamente una bara. Allora, **sopraffatto/sopraffacendosi** dalla paura, con le ultime forze **rimanentegli/rimastegli** aprì di scatto la portiera e si gettò fuori, **iniziando/avere iniziato** a correre a più non posso verso il paesino vicino che distava un paio di chilometri.

Appena giunto, si diresse in un bar, entrò e ancora affannato e **tremante/tremato** chiese un cognac. **Avere visto/visto** il suo stato, alcune persone si incuriosirono e gli chiesero cosa fosse successo, e lui raccontò l'orribile esperienza che aveva vissuto. Un silenzio di tomba scese nel locale, il terrore si impossessò dei presenti.

Dopo circa mezz'ora si presentarono nel locale due tizi che indossavano la divisa delle pompe funebri, **bagnati/bagnanti** fradici e **stravolgenti/stravolti** dalla fatica: appena **varcato/avere varcato** l'uscio notarono il tale in piedi al centro del bancone. **Avvicinante/avvicinandosi**, uno dei due si rivolse all'altro **dicendo/stava per dire**:

SALITO STUPIDO STAVAMO CHE LA È MA NON SULL'AUTO LO È SPINGENDO QUESTO MENTRE

« _____

_____

_____ ? »

(www.nardonardo.it)

33. LE BUGIE BISOGNA SAPERLE DIRE (seconda parte)

Scegli il verbo opportuno alla forma corretta e completa il testo.

| essendosi guardato - guardandosi | messa - aver messo | lasciarono fermare - fecero fermare |

| lasciò parlare - stava per parlare | stando per - stava per | averlo salutato - salutandolo |

| informandosi - informato |

1. _____ a tacere la coscienza, Corrado affrettò il passo verso casa, quando due dubbi lo 2. _____ di botto. Primo: e se la conferenza non ci fosse stata? Secondo: e se alla conferenza fosse andata Isabella?

La prima eventualità era meno probabile ma non impossibile: un'improvvisa indisposizione, un rinvio. Quanto alla seconda, non ci aveva pensato ma era una cosa più che probabile. Occorreva accertarsi circa i due casi e Corrado poteva farlo facilmente per entrambi con un colpo solo, 3. _____ soltanto sulla seconda circostanza. Si sarebbe rivolto a qualcuno che c'era stato, a qualche comune amico. 4. _____ entrare in una cabina telefonica pubblica nei pressi di casa sua quando si sentì chiamare:

"Corrado, Corrado!"

Si voltò. Era Carolli, un collega d'ufficio.

"Ciao", gli disse Corrado "sei di ritorno dalla conferenza di Ciclamino?"

"Sì", fece l'altro; e aggiunse 5. _____ attorno: "una barba!"

"Sai se per caso c'era mia moglie?"

"Non c'era."

"Ne sei sicuro?"

"Sicurissimo."

Carolli voleva addentrarsi in particolari, ma Corrado non lo 6. _____ e, 7. _____ in fretta, si lanciò su per le scale di casa sua.

(A. Campanile, *Manuale di conversazione*, Rizzoli)

...la storia continua nell'Unità 11.

34. USIAMO I FRASEOLOGICI

Completa le frasi con i verbi adatti alla forma appropriata.

1. Ieri, quando sono andata a chiamare Francesco, l'ho trovato che _____ discutendo allegramente con Loredana e Domenico.

2. Adriano non _____ a capacitarsi di come abbia fatto a sedersi sugli occhiali senza accorgersene.

3. (Io) _____ costretto a rinunciare alla promozione prospettatami, perché implica il trasferimento all'estero.

4. Avete sentito che Andrea _____ in giro dicendo che Stefano ha perso tutti i soldi alla roulette?

5. Credo che Alessandro _____ studiando storia a casa, per questo non si è visto oggi al campo di calcetto.

6. Poiché non voglio essere invadente, _____ solo a dirti che non sono d'accordo con la decisione che hai preso.

7. Credo che l'assessore coinvolto nello scandalo _____ per presentare le sue dimissioni.

8. È inutile che _____ di capire come abbiano fatto i ladri a entrare in casa tua: l'unica cosa che rimane da fare è chiamare la Polizia.

35. NOTIZIE BIZZARRE

Scegli le forme corrette e completa le notizie con le parole nel riquadro.

> alito • fantasia • lamette da barba • perturbazione • sarcofago • vino

1. La sagra dell'uva, **organizzante/organizzata/organizzando** a Marino (Roma) la prima domenica di ottobre, rievoca il trionfale ritorno in patria di Marcantonio Colonna, signore del luogo, che aveva contribuito alla vittoria **dopo aver conseguito/conseguita/essendo stata conseguita** dai cristiani sulla flotta turca nel 1571, a Lepanto. A una certa ora del pomeriggio, le fontane del centro storico cessano **a/di/per** erogare acqua e iniziano **di/da/a** dispensare _____.

Marino

2. Uno dei primi quiz nella storia della radio italiana fu *Botta e risposta*, **condotta/condotto/conducendo** da Silvio Gigli dal 1944 al 1956. Oltre alla gente comune, vi presero parte anche alcuni personaggi famosi, come Alcide De Gasperi, Charlie Chaplin e la principessa Margaret d'Inghilterra: quest'ultima, **risposta/rispondendo/rispondere** correttamente alle domande, si aggiudicò in premio una confezione di _____.

3. Giacomo Casanova, **passato/passando/avendo passato** alla storia come infaticabile e spietato donnaiolo, contrariamente a quanto normalmente si **continua/sente/lascia** intendere, ebbe una vita amorosa priva di lati particolarmente scabrosi o perversi. I passaggi più piccanti della sua autobiografia si devono piuttosto all'ardente _____ di uno dei suoi traduttori, il francese Jean Laforgue.

Giacomo Casanova

4. La mattina dell'8 ottobre 1954, a nord di Sassari, alcuni lavoranti in un ovile hanno visto uno strano oggetto a forma di sigaro che in silenzio sorvolava a bassa quota le colline **avendo lanciato/lanciando/lanciato** qualcosa. Sul posto vennero trovati numerosi pezzi di carta **essendo scritta/scritta/scritti** in una lingua incomprensibile e per questo la Polizia aprì un'inchiesta. Il mistero venne risolto pochi giorni dopo: si trattava di un pallone aerostatico che avrebbe dovuto lanciare volantini antisovietici **dirigenti/diretti/diretta** alla popolazione ungherese. A causa di una _____, il carico di volantini era però finito in Sardegna.

5. La romantica e tragica storia d'amore tra Giulietta e Romeo, attraverso i secoli, ha **lasciato/iniziato/fatto** trasformare Verona, scenario della loro passione, in meta di pellegrinaggio verso la presunta tomba della ragazza. Maria Luisa d'Austria, duchessa di Parma e vedova di Napoleone, nel 1822 asportò addirittura pezzetti di marmo dal _____ per **incastonarli/incastonarne/incastonargli** nei suoi preziosi gioielli.

Tomba di Giulietta

6. Gli alimenti **consideranti/considerati/considerando** afrodisiaci non sono certo una scoperta della società contemporanea. Fin dai tempi antichi, gli uomini hanno cercato **a/da/di** incrementare l'eros attraverso l'assunzione di particolari cibi. Il più grande catalogo di tali sostanze è del naturalista Plinio il Vecchio (I secolo d.C.), che nella sua opera accenna a piante particolarmente **indicando/indicate/indicanti** per i problemi di coppia, come l'aglio e la cipolla. Evidentemente non riteneva l'_____ pesante un problema…

36. UN PO' DI BUONUMORE

Trova nello schema i verbi e le espressioni per completare le barzellette.

s	o	n	i	o	p	p	f	a	r	c	r	e	d	e	r	e
t	z	w	o	n	a	r	x	v	u	a	e	j	u	l	i	m
a	s	s	t	a	p	e	r	e	s	p	l	o	d	e	r	e
r	e	e	r	n	p	n	c	r	e	s	c	e	n	d	o	f
i	n	m	o	d	o	d	a	s	p	r	o	n	a	r	m	i
d	z	i	l	a	n	e	n	a	q	u	c	x	l	u	g	o
e	a	n	e	r	i	r	b	l	o	t	t	a	o	b	a	r
n	f	a	k	s	o	e	s	v	f	i	n	i	t	a	b	i
d	a	t	n	e	m	i	r	a	o	l	a	n	d	r	i	t
o	r	i	u	n	w	f	o	t	c	e	r	v	i	e	d	e
c	e	c	t	e	s	e	r	o	i	o	w	i	n	t	e	r

1. ...e questa è per _____ un importante messaggio sul computer.

2. Aaah! È troppo pompato quello! _____ !

3. Vedo che _____. Mio marito le ha raccontato di quella volta che il gatto gli ha rubato il parrucchino?

4. Mia moglie dice che spende apposta più del mio stipendio _____ a guadagnare di più!

5. Ci piace _____ ai vicini che abbiamo una piscina!

6. Proprio un gran bel cane da guardia, questo: ha guardato mia moglie _____ via, ha guardato la casa _____ fuoco, ha guardato i ladri _____ dalla cassaforte...

7. Sì, è tutto suo padre, ma _____ spero possa diventare anche lui un bambino normale!

8. È incredibile come mi muovo in fretta _____ fatica!

9. _____ asparagi e _____ rose? Dove ho sbagliato?

10. E si ricordi! _____ la terapia non può bere per due giorni!

ARTICOLI E PREPOSIZIONI

Gli articoli si omettono:

1 quando si vuole conferire un senso d'indeterminatezza:
*Avete **bibite** fresche?*

2 in alcune locuzioni avverbiali come "a ragione", "in sostanza", "di fretta", "di proposito", "a spasso", "di corsa", "per pietà", "a dirotto", ecc.:
*Roberto e Pina vanno **a spasso** nel parco.*

3 in alcune locuzioni verbali come "parlare italiano", "avere fame", "avere sete", "avere sonno", "cercare casa", "cercare lavoro", ecc.:
*Il neonato piange perché **ha fame**.*

4 in locuzioni in forma di sentenza, proverbio o modo di dire:
*A buon intenditor poche **parole**.*

5 in messaggi brevi come telegrammi, annunci economici e insegne:
*Cerco **appartamento** zona centro.*

6 in elenchi o enumerazioni:
*Le tabaccherie vendono **sigarette**, **francobolli**, **caramelle**, **articoli di cancelleria**, ecc.*

7 a volte nei titoli dei libri e dei giornali:
***Grammatica** italiana per stranieri.*

8 con i nomi dei mesi, dei giorni e delle stagioni in assenza di specificazione:
*Una rondine non fa **primavera**.*
***La Primavera** <u>di Praga</u> ebbe inizio nel 1968.*

9 quando c'è un nome seguito da un aggettivo possessivo:
*Elena parcheggia sempre davanti a **casa sua**.*

10 nelle espressioni introdotte da "come" (in qualità di):
***Come studenti** si ha diritto allo sconto sui biglietti del cinema.*

11 in alcuni complementi di luogo come "a casa", "in vacanza", "in chiesa", "a teatro", "in ufficio", "in città", "in campagna", "per mare", "a tavola", ecc.:
*L'ho cercata ovunque, **per mare** e **per terra**.*

12 nel complemento di materia:
*Ho ricevuto in dono un orologio **d'oro**.*

13 nel complemento d'argomento, in assenza di specificazione:

*Questo è un libro **di storia**.*
*Questo è un libro **sulla storia** <u>del Risorgimento italiano</u>.*

14 in alcune espressioni di tempo:

*Mio fratello lavora **da mattina a sera**.*
*Alessandro ieri è rincasato **a notte fonda**.*

15 in alcune espressioni di causa, mezzo, fine e modo come "morire di", "tremare di", "a piedi", "in bicicletta", "a memoria", "di corsa", "a maniche lunghe", ecc.:

*Ho comprato ai grandi magazzini una borsa **da viaggio**.*

16 nelle espressioni di quantità introdotte da "più", "meno", "abbastanza":

*Oggi fa **abbastanza caldo**.*

17 nelle espressioni introdotte da "con" e "senza" in assenza di specificazione:

*Sofia va a scuola di danza **con grande entusiasmo**.*
*Patrizio prende parte alla scampagnata **con l'entusiasmo** <u>di un bambino</u>.*

18 quando i possessivi hanno funzione di predicato:

*È **nostra intenzione** svegliarci prestissimo domani mattina.*

 # ESERCIZI

1. COMPLETIAMO

Completa le frasi con le parole o le espressioni nel riquadro.

appartamenti • come papà • come suo solito • con pazienza • da pallacanestro • da piccolo • di corsa • di mattina • in giugno • lunedì • meno smog • oro • senza paura • sera • sete

1. Niccolò è uscito _____ senza chiudere la porta di casa.
2. Fernando arriva _____ prossimo dal Guatemala.
3. Amalia ha fatto le scale _____ e adesso ha l'affanno.
4. Quando è _____ la temperatura scende di qualche grado.
5. Mia cugina verrà in vacanza in Italia _____.
6. Non è tutto _____ quel che luccica.
7. Quell'agenzia affitta _____ a prezzi modici.
8. Di solito ho i miei appuntamenti con i clienti _____.
9. Adriano ha un carattere un po' impulsivo, ma _____ è molto paziente.
10. Grazie alle marmitte catalitiche c'è _____.
11. Roberto Benigni _____ ha studiato in seminario.
12. Tuo padre ti ha regalato un bellissimo pallone _____.
13. _____ e tenacia si ottiene tutto.
14. Ho mangiato un panino al formaggio e adesso ho _____.
15. Ivana ha affrontato _____ il suo primo lancio con il paracadute.

E per finire: quale delle precedenti frasi è un famoso proverbio?

16. _____ .

Roberto Benigni

2. LA PASSEGGIATA DI UN DISTRATTO

Completa con gli articoli determinativi e indeterminativi.

– Mamma, vado a fare 1. _____ passeggiata.
– Va bene, Giovanni, ma attento a quando attraversi 2. _____ strada: sei così distratto.
Giovanni esce e all'inizio fa attenzione. Ogni tanto controlla.
– Ci sono tutto? Sì – e ride da solo.
Contento, si mette a saltare come 3. _____ passero, poi s'incanta a guardare 4. _____
vetrine, 5. _____ macchine, 6. _____ nuvole e cominciano 7. _____ guai.
8. _____ signore lo rimprovera:
– Guarda, hai già perso 9. _____ mano!
– Uh! Che distratto!
Si mette a cercare 10. _____ mano, però trova 11. _____ barattolo vuoto e si dimentica
di cercare 12. _____ mano. Poi si dimentica anche del barattolo, perché ha visto
13. _____ cane zoppo. Per raggiungere velocemente 14. _____ cane zoppo, perde tutto
15. _____ braccio, ma non se ne accorge.
16. _____ donna lo chiama:
– Giovanni, 17. _____ tuo braccio!
Ma non sente.
– Lo porterò alla madre – dice 18. _____ buona donna.
E va a casa di Giovanni.
– Signora, ho qui 19. _____ braccio di suo figlio.
– Oh, quel distratto. Non so più cosa fare.
– Eh, si sa, 20. _____ bambini sono tutti così.
Dopo arriva 21. _____ altra donna.
– Signora ho trovato 22. _____ piede. È di Giovanni?
– Ma sì è suo: 23. _____ scarpa ha 24. _____ buco. Oh, che distratto!
Dopo arriva 25. _____ vecchietta, poi 26. _____ garzone del fornaio, poi 27. _____ tranviere e
28. _____ maestra in pensione, tutti con qualche pezzo di Giovanni: 29. _____ gamba, 30. _____
orecchio, 31. _____ naso.
32. _____ mamma dice sempre:
– Non c'è un ragazzo più distratto del mio!
Finalmente arriva Giovanni: saltella su 33. _____ gamba sola, senza orecchie né braccia, ma sempre
allegro. 34. _____ mamma lo rimette a posto e gli dà 35. _____ bacio.
– Manca niente, mamma? Sono stato bravo?
– Sì, sei stato proprio bravo.

(G. Rodari, *Favole al telefono*, Einaudi)

3. ARTICOLO SÌ, ARTICOLO NO

Scrivi l'articolo dove è necessario.

1. Alcuni ristoranti hanno _____ tavoli riservati ai clienti fumatori.

2. Ho comprato _____ tavoli al mobilificio che si trova sulla via Aurelia.

3. Se tu russi è anche _____ mio problema: domani mi compro i tappi per le orecchie.

4. Katia va a trovare _____ sua madre ogni fine settimana.

5. Per _____ piacere, non fumare in casa: vai sul balcone.

6. Cosa devo fare per avere _____ piacere della tua compagnia?

7. Scusa ma vado di _____ fretta e non ho tempo per fermarmi a bere un caffè.

8. Filippo, per _____ fretta di uscire, si è scordato i libri a casa.

9. I figli vanno cresciuti con _____ amore e un po' di polso.

10. Con _____ amore è possibile vincere qualsiasi ostacolo.

11. Quell'imprenditore è riuscito a salvaguardare la sua azienda dalla crisi senza _____ aiuto delle banche.

12. Ma sei proprio senza ____ cuore: hai lasciato il cane in giardino con questo freddo!

13. Lucilla ha comprato un bellissimo servizio da ____ caffè.

14. In quel bar puoi bere di tutto, da ____ caffè ai cocktail più ricercati.

15. Antonio ha ordinato ____ vino che gli ha consigliato il sommelier del ristorante.

16. Hai controllato se c'è abbastanza ____ vino per la cena di stasera?

17. Devi fare come ha detto ____ dottore e non di testa tua!

18. Certo che Raffaele come ____ amministratore è proprio una frana!

19. Quando Rossella è arrivata a casa aveva molta ____ fame e ha mangiato due etti di pasta.

20. Per ____ fame che avevo, ho ordinato ben due volte l'antipasto.

21. Sandro è andato a Palermo proprio ____ martedì del mio compleanno.

22. L'appuntamento con Maurizio è ____ martedì alle 11.15.

23. È inutile che chiami ____ babysitter, a quest'ora non sarà disponibile.

24. Cercasi ____ babysitter referenziata.

4. CACCIA ALL'ERRORE

A. Trova gli errori in questo testo e scrivi la forma corretta.

così è la vita

Aldo, detenuto nel carcere di Milano per la truffa, deve essere scortato nel tribunale. L'incarico è affidato a poliziotto Giacomo che si ritrova in macchina da solo perché il collega Catania aveva qualcosa di più urgente da fare. Giacomo ha lasciato la pistola d'ordinanza nel portaoggetti, così Aldo se ne impossessa e prende il controllo della situazione. Intanto per la strada, un inventore dei giocattoli di nome Giovanni, ha appena subito il furto dell'auto, chiede aiuto alla macchina di polizia sulla cui viaggiano Aldo e Giacomo, ma diventa inaspettatamente ostaggio dell'evaso. Tre cominciano una fuga senza meta. Lungo strada aiutano una donna a partorire e scampano per il miracolo all'esplosione di loro macchina. Mentre la polizia li crede morti, loro passano la notte in un cimitero, dove incontrano Clara, la ragazza bella e misteriosa, della cui Aldo si innamora. Tornati a Milano, si salutano: Aldo all'inizio dice di voler scontare la pena ma poi ci ripensa e raggiunge altri due compagni. Il ritorno alla normalità però è impossibile. La famiglia di Giacomo, sollevata da sua morte, si è sbarazzata di sue cose e le ha buttate nella strada. Giovanni invece scopre la tresca amorosa tra moglie e il poliziotto Catania. I tre si coalizzano e si vendicano ma la sorpresa finale deve ancora arrivare: Clara, che in realtà è un angelo, gli rivela che sono veramente morti in incidente automobilistico. Si avviano, allora, verso ultima destinazione, ma in Paradiso c'è posto solo per Aldo che però, dal bravo truffatore, riesce a far entrare del nascosto anche gli amici.

1. _____ → _____   12. _____ → _____

2. _____ → _____   13. _____ → _____

3. _____ → _____   14. _____ → _____

4. _____ → _____   15. _____ → _____

5. _____ → _____   16. _____ → _____

6. _____ → _____   17. _____ → _____

7. _____ → _____   18. _____ → _____

8. _____ → _____   19. _____ → _____

9. _____ → _____   20. _____ → _____

10. _____ → _____   21. _____ → _____

11. _____ → _____   22. _____ → _____

B. Ecco alcune delle battute più celebri del film: scrivi gli articoli e le preposizioni mancanti.

Giovanni dice:

Ogni mattina _____ Africa, quando sorge _____ sole una gazzella si sveglia, sa che dovrà correre più _____ leone o verrà uccisa.

Ogni mattina _____ Africa, quando sorge _____ sole un leone si sveglia, sa che dovrà correre più _____ gazzella o morirà _____ fame.

Ogni mattina _____ Africa, non importa che tu sia un leone o una gazzella, l'importante è che tu incominci a correre.

Aldo si confonde e ripete:

Ogni mattina _____ Africa, quando sorge _____ sole, _____ gazzella muore.... _____ gazzella si sveglia già morta, perché non stava bene già _____ giorno prima.

Ogni mattina _____ Africa, quando sorge _____ sole _____ leone si sveglia, comincia a correre, per evitare di fare _____ fine _____ gazzella _____ giorno prima, solo che quando inizia a correre vede _____ gazzella _____ giorno prima, e quindi dice: "Ma che corro a fare stamattina, _____ gazzella è già qui, visto che ci sono, le do due mozzichi".

Intanto, _____ lontano, si avvicinano _____ iena e _____ sciacallo che dicono:

"Scusa leone, ma stamattina non si corre?"

"No! Perché c'è _____ gazzella già qua!"

"Ma come, ci siamo allenati tutta _____ settimana, mi sono comprato anche _____ tutina nuova."

Comunque _____ morale c'è: "Ogni mattina _____ Africa, non importa che tu sia _____ armadillo o _____ pavone, l'importante è che se muori me lo dici prima."

5. VIAGGIO NEL CILENTO

Completa con gli articoli e le preposizioni articolate, dove è necessario.

Sempre più di frequente 1. _____ turisti italiani volgono 2. _____ loro attenzioni a località esotiche, lontane e sconosciute, senza accorgersi che 3. _____ ricchezze naturali e artistiche 4. _____ maggiormente attraenti spesso sono a portata di mano. Così 5. _____ piccoli grandi paradisi 6. _____ nostro paese a volte sono 7. _____ più conosciuti dai viaggiatori stranieri. Ad esempio, tra questi merita particolare attenzione 8. _____ Cilento, una regione 9. _____ Campania in provincia 10. _____ Salerno, che deve 11. _____ splendore 12. _____ suoi boschi e 13. _____ suoi campi alla presenza di numerosi 14. _____ fiumi. Non meno belli sono i suoi meravigliosi fondali marini, nelle cui acque, ancora in gran parte incontaminate, tra rocce e sabbia, vivono innumerevoli 15. _____ specie di pesci, per 16. _____ gioia degli appassionati di immersioni subacquee. E, inoltre, non dimentichiamo che questa regione vanta 17. _____ patrimonio artistico monumentale di enorme fascino: basti citare 18. _____ splendide rovine 19. _____ tempio di Poseidone a Paestum.

Visitare questi luoghi significa entrare in contatto con atmosfere ricche di magia e tornare indietro di molti secoli, apprezzando 20. _____ antico e illustre passato di questa zona. 21. _____ Cilento d'altronde custodisce 22. _____ lungo il suo litorale 23. _____ resti di 24. _____ passato millenario: si tratta 25. _____ numerosissime grotte, circa 26. _____ centinaio, che si affacciano 27. _____ mare e che risalgono 28. _____ preistoria. Tra 29. _____ più famose è sicuramente 30. _____ grotta di Ossa, ricca di stalattiti e stalagmiti e 31. _____ pareti incrostate di ossa umane e animali.

Molte sono 32. _____ località costiere affollate e conosciute 33. _____ turisti, come Palinuro e Marina di Camerota, le cui spiagge invitano 34. _____ relax e 35. _____ contemplazione. 36. _____ fortuna di alcune di queste cittadine è legata al fatto che parte del litorale è accessibile solo via 37. _____ mare e non è sfruttato turisticamente. Tutto questo ha reso possibile 38. _____ conservazione di 39. _____ patrimonio ambientale intatto e selvaggio, lontano 40. _____ pericoli d'inquinamento.

(R. Palieri, *Ultimi Paradisi*, "Enigmistica per esperti")

6. PER MODO DI DIRE

Completa questi modi di dire inserendo al posto giusto le preposizioni nel riquadro e dopo abbinali ai loro significati. Attenzione, c'è una preposizione di troppo!

> a • al • alle • coi • con • dall' • del (2) • fra • in • per (2) • sullo

1. Entrare da un orecchio e uscire altro ☐
2. Gettare pasto alle belve ☐
3. Sparare zero su qualcuno ☐
4. Guardare la coda dell'occhio ☐
5. Avere il coltello dalla parte manico ☐
6. Saperne una più diavolo ☐
7. Far venire il latte ginocchia ☐
8. Prendere la palla balzo ☐
9. Fare le nozze fichi secchi ☐
10. Battere sempre stesso chiodo ☐
11. Menare il naso ☐
12. Cavarsela il rotto della cuffia ☐

a. Essere in posizione vantaggiosa e favorevole
b. Insistere sempre sulla stessa cosa
c. Uscire a stento da una situazione difficile
d. Ascoltare senza interesse
e. Essere noioso, insopportabile
f. Esporre qualcuno a una situazione avversa
g. Osservare di nascosto, senza farsi notare
h. Deridere o imbrogliare una persona
i. Approfittare subito di una buona occasione
l. Essere molto furbo, molto abile
m. Parlare molto male di qualcuno
n. Voler fare le cose in grande con mezzi inadeguati

7. QUALE DELLE TRE?

Leggi il testo e scegli la preposizione corretta.

MANAGER LICENZIATA, ORA FA LA VOLONTARIA IN INDIA

Tutto prende forma dopo un licenziamento. Un dramma **nel/sul/di** momento, che si è trasformato in un'occasione invece per una ex manager – ora volontaria in India – tanto che, col senno di poi, quella decisione subita si è rivelata una gran fortuna. Era solo sei mesi fa. Marina Bottelli, quarantunenne di Vercelli, direttore operativo in Italia **di/con/a** un'azienda che si occupa di handling **negli/agli/dagli** aeroporti, riceve una comunicazione dai vertici: "causa riorganizzazione non abbiamo più bisogno di te". «È stato un colpo – racconta ora l'ex dirigente – che si aggiungeva ad un altro trauma, l'improvvisa perdita **della/con/di** mia madre tre mesi prima». Marina non si è persa **con/d'/dell'**animo: «Era un po' di tempo che mi guardavo intorno, che mi affascinava l'idea di un lavoro in ambito umanitario. Volevo fare esperienze lunghe all'estero ma non avevo mai avuto il coraggio **a/di/del** rompere con la vita che conducevo. Così quando è arrivato il licenziamento, piano piano mi sono ripresa, mi sono concentrata **su/a/di** cosa volevo fare. Passavano i giorni ed ero sempre più consapevole che non avevo più voglia di battermi nel mondo **di/per/della** dirigenza. Così ho cercato dell'altro, ed ora da tre mesi sono in India, a Killai, come volontaria della ONG Cesvi». La neovolontaria è impegnata in una delle Case del sorriso che l'ONG italiana gestisce **in/nel/al** mondo a sostegno delle donne e dei bambini. Marina si occupa **con/della/di** una trentina di bambine e ragazze (dai 3 ai 17 anni) alloggiate **in/a/nel** centro. Segue fin dall'alba gli impegni **delle/di/con** piccole ospiti: sveglia poco dopo le 5 e poi i preparativi quotidiani prima di andare a scuola, dalla seduta di yoga alla colazione, al ripasso **sulle/delle/nelle** lezioni. Il rientro nella casa è al pomeriggio. «È un'esperienza meravigliosa – dice ancora la volontaria – mi ha cambiato il modo **per/da/di** vedere la vita. Non posso più tornare indietro. Fra qualche giorno rientrerò in Italia e la prima cosa che comincerò a fare è la raccolta fondi per progetti di sviluppo. Poi, visto che non posso vivere **di/sulla/con la** rendita, mi guarderò intorno, cercherò un lavoro **alla/nella/della** cooperazione. Sono una persona fortunata: ho fatto un lavoro che mi piaceva, poi le cose sono cambiate, ho visto favoritismi ed ingiustizie insopportabili. Sono sempre stata attenta **negli/fra/agli** altri, all'aspetto etico della vita, anche se non sono mossa **da/con/su** spirito religioso. Ora sento che posso dedicarmi a fare qualcosa di utile per le persone». Marina è certa della nuova strada intrapresa. È bastato un po' **con/del/di** coraggio, forse un po' di ottimismo, e la vita le è cambiata: «Pochi mesi fa mi sembrava tutto finito, difficile. Ed ora invece sono la persona più felice **del/nel/in** mondo».

(www.leggo.it)

8. QUI COMINCIA L'AVVENTURA...

Trasforma le preposizioni semplici in articolate dove è necessario, come nell'esempio.

Il Signor Bonaventura è un personaggio di ~~di~~ ✓ *dei* fumetti nato nel 1917 da fantasia di Sergio Tofano (Sto) e apparso per decenni su pagine di *Corriere dei Piccoli*, il supplemento per bambini di *Corriere della Sera*. Si trattava di una storia a tutta pagina composta da otto vignette, ognuna commentata con un testo in versi, in cui il protagonista indossava sempre una giacchetta rossa e ampi pantaloni bianchi. Immancabilmente a suo fianco c'era il fedele cane bassotto. Ogni sua avventura lo vedeva quasi sempre squattrinato a inizio e milionario a fine. Oltre a famose storie a fumetti, Tofano ne fece anche oggetto di rappresentazioni teatrali, interpretando personalmente il personaggio in sei commedie musicali da lui stesso scritte, dirette e messe in scena.
I testi in versi che accompagnavano i disegni cominciavano sempre con parole: *Qui comincia l'avventura di Signor Bonaventura*, ma conobbero anche delle variazioni come *Qui comincia la sventura…*, *Qui comincia la sciagura…* o *Il Signor Bonaventura, ricco ormai da far paura…* Le storie avevano uno schema regolare: la sventura di protagonista si trasformava in beneficio per altri e Bonaventura riceveva in premio un milione.
L'estrema semplicità di fumetto, unito a candida ingenuità e onestà di protagonista, hanno spianato la strada a rapido successo di storie presso intere generazioni di bambini. Il Signor Bonaventura è entrato con suo proverbiale milione in cultura italiana del '900. Sono state anche realizzate trasposizioni televisive di personaggio e di suo mondo. Dopo un primo tentativo intorno a metà di anni '80 di creare una serie TV a cartoni animati, sono stati realizzati, per la RAI, tra il 2000 e il 2002, due cortometraggi in computer grafica 3D da titolo *Bonaventura e il canotto* e *Bonaventura e il baule*. Quest'ultimo ha vinto il "Premio al personaggio" a Festival di Dervio di 2002.

9. OPERE IN GIOCO

Per ogni opera vengono proposti tre titoli, ognuno abbinato a una lettera. Scegli quello corretto e inserisci la lettera corrispondente nello schema, così otterrai il titolo di un famoso romanzo di Giorgio Faletti.

1. Un romanzo di Leonardo Sciascia:
M. Il giorno con civetta
I. Il giorno della civetta
L. Il giorno sulla civetta

2. Un saggio di Umberto Eco:
O. A passo di gambero
A. Da passo di gambero
G. Al passo di gambero

3. Un atto unico di Luigi Pirandello:
U. L'uomo dal fiore in bocca
T. L'uomo con fiore in bocca
L. L'uomo per il fiore in bocca

4. Un romanzo di Grazia Deledda:
I. Canne per vento
R. Canne a vento
C. Canne al vento

1.	2.	3.	4.	5.	6.	7.	8.

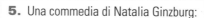

5. Una commedia di Natalia Ginzburg:
A. Ti ho sposato da allegria
C. Ti ho sposato per allegria
E. Ti ho sposato tra allegria

6. Un romanzo di Giorgio Bassani:
I. Il giardino dei Finzi-Contini
M. Il giardino tra Finzi-Contini
E. Il giardino nel Finzi-Contini

7. Un romanzo di Italo Calvino:
A. Ti con il zero
N. Ti al zero
D. Ti con zero

8. Un romanzo di Oriana Fallaci:
A. Lettera per bambino mai nato
O. Lettera a un bambino mai nato
I. Lettera nel bambino mai nato

10. UN PO' DI BRIVIDO

Riordina il brano tratto dal romanzo di Giorgio Faletti, soluzione dell'esercizio precedente.

a. Il commissario era così stanco che gli era mancata la forza per accendere una qualunque curiosità. Aveva la barba lunga e l'aria da scampato al

b. vetri e fu nell'ingresso del palazzo. Il portiere non era in guardiola. Guardò l'orologio. Le sette in punto. Represse a

c. muffa e di gasolio, era sbucato in strada. Aveva raggiunto la macchina, parcheggiata alle spalle del gruppo dei giornalisti. Fortunatamente nessuno si era accorto di lui. Spinse la porta a

d. quel nuovo giorno. Sarebbe stato bello dimenticare tutto e lasciarsi andare sul letto nel comodo appartamento di Parc Saint-Roman e chiudere gli occhi e le tapparelle e scordare il sangue e le scritte sui

e. terremoto, resa ancora più desolata dalla consapevolezza che anche quell'ultima battaglia era stata persa. Attraverso un seminterrato che sapeva di

f. muri. *Io uccido...* Ricordò il nuovo graffito nella camera da letto di Yatzimin. Se non lo avessero fermato loro, quel bastardo non si sarebbe fermato mai. A un certo punto non sarebbe bastato il muro per contenere le scritte e il cimitero per contenere tutti quei morti.

g. paraggi di casa sua, l'illusione, la delusione, il nuovo omicidio, il cadavere sconvolto di Gregor Yatzimin. Fuori dalla porta a vetri, il cielo e il mare tingevano d'azzurro anche l'inizio di

h. stento uno sbadiglio. La stanchezza di quella lunga notte in bianco cominciava a farsi sentire. Prima la trasmissione, poi la caccia a Roby Stricker, poi l'appostamento nei

(G. Faletti, *Io uccido*, Baldini Castoldi Dalai Editori)

1. _a_   2. _____   3. _____   4. _____   5. _____   6. _____   7. _____   8. _____

11. UN PO' DI BUONUMORE

A. In Italia i protagonisti per eccellenza delle barzellette sono i Carabinieri e, da qualche anno, il calciatore Francesco Totti. Nelle barzellette qui di seguito alcune preposizioni non sono al posto giusto: trovale e riposizionale correttamente.

1. È Pasqua e il maresciallo dei carabinieri, all' sotto braccio un bell'uovo con cioccolata acquistato per la figlia, va a bar di farsi un bicchierino e ordina: "Un marsala, per favore!".
E il barista chiede: "Al uovo?".
E il carabiniere risponde: "No! È per me!".

2. Del Piero e Totti alla cinema stanno guardando una scena sul corse sul cavalli.
Del Piero dice: "Punto 10 euro in bianco".
Totti: "OK, io di nero".
Del Piero al fine della scena: "Ho vinto io, comunque i soldi non li voglio perché il film l'avevo visto già ieri".
Totti: "Anch'io l'avevo già visto l'altro ieri".
Del Piero: "E allora perché hai puntato di nero?".
Totti: "Oggi mi sembrava più sul forma".

3. Un sera Mimmo e Francesco, due carabinieri di ronda in un quartiere malfamato, trovano a strada, due gattini di pelo lungo e morbido, e decidono di tenerli e di accudirne uno di testa. Per distinguerli, stabiliscono che quello di Mimmo è quello sull'orecchio graffiato, mentre l'altro è di Francesco. Dopo qualche giorno che se ne prendono cura, vedono che anche il gattino di Francesco ha un graffio dall'orecchio. Allora Mimmo decide a mettere una medaglietta di forma di cuore al suo gattino, per poterlo così riconoscere. Ma dopo qualche giorno il gattino la perde. Francesco pensa, quindi, al mettere lui un segno per riconoscimento dal suo animale e compra un cappottino coi quadretti a bottoncini dorati. Purtroppo, il giorno dopo, va perso anche quello. Esasperato Francesco dice: "Mimmo, facciamo così: quello bianco è mio e quello nero è tuo!".

4. Totti e Del Piero sono seduti vicini in aereo diretto a Giappone. Del Piero sta parlando:"Se passiamo il primo turno andiamo in giocare del Corea e lì sarà difficile per le condizioni in clima."
Totti: "No, non credo. Perché dici così?".
Del Piero:" Sai, sull' Corea potremo avere dei problemi perché ci sono dei forti monsoni".
Totti:" Ale, e chi sono questi monsoni?".
Del Piero. "Sono venti, Francesco".
Totti: "Ah va bene, noi siamo ventidue".

5. Due carabinieri vanno al pastore a comprare una pecora e lui gli dice che possono sceglierne una di 400 che ha lì a pascolo. Dopo che i carabinieri scrutano attentamente gli animali, ne scelgono uno. Il pastore dice: "Scommettiamo che indovino che mestiere fate?". I carabinieri ad bassa voce si dicono l'un l'altro: "Tu hai la divisa?" e, dopo aver costatato di non averla, esclamano su alta voce: "Prego ci dica che mestiere facciamo!!". Il pastore dice: "Voi siete carabinieri !!". I due sono sbalorditi e si chiedono dal vicenda: "Glielo hai detto tu?" ma entrambi rispondono a no e allora gli domandano: "Ma come ha fatto delle indovinare?". Il pastore dice: "Era logico che foste carabinieri: a 400 pecore avete preso il cane!".

6. Totti visita il Louvre. Dopo aver visto la Nike, la Venere su Milo e Monna Lisa, Totti, stremato, si abbandona di una sedia.
Subito scatta l'allarme e arriva un sorvegliante che, di uno sguardo assassino, gli urla: "Ehi, lei è pazzo, si alzi subito, questo è il trono con Luigi XVI".
"Ahò, quanto casino! A bello, quando torna Luigi mi alzo!".

(Barzellette 2, 4, 6 tratte da Tutte le barzellette su Totti, Mondadori)

B. In questa barzelletta alcune preposizioni (semplici e articolate) sono state cancellate e inserite nel riquadro solo alla forma semplice.

> a • a • a • a • a • a • a • a • da • da • di • di • di • di • fra • in • in

Un finanziere, un poliziotto e un carabiniere da diverso tempo prestano servizio ˅ stessa zona disagiata, costretti a ^nella^ mangiare meglio, appoggiati ai cofani delle auto, giubbotto antiproiettile sempre indosso e inevitabile pranzo sacco. Il finanziere guarda nella busta preparatagli dalla moglie e fa… "Panino prosciutto... e voi?". Il poliziotto controlla la sua busta "Uffa, pure io". Il carabiniere li imita "Accidenti! Lo stesso anche per me!". I tre mangiano borbottando un po'. Trascorrono i giorni e i militari continuano a trovare il solito pranzo. Un giorno estate, esasperato dalla monotonia, il finanziere esclama "Basta! Se anche stavolta mia moglie mi ha preparato lo stesso panino giuro che prendo la pistola e mi sparo!". Nella busta c'è infatti il solito pranzo e prima che gli altri due possano reagire, il finanziere estrae la pistola ordinanza e si spara un colpo in testa. Il poliziotto esclama febbrile "Giusto! Il collega ha dimostrato avere coraggio e noi poliziotti non siamo meno. Se anche io ho il solito panino, giuro che mi sparo!". Il poliziotto guarda nel sacchetto, emette un grido furibondo, con gesto solenne estrae l'arma e si spara alla tempia. Il carabiniere si guarda attorno frastornato. È rimasto solo con due cadaveri e pensa: "Che colleghi coraggiosi! I carabinieri però devono dimostrare di essere altrettanto valorosi. Se anche io trovo il solito panino mi sparo un colpo alla testa!". Inutile dire che anche il carabiniere trova l'immancabile panino e, in pochi secondi, si suicida con un colpo in mezzo occhi. Il giorno dei funerali, le vedove camminano affrante fianco delle tre bare che si avviano al cimitero. La moglie del finanziere non smette di disperarsi: "Ma perché lo hai fatto? Non ti piaceva il pranzo che ti preparavo? Potevi dirmelo ti avrei fatto un panino formaggio o mortadella, o come lo volevi tu! Perché ti sei sparato? Perché?". La moglie del poliziotto avanza lenta, un singhiozzo e l'altro: "Ma perché lo hai fatto? Non ti piaceva il prosciutto? Potevi dirmelo, ti avrei cucinato il pollo peperoni, la frittata verdure, il timballo di maccheroni, ti avrei cucinato tutto quello che volevi, perché ti sei sparato? Perché?". La moglie del carabiniere chiude il mesto corteo. Cammina tranquilla, nero come le altre, ma quasi rassegnata: "Ma perché lo hai fatto? Capisco il finanziere, capisco anche il poliziotto, ma tu… tu il pranzo te lo preparavi solo!".

(www.barzellette.net)

NOMi, AGGETTiVi E AVVERBi

NOMI CONCRETI E NOMI ASTRATTI

I nomi concreti si riferiscono a realtà materiali, percepibili tramite i sensi:

*La **maglietta** di Cinzia è a righe bianche e blu.*

I nomi astratti indicano idee, concetti e sentimenti che non hanno una dimensione fisica:

*La **pazienza** è la **virtù** dei forti.*

Alcuni nomi concreti possono divenire astratti se indicano categorie generali:

*Questa **medicina** serve per curare la bronchite.*
*Mi sono laureto in **Medicina** a pieni voti.*

Molti nomi astratti terminano con i suffissi:

-esimo	*feudal**esimo***	-ezza	*bell**ezza***
-ia	*vecchia**ia***	-io	*lavor**io***
-ità	*rapid**ità***	-mento	*senti**mento***
-nza	*usa**nza***	-ore	*sent**ore***
-smo	*fanati**smo***	-tà	*fedel**tà***
-tudine	*grati**tudine***	-ura	*brav**ura***
-zia	*amici**zia***	-zione	*atten**zione***

NOMI COLLETTIVI

I nomi collettivi indicano un insieme di persone, animali o cose.

*Apparecchiare la tavola con le **posate**.*

*Alla manifestazione c'era tanta **folla**.*

NOMI E AGGETTIVI DERIVATI

I nomi derivati sono formati dalla radice della parola:

1 preceduta da prefissi.

I più comuni sono: ante-, anti-, bi-, bis-, contra-, contro-, extra-, post-, pro-, retro-, semi-, sopra-, sovra-, sotto-, sub-, super-, vice-:

*Per evitare che il computer s'infetti è meglio istallare un **anti**virus.*

Per indicare il contrario dei nomi si utilizzano spesso i prefissi:

a-	***a**tossicità*
dis-	***dis**funzione*
in- (in+l=ill, in+m=imm, in+r=irr)	***in**tolleranza, **ill**egalità, **imm**oralità, **irr**esponsabilità*
s-	***s**contentezza*

2 seguita da suffissi.

I più comuni sono: -aggio, -aio, -anza, -ario, -enza, -iere, -ia,-ile, -ista, -izia, -mento, -tore, -otto:

*Il banc**ario** lavora in banca, mentre il banch**iere** è il proprietario di una banca.*

Alcuni suffissi indicano specifiche funzioni:

-teca: luogo di raccolta o custodia	*biblio**teca***
-logia: studio di qualcosa	*musico**logia***
-grafia: scrittura, descrizione	*tomo**grafia***
-metro: misura	*gaso**metro***
-iera: contenitore	*sal**iera***
-eria: luogo dove si vende qualcosa	*pesch**eria***

Gli aggettivi derivati sono formati da un nome, un verbo o un altro aggettivo a cui vengono aggiunti:

1 i prefissi, fra cui i più comuni sono: extra-, inter-, neo-, post-, sub-, ultra-:

*Giorgio ha una relazione **extra**coniugale.*

Il contrario degli aggettivi si forma con gli stessi prefissi usati per i nomi:

a-	***a**morale*
dis-	***dis**continuo*
in- (in+l=ill, in+m=imm, in+r=irr)	***in**tollerante, **ill**egale, **imm**orale, **irr**esponsabile*
s-	***s**pettinato*

2 i suffissi, fra cui i più comuni sono: -abile, -aceo, -ale, -ano, -are, -ardo, -ario, -eo, -esco, -ese, -estre, -evole, -ibile, -ico, -ile, -ino, -oso, -uto:

*La notizia che mi hai dato è davvero incred**ibile**.*

NOMI E AGGETTIVI COMPOSTI

I nomi e gli aggettivi composti derivano da combinazioni di parole diverse:

		SINGOLARE	PLURALE	
nome + nome	(stesso genere)	*madreperla*	del secondo nome	*madreperl**e***
	(genere diverso)	*pescespada*	del primo nome	*pesc**i**spada*
nome + aggettivo		*cassaforte*	di entrambe le parole	*cass**e**fort**i***
aggettivo + nome		*bassopiano*	solo del nome	*bassopian**i***
aggettivo + aggettivo		*agrodolce*	del secondo aggettivo	*agrodolc**i***
verbo + nome		*marciapiede*	solo del nome	*marciapied**i***
verbo + verbo		*dormiveglia*	invariabili	*dormivegli**a***
avverbio + nome		*senzatetto*	invariabili	*senzatett**o***
		soprannome	del nome	*soprannom**i***
avverbio + aggettivo		*sempreverde*	dell'aggettivo	*sempreverd**i***
avverbio + verbo		*benestare*	invariabili	*benestare*
preposizione + avverbio		*perbene*	invariabili	*perben**e***

Eccezioni: *palcoscenico* *palcoscenic**i*** *terrapieno* *terrapien**i***
  banconota *banconot**e*** *ferrovia* *ferrovie*
  mezzaluna *mezz**e**lun**e***

NOMI E AGGETTIVI ALTERATI

L'alterazione del nome serve a esprimere un proprio giudizio in merito a una determinata persona, animale o oggetto. Esistono quattro forme di alterazione:

1 l'accrescitivo serve per indicare grandezza e si forma con il suffisso -one

*cas**ona***

2 il diminutivo serve per indicare piccolezza e si forma con il suffisso -ino

*cas**ina***

3 il dispregiativo serve per indicare bruttezza e si forma con il suffisso -accio

*cas**accia***

4 il vezzeggiativo serve per indicare graziosità e si forma con il suffisso -etto

*cas**etta***

Esistono anche altri suffissi:

-astro (dispregiativo)	*giovin**astro***
-ello (vezzeggiativo)	*alber**ello***
-iciattolo (diminutivo e dispregiativo)	*verm**iciattolo***
-icci(u)olo (diminutivo)	*fest**icciola***
-otto (diminutivo o dispregiativo)	*lep**rotto**, contadin**otto***
-uccio (vezzeggiativo)	*cald**uccio***
-ucolo (dispregiativo)	*poet**ucolo***
-(u)olo (diminutivo)	*montagn**ola***

Attenzione! Molti nomi sembrano alterati, ma in realtà non sono forme di alterazione:

Il mulino   non è un piccolo mulo

Alcuni nomi in origine erano forme alterate e poi sono entrate nell'uso comune con un proprio significato, per esempio: portone, cannone, spaghetti, scalino.

L'alterazione degli aggettivi si forma, come per i nomi, con l'aggiunta di suffissi:

-ino (diminutivo)	*precis**ino***	-etto (vezzeggiativo)	*piccol**etto***
-one (accrescitivo)	*curios**one***	-accio (dispregiativo)	*cattiv**accio***
-ello (vezzeggiativo)	*pover**ello***	-uccio (vezzeggiativo)	*car**uccio***
-astro (dispregiativo)	*bianc**astro***	-igno, -ognolo (dispregiativo)	*giall**igno**, giall**ognolo***
-iccio (dispregiativo)	*sudat**iccio***	-occio (dispregiativo)	*bell**occio***

AVVERBI

Gli avverbi possono avere diversa origine:

1 aggettivo qualificativo + vocale tematica -**a**- + il suffisso -mente

continuo → *continu + a + **mente*** → *continua**mente***

Gli avverbi che si formano da aggettivi che terminano in -le e -re non prendono la vocale tematica **a**:

*total**mente***   *particolar**mente***

2 nome + il suffisso -oni:

*Il bambino camminava carp**oni**.*

3 aggettivo qualificativo usato in modo invariabile:

*Mio zio gioca **forte** al casinò.*

4 aggettivo indefinito usato in modo invariabile:

*Mi piace **poco** come mi guarda quel ragazzo.*

5 parola composta invariabile:

*Quando l'ambulanza arrivò, **purtroppo** era già tardi.*

6 forma propria: "così", "su", "giù", "più", "meno", "presto", "tardi", "mai", "sempre", ecc.:

*Monica arriva **sempre** in ritardo agli appuntamenti.*

7 locuzioni avverbiali:

*Sbrigati! Tuo padre ti aspetta **di sotto**.*

Come per i nomi e gli aggettivi, sono possibili forme alterate anche per gli avverbi:

-ino (diminutivo)	*tant**ino***	-etto (vezzeggiativo)	*poch**etto***
-one (accrescitivo)	*ben**one***	-accio (dispregiativo)	*mal**accio***
-uccio (vezzeggiativo)	*lontan**uccio***		

Gli avverbi possono essere di diverso tipo:

1 di modo:

    a) che terminano in -mente
    b) che terminano in -oni
    c) aggettivi qualificativi usati al maschile singolare: certo, chiaro, forte, ecc.
    d) con forma propria: bene, male, volentieri, ecc.
    e) locuzioni avverbiali: davvero, all'improvviso, a poco a poco, ecc.

2 di tempo:

    a) con forma propria: ieri, domani, oggi, subito, tardi, spesso, poi, ormai, ecc.
    b) locuzioni avverbiali: di notte, un anno fa, nel frattempo, alla fine, ecc.

3 di luogo:

    a) con forma propria: sopra, sotto, fuori, qui, lì, dietro, lontano, su, giù, ecc.
    b) locuzioni avverbiali: da vicino, in giro, di sotto, di qua, per di là, ecc.

4 di quantità:

    a) con forma propria: molto, poco, tanto, più, meno, affatto, troppo, circa, ecc.
    b) locuzioni avverbiali: di più, per niente, su per giù, un po', ecc.

5 di giudizio:

    a) affermazione: sì, certo, sicuro, ovviamente, senz'altro, senza dubbio, ecc.
    b) negazione: no, neanche, neppure, non, nemmeno, mica, ecc.
    c) dubbio: forse, quasi, magari, chissà, eventualmente, ecc.

6 interrogativi ed esclamativi:

    a) quando?, dove?, perché?, come?, quanto?, come mai?, ecc.
    b) come! quanto!

7 indicativi:

    ecco, appunto, proprio.

ESERCIZI

1. DOVE SONO GLI ASTRATTI?

Sottolinea i nomi astratti presenti nel testo.

Pane, amore e fantasia

Il film è ambientato a Sagliena, un paesino dell'Italia centrale, nell'immediato dopoguerra. Qui è stato appena trasferito il maresciallo Antonio Carotenuto (Vittorio De Sica), che dovrà adattarsi alla monotonia e alla tranquillità della vita di paese. Aiutato dalla domestica Caramella (Tina Pica), il fascinoso e attempato sottoufficiale dirige la locale stazione dei carabinieri, non rinunciando però a correre dietro a qualche gonnella, naturalmente con la discrezione che la divisa impone. Nel paese spiccano i personaggi della ruspante e sensuale Maria (Gina Lollobrigida), detta la Bersagliera, la quale, nonostante l'apparente sfacciataggine, nasconde il suo amore per l'appuntato Pietro Stelluti, e quello della levatrice Annarella (Marisa Merlini), che ha attirato subito le attenzioni del maresciallo. Poiché il giovane carabiniere per l'eccessiva timidezza non si dichiara, Maria, un po' per ingelosirlo e un po' per divertimento, intraprende con Antonio, tra ritrosie e concessioni, alcune schermaglie amorose. Dopo innumerevoli peripezie, Annarella, segretamente innamorata del maresciallo, riuscirà a fidanzarsi con lui, mentre Maria porterà Pietro a manifestare i suoi sentimenti.

Il titolo è tratto da una delle battute del film. De Sica si rivolge a un contadino seduto su un gradino intento a mangiare:

De Sica: "Che te magni?"
Contadino: "Pane, marescià!"
De Sica: "E che ci metti dentro?"
Contadino: "Fantasia, marescià!!"

Il film, vincitore dell'Orso d'Argento al festival di Berlino del '54, lanciò Gina Lollobrigida come star del cinema italiano e fu il primo successo di Luigi Comencini.

(http://it.wikipedia.org)

2. LAVORIAMO CON GLI ASTRATTI

A. Forma i nomi astratti dagli aggettivi.

1. certo _____	9. tranquillo _____	17. coraggioso _____
2. clemente _____	10. colto _____	18. importante _____
3. astuto _____	11. crudele _____	19. generoso _____
4. scoraggiato _____	12. simpatico _____	20. comprensivo _____
5. devoto _____	13. cristiano _____	21. sano _____
6. entusiasta _____	14. stupito _____	22. illuso _____
7. molto _____	15. logoro _____	23. severo _____
8. furbo _____	16. malato _____	24. pigro _____

B. Forma i nomi astratti dai verbi.

1. tradurre _____
2. conoscere _____
3. portare _____
4. spedire _____

5. allontanare _____
6. corrompere _____
7. abbondare _____
8. spostare _____

9. sperare _____
10. trasformare _____
11. trasferire _____
12. credere _____

C. Scrivi prima la forma astratta e poi il verbo, come nell'esempio.

1. tenero   *tenerezza*   *intenerire*
2. povero _____   _____
3. vicino _____   _____
4. lontano _____   _____
5. grande _____   _____
6. ricco _____   _____
7. bello _____   _____

8. brutto _____   _____
9. duro _____   _____
10. buono _____   _____
11. cattivo _____   _____
12. piccolo _____   _____
13. grasso _____   _____
14. magro _____   _____

3. CACCIA AL TITOLO

Trasforma i nomi concreti in nomi astratti scegliendo tra le opzioni proposte. Le lettere abbinate alle risposte corrette serviranno a completare il titolo di un film sulla vita di Michelangelo, il famoso artista rinascimentale.

1. pittore	a. dipinta	O		2. nemico	a. inimicizia	O
	b. pittura	T			b. nemicizia	P
	c. pittamento	S			c. nemicitudine	Q

3. maschio	a. macitudine	U		4. padre	a. paternità	M
	b. maschitudine	O			b. padrino	L
	c. maschilismo	R			c. paterno	Z

5. uomo	a. umiltà	D		6. traditore	a. traditura	B
	b. uominezza	F			b. tradimento	N
	c. umanità	E			c. tradizione	I

7. fratello	a. fratellanza	T		8. socio	a. socievole	G
	b. fraterno	A			b. società	O
	c. fratellezza	E			c. sociamento	C

9. filosofo	a. filosofanza	H		10. giornalista	a. giornalaio	I
	b. filsofia	O			b. giornalismo	S
	c. filosofia	E			c. giornaliero	E

11. poeta	a. poesia	T		12. ingegnere	a. ingenuità	R
	b. poetessa	N			b. ingegniamo	V
	c. poetizza	M			c. ingegneria	A

13. schiavo	a. schiavitudine	I		14. innamorato	a. innamoramento	I
	b. schiavitù	S			b. innamorazione	A
	c. schiavaggio	P			c. innamoratura	O

Charlton Heston
interpreta Michelangelo

Il titolo del film è:

IL 1___ 2___ 3___ 4___ 5___ 6___ 7___ 8___ E L' 9___ 10___ 11___ 12___ 13___ 14___

4. LAVORIAMO CON I COLLETTIVI

Scrivi i nomi collettivi sotto le figure a cui si riferiscono.

abbigliamento • banda • branco • comitiva • cucciolata • equipaggio • esercito • flotta • gregge •
mandria • mobilio • orchestra • sciame • squadra • stormo • stoviglie

1. _____   2. _____   3. _____   4. _____

5. _____   6. _____   7. _____   8. _____

9. _____   10. _____   11. _____   12. _____

13. _____   14. _____   15. _____   16. _____

5. UN PO' DI BUONUMORE

Completa le vignette con le parole del riquadro.

banco • branco • massa • stormo

Gli uomini hanno delle parole per descrivere i gruppi di animali: _____ di lupi, _____ di pesci, _____ di gabbiani...

Voi animali avete una parola per descrivere un gruppo di persone?

_____ di imbecilli.

6. LAVORIAMO CON I DERIVATI

Forma i sostantivi con i prefissi nel riquadro.

anti- • bis- • extra- • pro- • retro- • semi- • sotto- • sub- • ultra- • vice-

1. Il padre di mio nonno. _____
2. Una creatura che viene dallo spazio. _____
3. Si mangia prima della pasta. _____
4. Onde sonore udibili dagli animali. _____
5. Persona che va sott'acqua. _____
6. Il figlio del nipote. _____
7. Sostituisce il direttore in sua assenza. _____
8. Un veicolo che va sott'acqua. _____
9. Si ingrana per andare indietro con l'auto. _____
10. Il piano di un edificio in parte sotto il livello del suolo. _____

... e per finire: quale dei prefissi del riquadro viene unito alla parola "banco" per indicare una cosa fatta di nascosto, aggirando la legge?

11. _____

7. ABBINAMENTI

A. Collega le definizioni ai sostantivi scegliendo tra le due opzioni proposte.

1. Recipiente per contenere lo zucchero.
2. Luogo in cui sono custoditi i quadri.
3. Strumento per misurare la temperatura corporea.
4. Negozio che vende carne.
5. Scienza che studia le caverne.
6. Scrittura elegante e regolare.
7. Strumento per misurare la pressione atmosferica.
8. Elenco di testi scritti su un determinato argomento.
9. Scienza che studia la mente umana.
10. Recipiente in cui si mette la spazzatura.
11. Negozio che vende dolci.
12. Luogo in cui si beve e si compra il vino.

- ☐ a. bibliografia/bibliologia
- ☐ b. pasticceria/dolcezza
- ☐ c. psicostasia/psicologia
- ☐ d. barometro/sfigmomanometro
- ☐ e. spazzatrice/pattumiera
- ☐ f. enoteca/viticoltura
- ☐ g. macelleria/macello
- ☐ h. corniceria/pinacoteca
- ☐ i. termostato/termometro
- ☐ l. speleologia/cavernosità
- ☐ m. zuccherificio/zuccheriera
- ☐ n. grafologia/calligrafia

B.   Collega i sostantivi alle definizioni.

1. disintossicazione
2. sconforto
3. incredulità
4. irrazionalità
5. illegalità
6. disaccordo
7. imprudenza
8. asimmetria
9. svalutazione
10. disordine

☐ a. mancanza di fiducia ed entusiasmo
☐ b. abbassamento di valore
☐ c. mancanza di armonia
☐ d. scetticismo
☐ e. mancanza di proporzione
☐ f. caos
☐ g. mancanza di logica
☐ h. condizione contraria alle regole dello Stato
☐ i. mancanza di precauzione
☐ l. purificazione

E adesso spiega brevemente la funzione svolta dai suffissi dei nomi nel gruppo A e quella svolta dai prefissi dei nomi in B.

_____

_____

_____

8. FACCIAMO IL CONTRARIO

Completa le frasi con il contrario degli aggettivi in parentesi, come nell'esempio.

1. Valeria è senza lavoro, è disoccupata. (occupato).
2. Simone tradisce la sua fidanzata, è un uomo _____. (fedele).
3. Mario lavora con precisione e onestà, il suo licenziamento è _____ (legittimo).
4. Adele non beve liquori ma solo bibite _____ (alcolico).
5. Quella sarta non sa cucire bene gli orli, è troppo _____ (preciso).
6. Robertina non fa mai quello che dicono i suoi genitori, è _____ (ubbidiente).
7. Giorgia indossa i guanti perché il laboratorio in cui lavora è un ambiente _____ (settico).
8. A Tonino non piace l'ambiente del suo ufficio, è molto _____ (contento).
9. Francesco partecipa ai congressi vestito in modo _____ (adeguato).
10. Vittorio imbroglia i suoi colleghi, è un _____ (onesto).
11. Alessandro beve molto e fa sempre tardi la notte, conduce una vita _____ (ordinato).
12. Manuel è un cuoco sopraffino, la sua pasta non è mai _____ (cotto).
13. Alexandra ogni tanto fa degli errori d'italiano e sbaglia i verbi _____ (regolari).
14. Luca parla solo con le ragazze carine, mi è molto _____ (simpatico).

...e per finire, in quale frase può essere utlizzato l'aggettivo "sregolata"?

15. ____

9. UN PO' DI ZOOLOGIA

Scrivi l'aggettivo che si riferisce a questi animali.

1. umano

2. _____

3. _____

4. _____

5. _____

6. _____

7. _____

8. _____

9. _____

10. COME SONO FORMATI?

Inserisci i nomi nella tabella.

> altorilievo • andirivieni • autostrada • camposanto • capocomico • cassaforte • contrordine
> • doposcuola • francobollo • fuggifuggi • girasole • grattacielo • lasciapassare • lavastoviglie
> • lungomare • maledizione • millepiedi • palcoscenico • pescecane • ragnatela • salvagente
> • sottopassaggio • terrapieno • toccasana

nome + nome	nome + aggettivo	aggettivo + nome	verbo + nome	verbo + verbo	avverbio + nome

E adesso usa una delle parole della tabella per completare la barzelletta.

– Ti ringrazio, Signore, per questa famiglia, per questo cibo e per la

_____ .

11. LAVORIAMO CON I COMPOSTI

A. Forma i nomi composti.

1. aspira		☐ a.	panni
2. accendi		☐ b.	tavola
3. porco		☐ c.	tappi
4. batti		☐ d.	polvere
5. reggi		☐ e.	foglio
6. ruba		☐ f.	veste
7. centro		☐ g.	sigari
8. cava		☐ h.	spino
9. sotto		☐ i.	galline
10. porta		☐ l.	calze

B. Scrivi il plurale di questi nomi composti.

1. caposquadra	_____	8. chiaroscuro	_____
2. posacenere	_____	9. biancospino	_____
3. passatempo	_____	10. pellerossa	_____
4. banconota	_____	11. piazzaforte	_____
5. dopobarba	_____	12. arcobaleno	_____
6. contrabbando	_____	13. capolavoro	_____
7. bassorilievo	_____	14. altoforno	_____

12. UNA FILASTROCCA

Sottolinea le forme alterate.

Hänsel e Gretel

Hänsel e Gretel camminan nel boschetto
fischiettano allegri, si tengon a braccetto
devono raccogliere mirtilli e lamponi
perché la mamma deva fare i bomboloni.
Poco lontano sulla collinetta
Hänsel e Gretel vedono una casetta
le mura di marzapane, il tetto di cioccolato
la porta è di crema, il camino nocciolato.
Esce una vecchietta dalla porticina
guarda i due bimbi con l'aria assassina
"Cari pargoletti vi dovete avvicinare
che la mia casina vi voglio far mangiare".
Le streghe e anche voi però non sapete
che Hänsel e Gretel hanno il diabete,
prendono la pistola e con aria schifata
stendono la vecchiaccia con una revolverata.

(Fichi d'India, *Amici Ahrarara*, Baldini & Castoldi)

13. CHE FORMA È?

Completa la tabella con i nomi alterati nel riquadro.

amicone • carrozzone • cavalluccio • festicciola • furbacchione • gentaglia • giovanotto • giovinastro
• manina • mattacchione • montagnola • mostriciattolo • orsacchiotto • parolaccia • pazzerello
• poetucolo • ragazzetta • sorellona • sorrisetto • storiella

accrescitivo	diminutivo	dispregiativo	vezzeggiativo

14. VERO O FALSO?

Indica se queste definizioni sono vere o false.

	V	F
1. Il burrone è un grande burro.	☐	☐
2. Lo sportellino è un piccolo sportello.	☐	☐
3. Il torrone è una grande torre.	☐	☐
4. Il bagnino è un bagno piccolo.	☐	☐
5. Il gattone è un grande gatto.	☐	☐
6. Il pulcino è una piccola pulce.	☐	☐
7. Il cassetto è una piccola cassa.	☐	☐
8. La tazzina è una piccola tazza.	☐	☐
9. La focaccia è una brutta foca.	☐	☐
10. Il lampone è un grande lampo.	☐	☐
11. La cameretta è una piccola camera.	☐	☐
12. Il crepaccio è una brutta crepa.	☐	☐
13. Il merletto è un merlo grazioso.	☐	☐
14. Il montone è un grande monte.	☐	☐
15. Lo sgabelletto è un piccolo sgabello.	☐	☐
16. Il tacchino è un piccolo tacco.	☐	☐
17. Il melone è una grande mela.	☐	☐
18. Il turchino è un piccolo turco.	☐	☐
19 La scarpaccia è una brutta scarpa.	☐	☐
20. Il grilletto è un simpatico grillo.	☐	☐

E adesso trova nell'esercizio i falsi alterati e abbinali alle figure.

a. _____

b. _____

c. _____

15. ALTERIAMO

Trasforma i nomi e gli aggettivi utilizzando le forme alterate: -astro, -iccio, -igno, -ello, -ognolo, -occio, -uccio. Attenzione: alcuni termini possono avere più forme alterate.

1. verde _____
2. blu _____
3. bocca _____
4. umido _____
5. rosso _____
6. aspro _____
7. albero _____
8. vino _____

9. giallo _____
10. amaro _____
11. bello _____
12. cavallo _____
13. appiccicato _____
14. pastore _____
15. grasso _____
16. malato _____

16. LAVORIAMO CON GLI AVVERBI

Completa le frasi con gli avverbi derivati dagli aggettivi nel riquadro.

> buono • cattivo • estremo • facile • lento • probabile • rapido • recente • regolare • silenzioso • stupido • tassativo

1. La banca mi invia _____ ogni mese l'estratto conto.
2. La notte scorsa non ho chiuso occhio! Dopo l'abbuffata di frittura mi sono sentito _____ e non sono riuscito ad addormentarmi.
3. Perché stai andando a 130 all'ora? Dovresti guidare più _____ se non vuoi prendere una multa.
4. Voi masticate poco e troppo _____, per questo non riuscite a digerire!
5. Deve riconsegnare il modulo compilato allo sportello 2, _____ entro il 15 gennaio.
6. I ladri uscirono dal caveau della banca senza fare rumore, come _____ vi erano entrati pochi minuti prima.
7. Ai mondiali del 2001, Barbara Fusar Poli e Maurizio Margaglio pattinarono così _____ che vinsero la medaglia d'oro.
8. Il teatro è proprio dietro l'angolo, non ti puoi sbagliare, lo troverai _____.
9. Teresa è in una situazione _____ complicata: ha perso il lavoro e sta divorziando da suo marito.
10. Edoardo non è online su Facebook. _____ sarà già andato a dormire.
11. A Milano è stato _____ inaugurato il Museo del Novecento, dedicato all'arte italiana del xx secolo.
12. Mi sono fatto _____ coinvolgere in questo progetto folle e irrealizzabile.

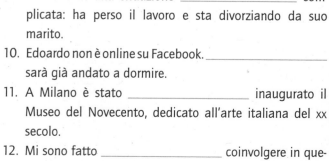

*Barbara Fusar Poli
e Maurizio Margaglio*

Museo del Novecento

17. UN'INTERVISTA A GIULIO LEONI

Trova gli avverbi e le locuzioni avverbiali e scrivili nella tabella secondo la loro funzione.

*Giulio Leoni, uno degli autori di casa nostra più pubblicati all'estero, è da poco tornato alla ribalta con un nuovo romanzo, **La Sequenza Mirabile**. Sullo sfondo di una vicenda popolata da scienziati suonati, donne misteriose e affascinanti, spietati assassini, matematici visionari e pazzi alchimisti, sfilano ombre di importanti personaggi storici.*

GL = Giulio Leoni
LTN = La Tela Nera, sito internet dedicato ai generi horror, thriller e fantastico

[LTN] *Spesso nel romanzo c'è l'invito a guardare "oltre" ciò che appare. Quale potrebbe esserne una chiave di lettura?*

[GL] Tutti i miei romanzi sono delle scatole cinesi e anche *La Sequenza Mirabile* si presta a diversi livelli di lettura, per giocare con il lettore, naturalmente. È così che io percepisco il mondo: un sistema in cui uomini, fatti, cose giocano dei ruoli sempre momentanei e continuamente cangianti. Ecco che un personaggio può essere al tempo stesso un eroe e un vigliacco, un santo e un carnefice. Come avviene nella vita, del resto.
Tutte le mie storie si possono leggere a più livelli: come un giallo, ma anche come un'altra cosa. E cosa sia quest'altra cosa sta proprio al lettore indovinarlo, sempre che ne abbia voglia e pazienza.

[LTN] *Il protagonista di* **La Sequenza Mirabile** *si chiama proprio Giulio Leoni e fa lo scrittore: come mai questa scelta?*

[GL] In realtà io sono un tradizionalista, affezionato all'idea di una voce narrante che racconta cose che ha visto personalmente. O magari che le sta inventando sul momento, ma col crisma del testimone diretto. Forse è la nostalgia dell'infanzia, quando l'autorevolezza di un nonno conferiva realtà a draghi, principesse e magie.
E poiché è una storia raccontata da me e piena di personaggi quasi tutti conosciuti davvero, ho finito per chiudere il cerchio cadendoci dentro, proprio come il cacciatore che nasconde troppo bene le sue trappole.

[LTN] *Si ha la sensazione che ti sia divertito parecchio nella scelta dei nomi dei protagonisti. Perché tanta bizzarria e arcaicità?*

[GL] Guai se uno scrittore non si diverte lui per primo con quello che fa. Ma il motivo più profondo è prendere il lettore per mano e portarlo su una strada inattesa e diversa da quelle ordinariamente percorse.
L'importante è che a giro finito non lo si riaccompagni esattamente al luogo da dove si è partiti, ma lo si lasci da qualche altra parte, con qualcosa in più nelle tasche. È questo che distingue alla fine un buon romanzo da una corsa in tassì, e una grande storia da un semplice intrattenimento evasivo.
In questa diversione del lettore anche il nome dei personaggi assolve una funzione determinante. Se Napoleone si fosse chiamato Nemorino non sarebbe diventato mai imperatore dei francesi. E non perché questi lo avrebbero trovato buffo, ma perché lui per primo avrebbe scelto una tranquilla carriera di profumiere o parrucchiere per signora.

[LTN] *Progetti imminenti?*

[GL] Sì, attualmente sto scrivendo un nuovo romanzo, che ha per tema uno dei più antichi sogni della nostra civiltà. Ma per questo ci vorrà ancora un po' di tempo.

(www.latelanera.com)

modo	tempo	luogo	quantità	giudizio	interrogativi	indicativi

18. IL PAESE DEI MURALES

Inserisci nel testo gli avverbi e le locuzioni avverbiali del riquadro.

> ancor meglio • attualmente • circa • da allora • effettivamente • inoltre • in poi • negli ultimi anni
> • oggi • ogni anno • ovunque • per lo più • più (2) • proprio

Orgosolo è un grazioso paese sardo nel cuore della Barbagia, in provincia di Nuoro.

Il suo nome deriverebbe dal termine greco *orgas*, ovvero "terreno fertile e ricco di acque", ed 1. _____ tutta la conca in cui si adagia Orgosolo presenta una natura lussureggiante.

Il territorio, 2. _____ collinare e coperto da una fitta vegetazione, ha offerto negli anni passati rifugio a banditi, tra i quali Graziano Mesina, molto noto negli anni '60-'70.

3. _____ per Orgosolo quegli anni rappresentano solo un lontano ricordo impresso nei murales che parlano di guerre e di rivolte dei 4. _____ deboli contro uno stato-padrone.

Numerosi turisti 5. _____ decidono di visitare questa pittoresca cittadina, nota 6. _____, su scala nazionale, per i suoi celebri dipinti che colorano i muri di case private ed edifici pubblici.

Il primo murale fu eseguito nel 1969 da un gruppo anarchico del milanese, in un periodo in cui i pastori protestavano per l'occupazione di alcuni territori a Pratobello, destinati alla creazione di una base per l'addestramento di reparti dell'Esercito Italiano.

7. _____ i dipinti realizzati a scopo di protesta crebbero di numero, in particolare dal 1975 8. _____ e 9. _____, in tutto il paese, se ne possono ammirare 10. _____ 200.

Nel 1975 il professore senese Francesco del Casino, stabilitosi a Orgosolo, diede il via all'usanza di dipingere murales sulle case; insieme ai suoi ragazzi cominciò a raffigurare immagini per commemorare il trentesimo anniversario della Liberazione d'Italia. Fu lui dunque il grande fautore di quest'arte pittorica, che denuncia sopraffazioni e ingiustizie sociali.

Uno dei 11. _____ famosi murales a Orgosolo è "l'indiano", che si trova 12. _____ all'ingresso del paese, a denuncia dell'oppressione dei bianchi nei confronti delle popolazioni indigene. Alcuni dipinti, come questo dell'indiano, sono accompagnati anche da una didascalia o da frasi memorabili, per far comprendere 13. _____ il significato della rappresentazione. Passati gli anni della contestazione si cominciarono a immortalare scene di vita quotidiana, ritraendo donne con i figli in grembo e uomini al lavoro, intenti a tosare le pecore o impegnati nei lavori dei campi.

I murales più attuali, eseguiti 14. _____, raffigurano eventi che riguardano lo scenario internazionale, quali la distruzione di Sarajevo, nel 1994, e il crollo delle Torri Gemelle, nel 2001. Tra le vie cittadine fanno bella mostra 15. _____ dipinti a scopo decorativo, effettuati in stile *trompe-l'oeil* che donano colore al centro del paese rendendo le passeggiate molto interessanti e piacevoli.

(www.hotelfree.it)

19. CACCIA ALL'ERRORE

Trova gli errori e riscrivi la forma o il termine appropriati.

QUANDO LA FAMIGLIA SI ALLARGA...

In famiglia l'arrivo di un cucciolo migliora la vita di relazione tra le persone, crea emozioni e occasioni di crescita, perché stimola il senso di responsabilità. Un cucciolo è sicuro più impegnativo, perché bisogna occuparsi in modo scrupolosamente della sua crescita, educarlo a comportarsi nel modo giusto sopra e dentro casa. Un cane amato, coccolato, esprime la sua vitalità e riconoscenza verso il padrone in ogni momento, con lo sguardo, con il "linguaggio", con tutto il suo corpo. Ed è bello vedere un cane in salute correre e scodinzolare felice. Un risultato che è frutto, non anche di una sana e corretta alimentazione, ma anche di un buon rapporto tra padrone e cane e di un buon addestramento. Ma quando iniziare ad addestrarlo a casa per insegnargli a non sporcare dove, a rispondere al richiamo, a stare seduto, ecc. senza necessario iscriverlo a un corso specifico? Si può iniziare sin dalla settima settimana di età, solo forma di gioco. Così i bambini, i cuccioli mantengono l'attenzione per tempi molto brevi, quindi le lezioni dovrebbero durare tanto alcuni minuti, più rado al giorno. Questo è importante perché anche il cane ha bisogno di regole e di percepire che il suo padrone è il "capobranco" e, come tale, va rispettato.

(Desideri Magazine)

1. _____ → _____
2. _____ → _____
3. _____ → _____
4. _____ → _____
5. _____ → _____
6. _____ → _____
7. _____ → _____
8. _____ → _____
9. _____ → _____
10. _____ → _____

20. INDOVINELLO D'AUTORE

Risolvi questo indovinello tratto dal film *La vita è bella*.

più grande è meno si vede

È _____

PRONOMI RELATIVI

Chi. Il pronome relativo invariabile "chi" può essere sostituito da "colui/colei che" al singolare e "coloro che" al plurale. Queste forme di solito si usano in frasi formali, annunci e avvisi:

> *Vorrei tanto ringraziare di persona* **colui che ha** *ritrovato la mia valigetta.*
>
> **Coloro che** *sottoscriveranno l'abbonamento alla palestra entro il 28 gennaio avranno in omaggio l'entrata gratuita alla sauna.*

Cui. Il pronome relativo "cui" (vedi Volume 1, Unità 19) può svolgere la funzione di complemento di specificazione. In questo caso è preceduto dall'articolo determinativo, accordato in genere e numero con il nome che segue:

> *Ospiterò per qualche mese Elisa, la mia amica* **la cui** *casa è stata incendiata dalla vicina.*
> la cui casa = la casa di Elisa

> *Elisa,* **il cui** *senso dell'umorismo non viene meno neanche nei momenti difficili, è davvero simpatica.*

> il cui senso dell'umorismo = il senso dell'umorismo di Elisa

Il pronome relativo può essere preceduto anche dalla preposizione articolata:

> *L'avvocato De Nighi difende sempre persone* **della cui** *colpevolezza ci sono prove schiaccianti.*
> *Lavoro in un famoso atelier,* **nei cui** *laboratori si disegnano abiti d'alta moda.*

 ESERCIZI

1. AUGURI DI NATALE

Abbina le due parti delle frasi di auguri.

1. A tutti coloro che almeno una volta nella vita mi hanno pensato
2. A tutti coloro che almeno una volta nella vita mi hanno aiutato
3. A tutti coloro che mi hanno donato un sorriso,
4. A tutti coloro con cui ho lavorato,
5. A tutti coloro che si sono emozionati in questo anno
6. A tutti coloro che vivono il Natale tutti i giorni
7. A tutti coloro che hanno sbagliato

- ☐ a. e a tutti coloro che ho avuto la fortuna di aiutare.
- ☐ b. perché ho donato loro parte delle mia vita e loro della propria.
- ☐ c. e a coloro che lo vivono un solo giorno l'anno.
- ☐ d. e a tutti coloro che ignorano la mia esistenza.
- ☐ e. e che magari questo Natale lo passeranno tra i rimorsi.
- ☐ f. e a coloro con cui non ho mai incrociato lo sguardo e a quelli che non sanno sorridere.
- ☐ g. e a coloro che non sanno cosa siano le emozioni.

PS: a coloro che non rientrano in nessuna di queste categorie... beh... auguri anche a voi: siete a modo vostro delle persone speciali!

(http://blog.merlinox.com)

2. PROVERBI

Abbina il proverbio al suo significato e completa le frasi, come nell'esempio.

1. Chi non risica non rosica.   *e*
2. Chi è causa del suo mal, pianga se stesso.   ____
3. Chi la dura, la vince.   ____
4. Chi nasce tondo non può morir quadrato.   ____
5. Chi non sa leggere la sua scrittura è un asino di natura.   ____
6. Chi tace acconsente.   ____
7. Chi presto parla, poco sa.   ____
8. Chi rompe paga e i cocci sono i suoi.   ____
9. Chi si somiglia, si piglia.   ____
10. Chi bello vuol comparire, qualche dolore deve soffrire.   ____
11. Chi troppo vuole, nulla stringe.   ____
12. Chi va con lo zoppo impara a zoppicare.   ____

- ☐ a. _____ vuole migliorare il proprio aspetto fisico deve affrontare grandi sacrifici.
- ☐ b. _____ sono simili, si intendono subito.
- ☐ c. _____ frequentano cattive compagnie, finiscono anche loro col comportarsi male.
- ☐ d. _____ insiste in un'impresa e non si lascia abbattere, alla fine ha successo.
- ☒ e. *Colui che* non corre rischi non ottiene risultati importanti.
- ☐ f. _____ desiderano troppe cose, alla fine non ottengono niente.
- ☐ g. _____ non si esprimono su una determinata questione, sono d'accordo.
- ☐ h. _____ si è danneggiato da solo, non se la prenda con altri.
- ☐ i. _____ hanno una determinata personalità, non possono cambiare improvvisamente il loro modo di fare.
- ☐ l. _____ non capisce la sua grafia, è poco intelligente.
- ☐ m. _____ parlano senza riflettere, dicono sciocchezze.
- ☐ n. _____ ha fatto un danno deve rimediare.

3. AVVISI

Completa le frasi con colui che, colei che, coloro che e dopo scegli in questo elenco chi può averle dette o scritte.

a. L'ufficio per i rifugiati politici
b. Una presentatrice televisiva
c. Un araldo
d. Un radiocronista sportivo
e. Il sito del Comune

f. Un direttore di un ufficio postale
g. Un'organizzazione fieristica
h. Una promotrice pubblicitaria
i. Un ente benefico
l. Un'agenzia immobiliare

1. Udite! Udite! A _____ riuscirà a sconfiggere il drago, verrà data in moglie la figlia del re. ☐
2. Vi ricordiamo che per tutti _____ parteciperanno al concorso Pirin-Cola, ci saranno in palio ricchi premi. ☐
3. Una bella soddisfazione, cari telespettatori, per _____ sarà incoronata Miss Italia, perché firmerà un contratto pubblicitario di 100.000 euro. ☐
4. Per tutti _____ si fossero messi in ascolto soltanto ora, informiamo che la partita è stata rimandata a causa della pioggia. ☐

5. Avvisiamo i gentili clienti che _____ non sono in possesso del numero taglia-fila, non saranno serviti allo sportello. Grazie. ☐

6. A tutti _____ vogliono vivere nella tranquillità della campagna ma a un passo dalla città offriamo in una casa colonica uno splendido appartamento con tre camere da letto e giardino privato. ☐

7. Un grazie di cuore a _____ si è prodigata nell'organizzazione della cena di beneficenza per la raccolta di fondi destinati alla mensa della Caritas. ☐

8. Il pass verrà rilasciato solo agli addetti stampa e a _____ ne faranno richiesta entro il 15 settembre. ☐

9. _____ vincerà la maratona di Roma verrà premiato dal sindaco durante una cerimonia ufficiale. ☐

10. Tutti _____ desiderano rivolgersi alla Corte Europea del Diritti dell'Uomo troveranno informazioni nel sito www.coe.int. ☐

4. UN GIORNALISTA SCOMODO

A. Trova e sottolinea i pronomi relativi con la funzione di complemento di specificazione.

Roberto Saviano, nato a Napoli nel 1979, si è laureato in Filosofia all'Università degli Studi di Napoli "Federico II".

Comincia la sua carriera nel 2002 scrivendo per diversi giornali e riviste, fra cui *Pulp, Diario, Sud, Il Manifesto, Il Corriere del Mezzogiorno*, e sul sito web letterario *Nazione Indiana*.

Nel marzo 2006 pubblica il suo primo romanzo *Gomorra, viaggio nell'impero economico e nel sogno di dominio della camorra*, la cui tiratura iniziale di 5000 copie termina in una settimana. In pochissimo tempo *Gomorra* scala le vette delle classifiche sia in Italia che all'estero. Il libro, la cui traduzione appare in ben 53 paesi, diventa un *best seller* con 2 milioni e mezzo di copie vendute in Italia e 4 milioni di copie vendute nel mondo.

Il libro, i cui contenuti sono sviluppati sulla base di esperienze realmente vissute, è un atto di forte accusa nei confronti delle attività della camorra, un'organizzazione criminale diffusa ormai in tutto il mondo, la cui forza negli anni è stata sempre quella di godere del silenzio e di rimanere ai margini della grande attenzione mediatica.

Da *Gomorra* sono stati tratti uno spettacolo teatrale e l'omonimo film, diretto da Matteo Garrone, candidato al premio Oscar come miglior film straniero e premiato a Cannes nel 2008 con il Gran Prix du Jury.

Per paura di vedersi sempre sotto i riflettori dell'opinione pubblica, la camorra ha minacciato ripetutamente Saviano, la cui vita dall'ottobre del 2006 è protetta da una scorta di carabinieri; inoltre, per motivi di sicurezza stabiliti dallo Stato, lo scrittore è costretto a cambiare continuamente dimora.

Nell'autunno del 2008 subisce ulteriori minacce dal "clan dei casalesi", i cui membri si sentono ormai fortemente in pericolo; molti premi Nobel decidono di firmare un appello in cui esprimono all'autore piena solidarietà. Nel novembre dello stesso anno viene invitato all'Accademia di Stoccolma, luogo in cui dal 1901 vengono assegnati i Nobel, per discutere di libertà di espressione e per parlare di sé, della sua vita di perseguitato. Il discorso pronunciato da Saviano, nel cui testo è spiegata anche la funzione della letteratura, è stato poi inserito nel suo secondo libro, *La bellezza e l'inferno*, pubblicato nel 2009.

L'opera è diventata un monologo teatrale in cui la parola rappresenta l'unica forma di resistenza di una vita blindata, e il talento e il coraggio di persone come Miriam Makeba e Lionel Messi possono diventare l'unica forma attraverso cui la bellezza resiste all'inferno.

(www.robertosaviano.it)

B. Questo è un brano del discorso che Roberto Saviano ha tenuto all'Accademia di Svezia. Leggi il testo e scrivi a che cosa si riferiscono i sei relativi con funzione di specificazione.

Quando ci si trova in una situazione come la mia, la maggior parte delle accuse non le ricevi dalle organizzazioni criminali, 1. i cui interventi si limitano invece all'emissione di una condanna e basta. Molte accuse spesso le ricevi dalla cosiddetta società civile. Ti accusano di essere un pagliaccio, una persona 2. il cui unico intento è mettersi in mostra, uno che se l'è andata a cercare per avere successo e che ha speculato su tutto questo.

Io resto spesso ferito anche dall'accusa di diffamare la mia terra, 3. delle cui contraddizioni racconto sempre nei miei scritti. Sono invece fortemente convinto che raccontare significa resistere e fare onore al mio Paese, 4. la cui parte sana va necessariamente sostenuta e incoraggiata, significa dare possibilità e speranza di soluzione. E che non è mai responsabilità di chi racconta, ciò che racconta. Non sono io ad aver generato le contraddizioni che racconto. Una volta nel mio paese comparvero delle scritte 5. il cui contenuto erano parole di insulto contro di me. La cosa non mi fece soffrire, so che capita ai personaggi pubblici di subire questi attacchi. Ma l'aspetto incredibile è che non c'erano mai state scritte contro chi invece era stato responsabile dell'aumento del cancro in quella terra, contro chi aveva massacrato quella terra e 6. i cui crimini avevano prodotto morte e dolore. Mi sono chiesto: è mai possibile che uno scrittore sia ritenuto responsabile, che abbia una colpa per aver raccontato queste cose, e non sia data la responsabilità a chi le ha commesse?

(R. Saviano, *La bellezza e l'inferno*, Discorso all'Accademia di Svezia)

1. _____   4. _____
2. _____   5. _____
3. _____   6. _____

C. Completa il testo scegliendo tra le alternative proposte. Dopo riscrivi la frase che Roberto Benigni ha detto a Saviano per rendergli omaggio, sostituendo ognuna delle tre espressioni in grassetto con le parole risultanti dalle lettere abbinate alle opzioni corrette.

"Quando *colui che ha* la biro incontra *colui che ha* la pistola, *colui che ha* la pistola è un uomo morto"

Saviano, la cui regione di provenienza è **la Campania l**, **la Puglia c**, **la Basilicata s** nei suoi scritti denuncia **la mafia a**, **la 'ndrangheta o**, **la camorra u**.

Ha scritto un libro la cui tiratura iniziale è stata di **5000 copie o**, **2 milioni di copie m**, **4 milioni di copie p**, e dalle cui pagine è stato tratto **un film che ha vinto l'Oscar r**, uno **spettacolo teatrale m**, **un discorso per l'Accademia di Svezia p**.

Lo scrittore, la cui vita è stata radicalmente stravolta dopo la pubblicazione di *Gomorra*, è costretto a cambiare continuamente residenza perché **è ricercato dai carabinieri n**, **è stato minacciato dalla camorra o**, **non vuole essere sotto i riflettori dell'opinione pubblica a**. Saviano pensa che i suoi scritti, per i cui contenuti è stato spesso fortemente criticato, **diffamino la sua terra e**, **lo rendano complice dei crimini della camorra g**, **infondano fiducia c**.

Nel suo paese sono apparse scritte **contro di lui o**, **contro la mafia d**, **contro il cancro b**, mentre nessuno ha mai protestato contro **coloro che hanno massacrato la sua terra n**, **gli scrittori u**, **colui che racconta senza avere colpa t**.

"Quando __'__ __ __ __ __ __ __ la biro incontra __'__ __ __ __ __ __ __ la pistola, __'__ __ __ __
__ __ __ la pistola è un uomo morto". (Roberto Benigni)

5. LAVORIAMO CON I RELATIVI

Riscrivi le frasi come nell'esempio.

1. Silvio è antipatico a tutti.
    Le barzellette di Silvio non fanno mai ridere.
    Silvio, le cui barzellette non fanno mai ridere, è antipatico a tutti.

2. Mario è un bambino problematico.
    I genitori di Mario sono in carcere.
    _____

3. Milena vuole divorziare.
    Il marito di Milena perde un sacco di soldi alle scommesse sui cavalli.
    _____

4. I discorsi dei politici spesso non vengono ascoltati da nessuno.
    I contenuti dei discorsi sono a volte incomprensibili.
    _____

5. Ilenia viene tutti i giorni in ufficio in bicicletta.
    La casa di Ilenia si trova in aperta campagna.
    _____

6. Anna è andata a liberare le cavie nei laboratori di vivisezione.
    L'amore per gli animali di Anna è noto a tutti.
    _____

7. Tiziana è una vera amica.
    Il buon cuore di Tiziana è celato dietro un velo di acidità.
    _____

8. Boccaccio visse nel 1300.
    Le novelle di Boccaccio sono lette ancora oggi in tutto il mondo.
    _____

6. COMPLETIAMO

Completa le frasi con il pronome relativo. Attenzione alla preposizione!

1. Cosa faresti se il tuo commercialista, _____ onestà non hai mai avuto dubbi, si rivelasse un grande truffatore?
2. Quell'uomo, _____ bontà tutto il paese lo ha sempre lodato, ha dato tutti i suoi averi in beneficenza.
3. Quella scuola, _____ aule il riscaldamento non funziona, è stata chiusa per effettuare le riparazioni.
4. Gianni Versace, _____ morte violenta hanno parlato tutti i giornali del mondo, è stato uno dei più famosi stilisti italiani.
5. I miei amici Evaristo e Alessandra, _____ festa siamo andati la scorsa settimana, hanno festeggiato le nozze d'argento.
6. Questo romanzo di Federico Moccia, _____ righe puoi trovare molti elementi autobiografici, ha avuto uno straordinario successo.
7. Quell'anziano signore seduto sulla panchina, _____ cane giocano sempre tutti i bambini, è stato Ministro della Salute.
8. Sembra che quella famiglia, _____ appartamento arrivavano sempre degli strani rumori, sia stata denunciata per disturbo della quiete pubblica.

9. Umberto, _____ parole ho sempre creduto, si è rivelato un gran bugiardo.

10. Non avresti dovuto fidanzarti con quel ragazzo, _____ maleducazione hai litigato con tutti i tuoi amici più cari.

11. Il nostro professore di filosofia, _____ lezioni partecipa sempre una folla di studenti attenta e silenziosa, riesce a intrattenere i suoi ascoltatori con la sua brillante parlantina.

12. Mio nonno Domenico, _____ cappello ti sei appena seduto, è gelosissimo dei suoi vestiti!

7. IL DETECTIVE DELL'IMPOSSIBILE

Rimetti in ordine le varie parti del testo.

1. Creato dalla fertile penna di Alfredo Castelli nel 1982, Martin Jacques Mystère è un insolito detective: archeologo, antropologo, esperto d'arte, collezionista di oggetti inusuali, uomo d'azione e instancabile viaggiatore, è un americano di nascita (vive a New York, in un piccolo appartamento pieno di libri e oggetti curiosi)

2. la cui grande autoironia (lui stesso non si prende troppo sul serio e si autodefinisce "Il Buon Vecchio Zio Marty") e

3. il cui fascino diventa ancora più intrigante quando si svolgono ai nostri giorni, nella nostra società e nel nostro tempo, e quando, in ambienti apparentemente consueti e ordinari, il fantastico si scatena all'improvviso. A conclusione di ogni sua "indagine", Martin Mystère ne archivia il resoconto su un personal computer,

4. la cui formazione culturale è però avvenuta in Italia. Dopo la misteriosa morte dei suoi genitori in un incidente aereo, forse provocato dagli Uomini in Nero, ha cominciato a occuparsi dei "grandi enigmi" mai risolti, cioè di quegli enigmi che la scienza "ufficiale" non prende in considerazione e che non sono ancora stati razionalmente risolti, da quelli archeologici a quelli storici, da quelli scientifici o parascientifici a quelli esoterici, spaziando occasionalmente nel campo degli Ufo, dei poteri Esp, della magia. Argomenti che esercitano l'inquietante attrazione dell'inesplicabile,

5. il cui comportamento un po' rozzo lascia a volte sbalorditi. Martin Mystère e Java formano una di quelle coppie impossibili che possono esistere unicamente nel mondo della fantasia.
Martin non è un supereroe, ma una persona "normale", un uomo colto, anche se non sa tutto di ogni argomento. Guadagna abbastanza denaro, però non ha risorse economiche infinite. Non è un playboy: ama le donne, ma è tendenzialmente monogamo, ed è fedele alla sua compagna Diana Lombard. Non è detective nel senso stretto del termine. Non ha clienti che si rivolgono a lui per proporgli un caso; non esegue indagini a pagamento o su commissione, ma entra in azione soltanto se l'argomento lo interessa in modo particolare.

6. del cui uso è un abile ed esperto conoscitore; dalle sue esperienze trae spunti per volumi di successo e per una trasmissione televisiva intitolata *I Misteri di Mystère*. Pur possedendo un fisico atletico e la capacità di utilizzarlo, pur essendo un formidabile "tuttologo", pur disponendo di un "gadget" fantascientifico (una misteriosa arma "vecchia di quindicimila anni" che emette raggi in grado di paralizzare momentaneamente gli avversari), Martin Mystère non è assolutamente un "superman" ma un personaggio umano e accattivante,

7. i cui difetti (la tendenza a tirare tardi, la verbosità, la paura di invecchiare) lo fanno sentire uno di noi. Suo compagno fedele di avventure è il neanderthaliano Java, vero uomo della caverne trovato da Martin in una "nicchia" preistorica in Mongolia e

(www.sergiobonellieditore.it)

8. A SPASSO PER L'ITALIA

Completa le frasi abbinando le due parti, come nell'esempio. Dopo abbina le frasi alle foto.

1. Milano, d , è la capitale economica d'Italia. W____
2. La Costa Smeralda, ☐, è un luogo molto esclusivo di villeggiatura in Sardegna. ____
3. Otranto, ☐, è una città storica della Puglia. ____
4. Ravenna, ☐, fu dominata per quasi due secoli dai bizantini. ____
5. Assisi, ☐, è la città di San Francesco. ____
6. Rimini, ☐, in inverno è una cittadina calma e rilassante. ____
7. A Parma, ☐, si svolge ogni anno un importante festival dedicato alle opere di Giuseppe Verdi. ____
8. Noto, ☐, è una splendida città tardo-barocca. ____
9. Bolzano, ☐, è stata una città austriaca fino al 1919. ____
10. Urbino, ☐, è sede di una piccola ma prestigiosa università. ____

a. il cui castello fa da scenario a un famoso romanzo gotico,
b. sul cui litorale in estate si affollano turisti da tutto il mondo,
c. la cui basilica fu gravemente danneggiata da un terremoto nel 1997,
d. nella cui Borsa avvengono tutte le maggiori transazioni finanziarie,
e. il cui centro storico medievale è stato dichiarato patrimonio dell'umanità,
f. le cui origini risalgono all'età del bronzo,
g. nelle cui chiese si possono ammirare splendidi mosaici,
h. nelle cui strade si leggono cartelli scritti in italiano e in tedesco,
i. il cui mare è uno dei più belli del mondo,
l. nel cui meraviglioso teatro si sono esibiti i più famosi cantanti lirici del mondo,

... e adesso posiziona
nella cartina geografica
i luoghi di cui parla l'esercizio.

9. METTIAMO IN ORDINE

Riordina le frasi in modo logico e dopo abbinale alle figure.

☐ 1. sono solo – è davvero – Giorgia, – paccottiglia – una grande sbruffona – i cui gioielli

☐ 2. vengano adottati – non garantiscono – non permettiamo – affidabilità totale – che i nostri cuccioli – da coloro che

☐ 3. riuscirà – re d'Inghilterra – colui che – la spada dalla roccia – sarà – a estrarre

☐ 4. la cui aria – voglio andarmene – è ormai – da questa città – irrespirabile

☐ 5. affari troppo vantaggiosi – di coloro che – probabilmente - non ti fidare – sono truffatori – ti offrono

☐ 6. nessuno dubitava – quattro ori – quell'atleta – alle ultime olimpiadi – dei cui meriti sportivi – ha vinto

10. UN EPISODIO CURIOSO

Individua la frase corretta, inizio di un curioso episodio sul divo Rodolfo Valentino e, partendo dalla lettera a essa abbinata, completala percorrendo il labirinto.
Attenzione, ci si può spostare solo in basso, a destra e a sinistra!

1. Rodolfo Valentino, colui che il grande fascino è considerato ancora oggi un sex symbol, **e**
2. Rodolfo Valentino, per il cui grande fascino è considerato ancora oggi un sex symbol, **n**
3. Rodolfo Valentino, al cui grande fascino è considerato ancora oggi un sex symbol, **r**

a	l	f	**r**	i	t	a	o	b	**n**	r	**e**	c
m	i	r	i	m	ì	p	r	n	o	o	l	i
o	s	o	y	a	g	k	i	x	u	z	i	a
p	i	z	z	a	o	i	u	s	y	r	i	o
a	l	i	c	e	v	m	w	c	b	a	r	i
p	n	n	m	l	e	a	u	ì	a	d	b	v
e	o	t	a	e	g	u	g	j	k	a	a	y
r	f	e	n	t	i	r	w	u	r	r	f	k
o	u	r	l	t	r	i	i	o	m	h	n	m
w	r	y	i	r	m	u	a	l	x	g	o	a
i	s	b	o	a	a	l	r	s	a	r	p	t
s	p	l	l	e	n	i	s	z	s	u	d	i
t	q	a	m	a	x	z	u	l	a	v	l	l
a	s	m	a	r	i	p	b	t	i	n	a	d
n	o	n	w	q	n	a	m	i	u	q	t	e
b	n	a	u	r	r	u	b	l	i	o	a	r
u	n	s	i	l	v	i	e	c	t	d	i	o
l	y	n	o	u	e	p	e	r	a	y	e	s
i	r	i	s	n	r	a	b	p	x	a	d	é

miopia   insufficienza toracica   denti cariati

11

DISCORSO DIRETTO E INDIRETTO

Quando si riferiscono indirettamente parole pronunciate da altri, la struttura della frase può subire diversi cambiamenti:

○ vengono eliminati i segni di interpunzione;

○ non si riportano gli intercalari e le esclamazioni;

○ gli indicatori temporali, quando il verbo della principale è al passato, variano come segue:

ieri	→ il giorno prima/precedente
l'altro ieri	→ due giorni prima
oggi	→ quel giorno
domani	→ il giorno dopo/seguente/successivo o l'indomani
dopodomani	→ due giorni dopo
ora	→ allora, in quel momento
fa	→ prima
fra	→ dopo
prossimo	→ dopo, successivo o seguente
scorso	→ prima o precedente

Altre trasformazioni avvengono in base alla prospettiva della persona che riferisce il discorso:

○ il verbo "venire" può essere sostituito con "andare";

○ il dimostrativo "questo" può diventare "quello";

○ gli avverbi di luogo "qui" e "qua" possono diventare "lì", "là", "in quel luogo" "sul posto", "in quello stesso posto";

○ i pronomi personali, gli aggettivi e i pronomi possessivi si adattano al punto di vista di chi parla.

Anche i tempi verbali possono subire cambiamenti.

■ Se il verbo che introduce il discorso diretto è all'<u>indicativo presente</u>, <u>passato prossimo</u> (per un'azione appena compiuta) o <u>futuro</u>, non ci sono mutamenti nei tempi verbali della frase riportata, a eccezione dell'imperativo.

Discorso diretto	Discorso indiretto
*Maria <u>dice</u>: "**Vado** al mare".*	*Maria dice che **va** al mare.*
*Laura <u>ha appena spiegato</u>: "Per caricare queste foto sulla pagina web ci **ho messo** solo pochi minuti".*	*Laura ha appena spiegato che per caricare quelle foto sulla pagina web ci **ha messo** solo pochi minuti.*
*Eleonora sicuramente <u>risponderà</u> alle tue accuse dicendo: "Mi dispiace per te, ma **ho fatto** tutto quello che **potevo** per aiutarti".*	*Eleonora sicuramente risponderà alle tue accuse dicendo che le dispiace per te e che **ha fatto** tutto quello che **poteva** per aiutarti.*
Imperativo o congiuntivo esortativo	di + infinito, congiuntivo presente o verbo dovere/ potere al presente + infinito
*L'allenatore <u>grida</u> ai calciatori: "**Fate** un esercizio di riscaldamento".*	*L'allenatore grida ai calciatori **di fare** un esercizio di riscaldamento.* *L'allenatore grida ai calciatori **che facciano** un esercizio di riscaldamento.* *L'allenatore grida ai calciatori **che devono fare** un esercizio di riscaldamento.*

■ Se il verbo che introduce il discorso diretto è al <u>passato prossimo</u> (per un'azione non recente), <u>passato remoto</u> o <u>imperfetto</u>, i tempi verbali della frase riportata cambiano come segue:

Discorso diretto	Discorso indiretto
presente indicativo *Mario <u>urlò</u>: "Non **è** giusto!"*	imperfetto *Mario urlò che non **era** giusto!*
passato prossimo *Uno degli accusati <u>confessò</u>: "**Abbiamo rubato** noi il quadro!".*	trapassato prossimo *Uno degli accusati confessò che **avevano rubato** loro il quadro.*
passato remoto *Mio nonno <u>ripeteva</u> sempre: "I partigiani **salvarono** l'Italia!".*	rimane invariato o diventa trapassato prossimo *Mio nonno ripeteva sempre che i partigiani **avevano salvato/salvarono** l'Italia!".*
futuro semplice *Rossella ci <u>comunicò</u>: "**Farò** un dottorato di ricerca all'Università di Bari!".*	condizionale composto *Rossella ci comunicò che **avrebbe fatto** un dottorato di ricerca all'Università di Bari.*
futuro anteriore *Giovanna <u>ha promesso</u>: "Quando **sarò arrivata** in Nuova Zelanda manderò subito mie notizie".*	condizionale composto o congiuntivo trapassato *Giovanna ha promesso che quando **sarebbe arrivata/fosse arrivata** in Nuova Zelanda avrebbe mandato subito sue notizie.*
imperativo o congiuntivo esortativo *Il dottore <u>ha insistito</u>: "**Cominci** subito a fare attività fisica regolarmente!".*	di + infinito, congiuntivo imperfetto o verbo dovere/ potere all'imperfetto indicativo + infinito *Il dottore ha insistito **di cominciare** subito a fare attività fisica regolarmente.* *Il dottore ha insistito **che cominciassi** subito a fare attività fisica regolarmente.* *Il dottore ha insistito **che dovevo cominciare** subito a fare attività fisica regolarmente.*

Discorso diretto	Discorso indiretto
condizionale presente Susanna <u>ammise</u>: "**Vorrei** tanto **uscire** con Lorenzo!"	condizionale passato Susanna ammise che **sarebbe** tanto **voluta uscire** con Lorenzo.
congiuntivo presente Eva <u>affermò</u>: "Temo che Adamo mi **accusi** di aver colto la mela!".	congiuntivo imperfetto Eva affermò che temeva che Adamo la **accusasse** di aver colto la mela.
congiuntivo passato Marta <u>ha detto</u>: "È probabile che il bambino **abbia preso** il morbillo".	congiuntivo trapassato Marta ha detto che era probabile che il bambino **avesse preso** il morbillo.
periodo ipotetico di tutti i tipi Tea disse: "Se **ho** tempo **vengo** a cena da voi". Tea disse: "Se **avessi** tempo **verrei** a cena da voi". Tea disse: "Se **avessi avuto** tempo **sarei venuta** a cena da voi".	periodo ipotetico di impossibilità nel passato Tea disse che se **avesse avuto** tempo **sarebbe andata** a cena da loro.

Gli altri tempi non subiscono variazioni.

INTERROGATIVE INDIRETTE

Le interrogative indirette sono precedute da:

○ la congiunzione "se" quando prevedono una risposta affermativa o negativa (attenzione: il "sì" e il "no" della risposta sono preceduti dalla preposizione "di"):

La turista chiede al vigile: "Questo è l'autobus per la stazione?". Il vigile risponde: "Sì".
*La turista chiede al vigile **se** quello sia l'autobus per la stazione. Il vigile risponde **di** sì.*

○ aggettivi o pronomi interrogativi: "chi", "che cosa", "quale", "quanto", "che":

*La turista chiede al vigile: "Scusi, **quale** autobus va a Piazza Venezia?"*
*La turista chiede al vigile **quale** autobus vada a Piazza Venezia.*

○ congiunzioni e avverbi interrogativi: "dove", "perché", "quando", "quanto", "come":

*La turista chiede al vigile: "**Dov**'è la fermata dell'autobus più vicina?"*
*La turista chiede al vigile **dove** sia la fermata dell'autobus più vicina.*

Nelle frasi interrogative il tempo della subordinata subisce delle variazioni.

■ Quando il verbo che introduce l'interrogativa è al <u>presente</u>, i tempi verbali della frase riportata cambiano come segue:

Interrogativa diretta	Interrogativa indiretta
presente Mario <u>chiede</u> a Lucia: "Che cosa **fai** in ufficio a quest'ora?"	congiuntivo presente Mario <u>chiede</u> a Lucia che cosa **faccia** in ufficio a quell'ora.
passato prossimo Mario <u>chiede</u> a Lucia: "Cosa **sei andata** a fare in ufficio a quest'ora?"	congiuntivo passato Mario <u>chiede</u> a Lucia cosa **sia andata** a fare in ufficio a quell'ora

Interrogativa diretta	Interrogativa indiretta
indicativo imperfetto *Mario chiede a Lucia: "Cosa facevi in ufficio a quell'ora?"*	congiuntivo imperfetto *Mario chiede a Lucia cosa facesse in ufficio a quell'ora.*
trapassato prossimo e passato remoto *Mario chiede a Lucia: "Cosa eri andata a fare ieri in ufficio a quell'ora?"*	congiuntivo trapassato *Mario chiede a Lucia cosa fosse andata a fare ieri in ufficio a quell'ora.* (spesso, nel parlato, il verbo dell'interrogativa indiretta non cambia nel tempo e nel modo)

Gli altri tempi non subiscono variazioni.

■ Quando il verbo che introduce l'interrogativa è al <u>passato</u>, i tempi verbali della frase riportata cambiano come segue:

Interrogativa diretta	Interrogativa indiretta
presente *Il giornalista chiese al commissario: "Chi è l'assassino?"*	congiuntivo imperfetto *Il giornalista chiese al commissario chi fosse l'assassino.*
tutti i tempi passati *Il portiere domandò: "Chi ha rotto il vetro all'ingresso?"*	congiuntivo trapassato *Il portiere domandò chi avesse rotto il vetro all'ingresso.*
futuro *Arturo, parlando con Simonetta, chiese: "Cosa farai sabato prossimo?"*	condizionale composto *Arturo, parlando con Simonetta, chiese cosa avrebbe fatto il sabato successivo.*

ATTENZIONE

Nel passaggio dal discorso diretto al discorso indiretto a volte, per una corretta interpretazione della frase, è necessario introdurre:

○ verbi (essere, potere, dovere, domandare, chiedere, preferire, dire, rispondere, ecc.)

Il Signor Liucci chiese a Martina: "Cosa vuoi fare da grande?" e lei: "L'architetto"'.
*Il Signor Liucci chiese a Martina cosa volesse fare da grande e lei **rispose** che **voleva fare** l'architetto.*

○ congiunzioni (e, ma, mentre, invece, che, perché, affinché, ecc.)

Marilena disse a suo figlio: "Va' a prendere la farina: ne ho bisogno per fare la torta".
*Marilena disse a suo figlio di andare a prendere la farina **perché** ne aveva bisogno per fare la torta".*

○ pronomi

Giordano domandò: "Da quanto tempo sei membro di questa associazione?" e Daniele rispose: "Quindici anni!".
*Giordano domandò da quanto tempo fosse membro di quella associazione e Daniele rispose che **lo** era da quindici anni.*

1. COME SI TRASFORMA?

Leggi l'articolo e trasforma le frasi sottolineate da dirette a indirette.

l'aria di città rende libere le donne del Sud

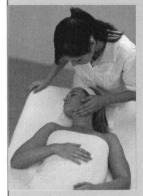

"Ciao Amore". Filomena Guaglione saluta una cliente che esce dal centro estetico Nouvel Age. **1.** Poi accoglie la successiva: "Bella, come stai bene oggi! Vieni, accomodati". Quando Filomena parla, tutti le danno retta: è questo il suo punto di forza. Non è una che fa complimenti: anche se ha un aspetto fragile, si capisce che è una donna tenace, che nella sua vita ha saputo imporsi. **2.** "Mia figlia sì è fatta da sola: con sei figli mica potevamo aiutarla", conferma la madre Angiolina, che è venuta a farle visita. Filomena, 51 anni, è arrivata a Roma trent'anni fa dalla Calabria. **3.** "La mia prima cliente abitava proprio in questo quartiere", ricorda. Il quartiere è San Giovanni, a Roma, dove sorge la basilica che ha lo stesso nome. Il salone, che è a poche centinaia di metri da Piazza Tuscolo, "è il luogo in cui", confessa Filomena, "trascorro tutto il giorno. Il centro estetico è la mia vita". Praticamente è anche la sua casa: nel 1996 ha affittato il grande appartamento al primo piano e lo ha diviso in due. Abita nella parte più piccola e lavora in quella più grande. Paga 1.600 euro al mese d'affitto, meno di quanto chiedono per un negozio. E si fa aiutare da Bianca, che lavora part-time.

Da Filomena l'atmosfera è più intima e rilassata che in altri centri. Molte donne vengono qui per dimenticare lo stress e farsi coccolare. Filomena ha molte clienti fisse nel quartiere. **4.** "Ormai si è creata una rete: è il vantaggio di essere qui da molto tempo", spiega.

In Calabria non ci vuole più tornare. A Roma fa una vita da single autonoma mentre al paese, non essendo sposata, sarebbe diventata una zitella condannata a incontrare solo gli uomini di famiglia. **5.** "Ho bisogno della libertà della grande città. Non sopporto più la mentalità provinciale del mio paese di origine", dice convinta. **6.** "Vi assicuro anche che, se fossi rimasta in Calabria, non sarei mai riuscita ad avere le mie soddisfazioni professionali!". La madre di Filomena annuisce. Da quando è morto il marito, diciotto anni fa, non ha mai smesso di portare il lutto. È la tradizione, e lei la rispetta. Però è anche fiera di Filomena, che si è costruita una vita libera da pregiudizi moralisti. **7.** "Ma per farlo doveva andarsene", sostiene rassegnata. **8.** E aggiunge: "Non è forse una donna ammirevole?".

(M. Namuth, *Internazionale* 824, 4 dicembre 2009)

1. _____
2. _____
3. _____
4. _____
5. _____
6. _____
7. _____
8. _____

2. TRASFORMIAMO

Trasforma le frasi dal discorso diretto a quello indiretto. Attenzione agli indicatori di tempo, di luogo e ai pronomi.

1. Rita telefonò all'ufficio personale della sua ditta e comunicò: "Oggi non vengo in ufficio perché ho l'influenza, domani vi porterò il certificato medico".

   _____

2. I signori Ponzio si scusarono con me dicendo: "Ci dispiace davvero molto ma c'è stato un imprevisto e non potremo venire a cena da voi domani sera".

   _____

3. Paolo urlava a Sara: "Sbrigati, la partita comincia fra poco. Possibile che tu riesca sempre a fare tardi?".

   _____

4. Al telefono da Berlino, dove si trovava per un Erasmus, Claudia mi disse contenta: "Qua non sono mai sola, tutti gli amici mi vengono a trovare! Non c'è nessuno che si lasci scappare l'occasione di visitare questa incredibile città!".

   _____

5. Antonietta riferì a Cristina: "Mi sono stupita di non aver incontrato Luca l'altro ieri al concerto di Branduardi: so che è un suo fan scatenato".

   _____

6. Grazia rispose al citofono a Daniele e disse: "Serena non c'è, è uscita proprio ora con il vostro amico Manuele".

   _____

7. Damian da Sidney chiamò Miriam a Tbilisi e lei l'informò: "L'anno prossimo io e la mia famiglia ce ne andremo dalla Georgia e verremo a vivere in Australia, proprio dove abiti tu!".

   _____

8. La segretaria rispose a Maria: "Il Signor Faiola non è più qui, è partito per un viaggio di affari in Estremo Oriente, tornerà fra dieci giorni".

   _____

9. Fui felicissimo quando il mio istruttore di judo mi disse: "Bravo Pierfranco, hai fatto grandi progressi rispetto al mese scorso. Continua così".

   _____

10. Donato cercò la madre a casa della vicina ma lei gli rispose: "No, Ester non c'è, ma è stata qui da me fino a venti minuti fa."

   _____

3. CHIEDILO A... FRANCA VALERI

Leggi l'intervista a Franca Valeri, famosa attrice comica milanese, e completa le frasi mettendo i verbi ai tempi e ai modi opportuni. Attenzione ai pronomi e agli indicatori temporali.

1. A 13 anni che cosa voleva fare?

Quello che faccio adesso: recitare e scrivere.

2. Ha il potere assoluto per un giorno: la prima cosa che fa?

Mangio qualcosa che mi piace. Adesso sono sempre a dieta.

Franca Valeri

3. Se la sua vita fosse un film, chi sarebbe il regista?

Sicuramente Vittorio De Sica.

4. All'inferno la obbligano ad ascoltare sempre una canzone: quale?

Una di quelle che ascoltano i tassisti.

5. Nel migliore dei mondi possibili dovrebbe essere abolita la parola?

Solare.

6. Entra in una stanza dove ci sono tre uomini: chi e perché attrae la sua attenzione?

Mi attira quello con l'espressione di curiosità. Nei miei confronti.

7. Oggi cos'è tabù?

Magari ce ne fossero!

8. Un bambino le chiede "perché si muore?". Cosa gli risponde?

Non si muore. Si vive sempre, non pensarci.

9. La vera differenza tra un bambino e un adulto?

Il bambino è più bello.

10. Come si immagina il paradiso?

Pieno di animali.

11. La sua casa brucia: cosa salva?

La prima cosa che mi capita, ho solo cose che amo.

12. Il vero lusso è?

Essere a posto con il proprio senso estetico.

13. Le rimangono 12 ore di vita: cosa fa?

Quello che sto facendo ora. Dodici ore non valgono altro che niente.

14. Cosa conta più dell'amore?

La cultura, ne sono convinta.

15. La volta che ha riso di più?

Quando mi è riuscito bene uno sketch.

16. Un posto dove non è mai stata e vorrebbe andare?

Il Perù.

17. Il suo più grande fallimento?

Difficile dirlo. Nel senso che non mi sono mai sentita fallita.

18. Una cosa che voleva e non ha avuto?

Sono stata fortunata, non ho desideri incompiuti.

19. Se le dico Italia, qual è la prima cosa che le viene in mente?

Non me lo chieda.

20. Come spiegherebbe a un bambino che cos'è la felicità?

Imparare a parlare, a esprimersi.

(http://dweb.repubblica.it)

Franca Valeri dice che:

1. a 13 anni _____
2. avendo il potere assoluto per un giorno, per prima cosa _____
3. se la sua vita fosse un film, il regista _____
4. se all'inferno la obbligassero ad ascoltare sempre una canzone, _____
5. la parola che dovrebbe essere abolita _____
6. entrando in una stanza dove ci fossero tre uomini, _____
7. di tabù oggi _____
8. risponderebbe al bambino che _____
9. la vera differenza tra un bambino e un adulto _____
10. si immagina che il paradiso _____
11. se la sua casa bruciasse, _____
12. il vero lusso consiste _____
13. se le rimanessero 12 ore di vita, _____
14. è convinta _____
15. la volta che ha riso di più _____
16. il posto dove vorrebbe andare _____
17. è difficile _____
18. non c'è una cosa che avrebbe voluto e non ha avuto, perché _____
19. è meglio _____
20. la felicità per un bambino consiste _____

4. IL TELEFONO SENZA FILI

Simone confida a Claudio un suo piccolo problema; la voce però comincia a circolare e, come sempre, ognuno aggiunge o modifica dei particolari, stravolgendone pian piano il contenuto originario.
Riscrivi al discorso indiretto le frasi dette dai vari personaggi.

1. Simone confessa a Claudio: "Ho litigato con Rossella e per questo non andrò all'appuntamento che abbiamo oggi pomeriggio". _____

2. Claudio dice a Veronica: "Simone ieri ha litigato con Rossella e per questo ha deciso di non andare all'appuntamento che avrebbero avuto domani". _____

3. Veronica racconta a Francesco: "Mi ha detto Claudio che Simone ha litigato con Rossella e per questo non si è presentato all'appuntamento di ieri". _____

4. Francesco parla con Alessandro dicendogli: "Simone ha litigato poco fa con Veronica e per questo avrebbe deciso di rimandare l'appuntamento con lei alla settimana prossima". _____

5. Alessandro incontra Riccardo e gli riferisce: "Mi ha raccontato Francesco che Simone ha lasciato Veronica perché non si è fatta viva all'appuntamento che si erano dati due giorni fa". _____

6. Riccardo allora va da Giorgio e gli spiffera subito la notizia: "Alessandro mi ha detto proprio adesso che Simone non sta più con Veronica. Sembra che lei gli abbia dato un appuntamento e che quando lui si è recato sul posto l'abbia trovata abbracciata a un altro". _____

7. Giorgio si precipita da Marta e le dice: "Riccardo mi ha riferito che Veronica ha messo le corna a Simone perché lui non andava mai agli appuntamenti". _____

_____

8. Marta, eccitata, va da Noemi e le sussurra: "Simone è libero: dagli un appuntamento". _____

_____

5. LE BUGIE BISOGNA SAPERLE DIRE (terza parte)

Riscrivi il testo usando solo il discorso indiretto.

Trovò Isabella che doveva essere rientrata da poco, a giudicare dal fatto che aveva ancora addosso gli abiti di fuori. Corrado stava per spiattellarle la progettata bugia, ma la donna lo prevenne.
"Scusami, ho fatto tardi", disse "perché sono stata alla conferenza del commendator Ciclamino."
Corrado si morse le labbra. Stava per farla grossa. Fortuna che Isabella, precipitosa come sempre, aveva parlato per prima. Se lui avesse detto subito la sua bugia, la moglie avrebbe scoperto tutto.
Pensò fra sé: "Quel Carolli, però, che imbecille! Perché ha asserito con tanta fermezza una cosa di cui evidentemente non è certo? Adesso devo trovare subito una bugia di ripiego".
"Anch'io ho fatto tardi", mormorò Corrado guardando di sottecchi la moglie, "sono stato a far visita a Della Pergola, che sta poco bene".
Era la prima bugia che gli fosse venuto da dire. Della Pergola era un amico di casa. Corrado notò che Isabella aveva corrugato leggermente le sopracciglia. "Che abbia indovinato che mento?" pensò. Alla fine Corrado preferì cambiar discorso e per tutta la sera parlarono d'altro.
L'indomani Corrado trovò il collega d'ufficio.
"Per poco non mi mettevi in un bel pasticcio, ieri sera" gli disse.
"Perché?" domandò l'amico.
"Ma come? Mi assicuri che mia moglie ieri pomeriggio non era alla conferenza di Ciclamino e …"
"E non c'era." ribadì.
"È probabile che tu non l'abbia vista tra la folla. Non dovevi assicurarmi una cosa di cui non potevi essere certo." lo rimproverò Corrado.

(A. Campanile, *Manuale di conversazione*, Rizzoli)

_____

_____

_____

_____

_____

_____

_____

_____

_____

_____

_____

_____

... il finale del racconto è nell'Unità 12.

6. MODI DI DIRE

Riscrivi le frasi al discorso indiretto, sostituendo i modi di dire in blu con le espressioni nel riquadro (attenzione, ce n'è una di troppo), e inserisci nelle caselle a fine riga le sillabe abbinate. Alla fine, leggendo in ordine le sillabe, otterrai il modo di dire per l'espressione in più.

1. Dopo l'ingiusto rimprovero ricevuto dal direttore del personale, Mario ha detto: "Ho ingoiato il rospo senza fiatare!"

   Dopo l'ingiusto rimprovero ricevuto dal direttore del personale, Mario ha detto _____

   _____ ☐

2. Avendo spettegolato molto su Giulio, gli amici dicono di lui: "Gli fischieranno le orecchie!".

   Avendo spettegolato molto su Giulio, gli amici dicono _____

   _____ ☐

3. Dopo avere ricevuto il consiglio di proporre la sua candidatura e soffiare la promozione alla collega, Amelia rispose: "Non voglio fare le scarpe a nessuno!".

   Dopo avere ricevuto il consiglio di proporre la sua candidatura e soffiare la promozione alla collega, Amelia rispose _____

   _____ ☐

4. Nel vedere l'arrivismo arrogante dei giovani, il vecchio saggio li ammonì: "Vi ritroverete con un pugno di mosche!".

   Nel vedere l'arrivismo arrogante dei giovani, il vecchio saggio li ammonì _____

   _____ ☐

5. Dopo una lunga partita, parlando della sconfitta a scacchi di Natalia gli amici commentarono: "Ha venduto cara la pelle!".

   Parlando della sconfitta a scacchi di Natalia dopo una lunga partita, gli amici commentarono _____

   _____ ☐

6. A proposito dell'abitudine di Luca di fare pressione sulle sue fidanzate per sposarlo, sua madre gli raccomandò: "Da' tempo al tempo!".

   A proposito dell'abitudine di Luca di fare pressione sulle sue fidanzate per sposarlo, sua madre gli raccomandò _____

   _____ ☐

7. Avendo assistito alla scenata di Antonio per un nonnulla, Gaetano lo ammonì: "Non dovresti perdere le staffe in questo modo!".

   Avendo assistito alla scenata di Antonio per un nonnulla, Gaetano lo ammonì _____

   _____ ☐

8. A sentire i dubbi di Diana sul comportamento di suo marito, l'amica le consigliò: "Mettilo con le spalle al muro!".

   A sentire i dubbi di Diana sul comportamento di suo marito, l'amica le consigliò _____

   _____ ☐

9. Cristiano, vedendo che Andrea si dimostrava ipocritamente pentito di averlo offeso, sbottò: "Smettila di piangere lacrime di coccodrillo!".

   Cristiano, vedendo che Andrea si dimostrava ipocritamente pentito di averlo offeso, sbottò _____

   _____ ☐

a. non (ottenere) nessun risultato. |la|

b. (avere) la sensazione che qualcuno parli di lui in sua assenza. |glie|

c. (approfittare) di un'improvvisa opportunità favorevole. |so|

d. non (doversi) arrabbiare così facilmente. |al|

e. non (lasciargli) alternative. |bal|

f. (finirla) di fingersi rammaricato. |zo|

g. non (arrendersi) facilmente, (lottare) fino alla fine. |pal|

h. (avere) pazienza. |la|

i. (rifiutarsi) di rubare il posto a qualcuno. |re|

l. (sopportare) una critica ingiusta senza reagire. |co|

10. _____

7. UN ALTRO CASO PER L'ISPETTORE INVESTIGONI

Leggi il testo e poi scrivi le deposizioni dei sospetti usando il discorso diretto. Attenzione agli indicatori di tempo, di luogo e ai pronomi.

Una villa isolata è stata visitata dai ladri. Sul sentiero che reca all'edificio sono state rilevate una serie di orme lasciate da quattro uomini diversi: esse sono nitide, perché il terreno è umido a causa della pioggia, durata fino alle 21.30. L'ispettore Investigoni riesce a rintracciare le quattro persone e le interroga. L'uomo che ha lasciato le impronte contrassegnate dal n. 1 dichiara di essere passato sul sentiero verso le 22; il sospetto n. 2 afferma di essere uscito da casa sua, vicinissima alla villa, appena smesso di piovere; il n. 3 sostiene che stava passeggiando con tutta calma sul sentiero verso le 22.20; il n. 4 dice che era lì intorno alle 22.40.

Ascoltate le deposizioni, l'ispettore pensa che due di loro hanno sicuramente mentito. Chi?

Sospetto n. 1: "_____ "

Sospetto n. 2: "_____ "

Sospetto n. 3: "_____ "

Sospetto n. 4: "_____ "

Ora guarda la figura e scrivi chi sono i due sospetti che hanno mentito.

Hanno mentito i sospetti n. ____ e n. ____

8. DICIAMOLO DIRETTAMENTE!

Trasforma le frasi dal discorso indiretto a quello diretto.

1. Il comandante disse ai suoi soldati di attaccare i nemici allo squillo delle trombe.

2. Ieri sera mio figlio non voleva dormire e ha insistito affinché gli raccontassi ancora una fiaba.

3. Fabio ti aveva promesso che non sarebbe stato via a lungo e sarebbe tornato dopo tre mesi.

4. Il questore ordinò al direttore del carcere che le guardie rilasciassero i prigionieri.

5. Rimasi molto delusa quando il mio ragazzo mi disse che non era la prima volta che visitava Londra e che c'era già stato in vacanza con una sua vecchia fiamma.

6. Dopo aver parlato a lungo con lei, Francesco giurò a Luisa che da quel momento in poi le avrebbe sempre dato retta e avrebbe seguito i suoi consigli.

7. Gli studenti pregavano ripetutamente il professore di spostare la verifica alla settimana successiva.

8. Mio fratello mi confidò che temeva che le chiavi di casa gli fossero cadute dalla tasca mentre era in motorino e che sarebbe stato difficile ritrovarle.

9. L'impiegato comunicò ai clienti della banca che il sistema informatico si era bloccato, ma che sarebbe ritornato in funzione di lì a poco.

10. Fabrizio va dal barbiere e gli dice di spuntargli i capelli di qualche centimetro.

9. UN TURCO IN ITALIA

Leggi il testo e poi scrivi le affermazioni di Ferzan Özpetek usando il discorso diretto.

Ferzan Özpetek è nato ad Istanbul, nella zona di Fenerbahçe, nel 1959. Il suo nome in turco significa "l'ultima luce del tramonto". Strano destino per un regista che sbanca sempre i botteghini e allinea la critica su posizioni entusiastiche: sensibile, sincero, intenso, raffinato, elegante, passionale, essenziale, oggettivo, emblematico e ponte tra due culture. Residente in Italia da trentacinque anni, extracomunitario regolarizzato e onesto pagatore di tutte le tasse, Ferzan, divertito, ci ha raccontato di essere stato per lungo tempo considerato come un bravo regista italiano dalle lontane origini turche, fino al momento in cui qualcuno lo propose come candidato all'Oscar per il migliore film italiano, cosicché molti si affrettarono a ridefinirlo un "regista turco con profonde conoscenze dell'Italia".

Giunto in Italia nel 1976, Özpetek si è iscritto alla scuola di arte drammatica Silvio D'Amico poi ha scelto di studiare Lettere all'università. L'Italia, e Roma in particolare, da quel momento in poi sono diventate la sua casa, il luogo dove crescere. Dichiara che la nostra cultura lo affascina, perché siamo gente che trasmette una positività che lo trascina: quell'umano troppo umano che incontra è un innamoramento per la vita e pensa che non esista al mondo un altro luogo con mille diversità culturali che spaziano dalla letteratura alla pittura e al cibo, che convivono in così pochi chilometri e che danno il peso di una cultura immensa e stratificata per cui non bastano sette vite per conoscerla tutta. Ci ha confessato, inoltre, che quando era venuto a vivere a Roma, era rimasto molto stupito dalla sua portiera perché faceva le pulizie per le scale cantando romanze della Tosca e del Rigoletto, di cui conosceva perfettamente le parole, malgrado non fosse mai stata all'Opera.

Ferzan nel tempo ha mantenuto le sue vecchie abitudini e abita sempre nel piccolo appartamento al primo piano dello stesso brutto palazzo dove era arrivato trentacinque anni fa, accanto ai vecchi Mercati Generali. Svela la sua intenzione di voler comprare, un appartamento alla volta, tutto il palazzo, in modo che, dopo la sua morte, diventi un ostello per gli studenti del centro di cinematografia che non sanno dove abitare, proprio come lui all'inizio. Gira in autobus e metropolitana, va al supermercato per la spesa e fa la fila agli sportelli degli uffici. Si domanda perché nei posti pubblici si trovino sempre più spesso impiegati che alzano la voce, come se lui fosse sordo, appena sentono un nome straniero. Ci sono inoltre situazioni che lo addolorano, come vedere anziani dignitosi andare al mercato per racimolare gli scarti di frutta e verdura.

Negli anni non ha mai smesso di continuare a frequentare le stesse persone che frequentava quando era povero e misconosciuto: ci ha detto, infatti, di essere sicuro che loro gli vogliono bene per quello che è e non per quello che guadagna, che spende, comunque, quasi tutto con loro, con i suoi amici, con quella che loro chiamano "la tribù", e quindi alla fine afferma di essere povero quasi quanto prima. Ricorda che quando si erano conosciuti, avevano messo in piedi una sorta di comune, un porto di mare dove, soprattutto la domenica, giorno che ha sempre detestato, si preparava quello che avevano ribattezzato pranzo della Caritas, perché tutti erano invitati. Adesso le cose sono cambiate: sono diventati grandi e il quartiere è diventato di moda, con molti locali e una sua vita notturna. Però, quando gli è possibile, cercano di rispettare la tradizione.

(www.disp.let.uniroma1.it)

1. Ferzan ha raccontato divertito:

2. Ferzan dichiara:

3. Ferzan ha confessato:

4. Ferzan svela:

5. Ferzan si domanda:

6. Ferzan ha detto:

7. Ferzan ricorda:

10. UN RICCO FURBONE

Riscrivi il testo inserendo i dialoghi.

Un uomo entrò in una banca e chiese all'usciere di parlare con un funzionario addetto ai prestiti. Accolto nell'ufficio del bancario, gli spiegò che doveva recarsi in viaggio all'estero per due settimane e che aveva bisogno di un prestito di 5000 euro.

Il funzionario gli rispose che la banca richiedeva alcune forme di garanzia per concedere un prestito. Così l'uomo tirò fuori un mazzo di chiavi dicendo che quelle erano di una Ferrari nuova fiammante parcheggiata in strada di fronte alla banca; consegnò anche il libretto di circolazione e i documenti dell'assicurazione. Il funzionario accettò di ricevere l'auto come garanzia e gli concesse il prestito. Il presidente della banca e i suoi funzionari risero alle sue spalle affermando che uno che utilizza una Ferrari da 200 mila euro come garanzia di un prestito di 5000 è di certo uno stupido.

Un impiegato della banca si mise alla guida della Ferrari e la parcheggiò nel garage sotterraneo della banca. Due settimane più tardi il proprietario dell'auto ritornò, restituì i soldi presi in prestito e pagò gli interessi pari a 15 euro e 41 centesimi. Il solito funzionario gli disse che erano veramente lieti di averlo avuto come cliente e che quell'operazione era andata molto bene. Aggiunse anche che erano un po' confusi perché alcuni giorni prima avevano assunto qualche informazione sul suo conto ed erano venuti a sapere che era un multimilionario. Si chiedevano, pertanto, perché si fosse dato la pena di chiedere quel prestito di 5000 euro.

L'uomo rispose chiedendo se loro conoscessero in città un posto dove parcheggiare per due settimane la Ferrari a soli 15 euro e 41 centesimi e avere la certezza di ritrovarla al ritorno…

(www.madvero.it)

_____
_____
_____
_____
_____
_____
_____
_____
_____
_____

11. QUANTE DOMANDE!

Trasforma le frasi interrogative dirette in indirette.

1. Mauro chiese ad Andrea:
   a. "Da quale binario parte il treno per Livorno?"
   b. "Quanto è costato il biglietto di prima classe?"
   c. "È un diretto o dovrò cambiare a Pisa?"

   _____
   _____
   _____

2. Ivana domandò a Magda:

    a. "A che ora comincerà la riunione con la direttrice venerdì prossimo?"

    b. "Qual è l'ordine del giorno?"

    c. "Sono state prese decisioni importanti nella riunione precedente?"

    _____

    _____

3. Giampaolo ha chiesto a Maura:

    a. "Hai compilato la domanda di trasferimento?"

    b. "Dove andrai se accetteranno la tua domanda?"

    c. "Sei sicura di volerti trasferire? Non ti trovi bene qui?"

    _____

    _____

4. Lucia ha domandato a Emiliano e a Lello:

    a. "Dove andrete di bello in vacanza?"

    b. "Questo è il depliant dell'hotel che avete prenotato?"

    c. "Vi siete assicurati che accettino animali?"

    _____

    _____

5. Amalia ha chiesto a Lamberto:

    a. "Secondo te, nel caso piova il concerto si farà lo stesso?"

    b. "Nel caso decidessi di venire al concerto con te, troverei ancora i biglietti?"

    c. "Avresti pagato di meno i biglietti se li avessi comprati al botteghino?"

    _____

    _____

    _____

12. INTERVISTA AD ALESSANDRO BORGHESE

A. Leggi l'intervista e riscrivi le domande e le risposte usando la forma indiretta.

1. **Quando hai deciso che volevi diventare uno chef?**

    A 17 anni avevo già ben chiaro in mente che volevo fare questo mestiere; non ho mai pensato di far parte del mondo dello spettacolo, anche se poi in seguito ci sono finito lo stesso.

2. **Quali esperienze lavorative hai avuto prima di approdare in televisione?**

    La prima esperienza lavorativa l'ho fatta per tre anni sulle navi da crociera, dove ho iniziato la gavetta come lavapiatti; ho conosciuto tantissima gente di tutte le nazionalità, ho imparato a lavorare in gruppo e ho preso tante padellate in testa (che in seguito ho restituito!). Poi ho lavorato in giro un po' per tutto il mondo: San Francisco, Londra, New York, Milano, Perugia.

3. **Qual è la caratteristica più importante che deve avere una persona che vuole diventare un bravo chef?**

Sicuramente l'umiltà e la tenacia, perché bisogna imparare dagli altri e non mollare mai davanti alle difficoltà, proprio mai!

4. **Hai un ristorante o un locale? E se sì, dove?**

In questo momento non ho un locale mio, anche se in passato ne ho avuti, ma ho qualche progetto, e all'orizzonte c'è la possibilità di crearne uno, magari partendo proprio da Milano.

5. **Di cosa sei più goloso?**

Di tutto, sono onnivoro e goloso di molte cose.

6. **Vino bianco o rosso?**

Sono stagionale, amo tutti e due ma preferisco il bianco d'estate, il rosso d'inverno e lo champagne tutto l'anno.

7. **Se fossi un cibo cosa saresti?**

Un tiramisù.

8. **Cosa ti dicono più spesso?**

Come mi sia venuto in mente di fare lo chef.

9. **Ti piacciono gli animali?**

Tantissimo, ma non ne posseggo perché non sono quasi mai a casa e non avrebbe senso tenere un animale per lasciarlo solo tutto il giorno.

10. **Che musica ascolti? Suoni qualche strumento?**

La musica mi piace tutta: jazz, blues, classica, hip-hop, non ho confini. Per quanto riguarda lo strumento musicale avevo cominciato a suonare il sassofono ma, visto la complessità dello strumento, ho abbandonato perché mi portava via troppo tempo, che volevo invece dedicare alla mia prima passione: la cucina.

11. **Il viaggio più bello che hai fatto?**

Lo identifico con il periodo di tempo che ho passato sulle navi da crociera, con le quali ho girato tutto il mondo: in quegli anni la mia casa era la nave sulla quale lavoravo. È stata un'esperienza bellissima e nello stesso tempo anche drammatica, perché nel 1994 ho affrontato un naufragio sulle coste del Sud Africa, a bordo dell'Achille Lauro: ho passato tre giorni a bordo di una zattera nel mezzo dell'oceano aspettando i soccorsi!!!

12. **Sei impegnato sentimentalmente?**

Non lo sono da circa 5 anni, perché con il mio mestiere è molto difficile poter dedicare del tempo e delle attenzioni costanti a una persona, non esistendo orari, sabati e domeniche, festività, ecco è davvero dura avere un rapporto fisso anche se lo desidero molto: diciamo che ancora non ho trovato la donna giusta.

13. **Ti fidanzeresti con una cuoca?**

È difficile! Ma la mia lei dovrebbe comunque sapere cucinare. Adesso che ci penso: se fosse una cuoca potremmo cucinare a giorni alterni.

(http://blog.giallozafferano.it)

1. L'intervistatore chiede ad Alessandro _____

    Alessandro risponde che a 17 anni _____

    _____

2. _____

    _____

    _____

3. _____

    _____

    _____

4. _____
_____
_____

5. _____
_____
_____

6. _____
_____
_____

7. _____
_____
_____

8. _____
_____

9. _____
_____

10. _____
_____

11. _____
_____

12. _____
_____

13. _____
_____
_____

B. Il simpaticissimo Alessandro è anche protagonista di vignette culinarie. Eccone un esempio, da completare usando il discorso diretto.

Pollicino dice di essere sicuro di aver lasciato le briciole per ritrovare la strada.
Alessandro dice che la panatura è perfetta e che nessuno grattugia il pane come Pollicino.

13. UN PO' DI BUONUMORE

Riscrivi i testi usando il discorso diretto e collegali alle vignette.

☐ a. La persona A domandò se non si fosse ancora collegato a Internet.

☐ b. La persona B affermò che non serviva che le facesse vedere i muscoli ma bastava il palmo della mano.

☐ c. La persona C chiese alla mamma se quella notte potesse andare a dormire a casa del suo nuovo amico.

☐ d. La persona D ordinò di interrompere i lavori perché la sua mamma aveva cambiato idea e sarebbero andati in montagna.

☐ e. La persona E annunciò che il prossimo sarebbe stato Marco Rocci, che avrebbe dato una dimostrazione di quello che accadde all'antica città di Pompei.

☐ f. La persona F commentò che sarebbe stato un bel match, perché sua moglie voleva sempre avere l'ultima parola.

☐ g. La persona G annunciò di averle finalmente comprato il cucciolo che lei desiderava tanto.

☐ h. La persona H avvertì di fare attenzione, perché sotto ci sarebbe potuto essere un berretto che aveva perso il giorno prima.

☐ i. La persona I consigliò che fosse meglio che si scegliesse un altro posto e la piantasse di fare il portiere.

CORRELAZIONE TEMPORALE E MODALE

Riprendendo l'argomento della concordanza verbale (Unità 2) e quello della relazione temporale nel modo congiuntivo (Unità 4), verrà offerta in quest'ultima unità una panoramica completa della correlazione dei modi e dei tempi.

1 Quando la frase principale esprime certezza:

TEMPO DELLA PRINCIPALE	TEMPO DELLA SUBORDINATA	AZIONE
presente indicativo	presente indicativo	*contemporanea*
	futuro semplice	*posteriore*
	passato prossimo o remoto	*anteriore*
imperfetto indicativo	imperfetto indicativo	*contemporanea*
	condizionale passato	*posteriore*
	trapassato prossimo	*anteriore*
futuro semplice	futuro semplice	*contemporanea*
	futuro semplice	*posteriore*
	futuro anteriore, passato prossimo o remoto	*anteriore*
passato remoto	imperfetto indicativo o passato remoto	*contemporanea*
	condizionale passato	*posteriore*
	trapassato prossimo o remoto	*anteriore*
passato prossimo trapassato prossimo	imperfetto indicativo	*contemporanea*
	condizionale passato	*posteriore*
	trapassato prossimo	*anteriore*

2 Quando la frase principale esprime possibilità, irrealtà, opinione e sentimento:

TEMPO DELLA PRINCIPALE	TEMPO DELLA SUBORDINATA	AZIONE
presente indicativo	presente congiuntivo	*contemporanea*
	presente congiuntivo o futuro semplice	*posteriore*
	congiuntivo passato	*anteriore*
imperfetto indicativo	imperfetto congiuntivo	*contemporanea*
	condizionale passato	*posteriore*
	trapassato congiuntivo	*anteriore*

TEMPO DELLA PRINCIPALE	TEMPO DELLA SUBORDINATA	AZIONE
futuro semplice	presente congiuntivo	*contemporanea*
	congiuntivo passato	*anteriore*
passato remoto	congiuntivo imperfetto	*contemporanea*
	condizionale passato	*posteriore*
	congiuntivo trapassato	*anteriore*
passato prossimo trapassato prossimo	imperfetto congiuntivo	*contemporanea*
	congiuntivo trapassato	*posteriore*
	condizionale passato	*anteriore*

ESERCIZI

1. **PRIMA, DURANTE E DOPO**

Coniuga i verbi al tempo e al modo opportuno, seguendo le indicazioni relative al tipo di azione (c = contemporanea, p = posteriore, a = anteriore).

1. Parlando con Cristiana dell'incidente capitato a Mirco mi accorsi che non ne (sapere) _____ ancora niente. Ⓒ

2. Ci illudemmo che, finita la guerra, tutto (tornare) _____ alla normalità, ma certe ferite sono difficili da sanare. ⓟ

3. Perché temi che Orazio non (riuscire) _____ a finire in tempo il suo lavoro? È un tipo in gamba e tu lo stai sottovalutando. Ⓒ

4. Dopo i litigi degli ultimi tempi, credevo che mio zio (riconciliarsi) _____ con mia cugina, invece non si parlano ancora. ⓐ

5. Il candidato si augura che il colloquio (andare) _____ ⓐ bene e che la ditta (decidere) _____ di assumerlo. ⓟ

6. Il giudice sapeva perfettamente che (essere) _____ l'imputato a commettere il furto. ⓐ

7. Riferirò a Brigitta che l'aereo su cui viaggiate (arrivare) _____ in ritardo a causa dello sciopero. ⓟ

8. A distanza di anni, Velia si è convinta che (essere) _____ uno sbaglio non comprare casa vicino ai suoi genitori. ⓐ

9. Non potremo uscire fin quando Marzia non ci (riportare) _____ la macchina che le abbiamo prestato. ⓟ

10. La Polizia temeva che all'uscita dei deputati dal Parlamento (scoppiare) _____ un tumulto tra la folla. ⓟ

2. E ADESSO PUBBLICITÀ

Riordina le parti del testo, come nell'esempio.

CAROSELLO **era un programma pubblicitario trasmesso per vent'anni dalla Rai dopo il telegiornale della sera. Ebbe un notevole successo e fu molto amato da grandi e piccini.**

Dopo Carosello, tutti a nanna!

a. CAROSELLO nasce nel lontano 1957, in pieno boom economico, a pochi anni dall'avvento della televisione in Italia. La pubblicità fino ad allora

b. che è rimasto indissolubilmente legato CAROSELLO con l'ormai arcinoto invito "Dopo Carosello, tutti a nanna!". Ancora oggi questa frase riecheggia, essendo divenuta quasi un modo di dire, senza che i bambini dei giorni nostri

c. avvenne in tutta fretta la notte precedente la prima messa in onda TV, il 3 febbraio 1957, con la sigla ideata e diretta dal duo Emmer e Taurelli. Gli spot dovevano essere girati in bianco e nero e ognuno

d. pubblicizzavano i loro prodotti, alla voglia di consumismo e di benessere dopo i tanti anni di guerre e difficoltà, alla fantasia dei bambini che

e. aveva cominciato le proprie trasmissioni Rai Due ed erano nati altri programmi pubblicitari di più corta durata. Il 1° gennaio 1977, con grande delusione di tutti gli appassionati, CAROSELLO andava in onda per l'ultima volta.

f. doveva durare due minuti e quindici secondi, con un massimo di 35 secondi di pubblicità. Ogni carosello racchiudeva quattro spot e andava in onda tutti i giorni dopo il telegiornale, sull'allora unico canale Rai. Negli anni successivi

g. iniziavano a conoscere un mondo nuovo visto fino ad allora solo al cinematografo e fatto anche di volti di cui avevano solo sentito parlare o letto su libri e giornali. Ed è proprio ai bambini

h. vennero apportate modifiche marginali: dalla durata degli spot, alle sigle, alla scena iniziale e ai siparietti che non hanno per nulla affievolito l'interesse dei telespettatori. Nel frattempo

i. sappiano veramente cosa sia e, soprattutto, cosa sia stato CAROSELLO. Anche perché adesso, probabilmente, gli orari della "nanna" sono completamente diversi.
La nascita di CAROSELLO

l. appariva sulla cartellonistica oppure con passaggi radiofonici. L'impatto di CAROSELLO è stato una molla trainante per tutti: dalle aziende che

1. a   2. ___   3. ___   4. ___   5. ___   6. ___   7. ___   8. ___   9. ___   10. ___

3. MODIFICHIAMO

Sostituisci la parte di frase sottolineata con una subordinata. Attenzione ai tempi e ai modi dei verbi.

1. Non siamo potuti uscire di casa <u>a causa della forte grandine</u>.

2. È meglio che gli alpinisti raggiungano la vetta prima <u>del tramonto del sole</u>.

3. Gli spettatori in sala piangevano <u>per la grande commozione</u>.

4. Andrea è guarito <u>grazie alle pazienti cure di sua madre</u>.

5. Bisogna finire l'allestimento dello stand prima <u>dell'inaugurazione della fiera</u>.

6. Siete rimasti sorpresi <u>di fronte a quell'inaspettato invito di Luca</u>.

7. Sono contenta che siate riusciti ad arrivare a casa mia malgrado <u>i disagi provocati dai lavori stradali</u>.

8. In stazione Amleto si è messo a correre per <u>il timore di non riuscire a salutare Vincenzo prima della partenza</u>.

4. LAVORIAMO CON LA CONCORDANZA

Scrivi le frasi come nell'esempio.

1. Martina credeva che prima suo figlio (studiare) già abbastanza (meritare) un po' di riposo, visto che il giorno dopo (avere) l'esame.

   Martina credeva che suo figlio avesse studiato abbastanza e meritasse un po' di riposo, visto che il giorno dopo avrebbe avuto l'esame.

2. Il mio ragazzo supponeva che io (uscire) dall'ufficio da un'ora, (essere) bloccata nel traffico, ma che (arrivare) comunque dopo pochi minuti.

3. Alberto riteneva che la sua segretaria (lavorare) troppo negli ultimi tempi e che (avere) bisogno di una vacanza, altrimenti non (resistere) molto allo stress.

4. Antonello non sopportava che il giorno prima suo fratello (vincere) la partita a tennis con lui e ancora (vantarsi) con gli amici dicendo che l'indomani (ritirare) il premio.

5. Alla fine della cena, la padrona di casa si augurava che i suoi ospiti (gradire) la sua cucina e le (fare) i complimenti, così lei (sentirsi) soddisfatta.

6. Finita la festa, Barbara aveva paura che Giuseppe (bere) troppo vino e (essere) ubriaco; perciò decise che (guidare) lei la macchina per tornare a casa.

5. COMPLETIAMO

Completa le frasi con i verbi nel riquadro al tempo opportuno.

> camminare • darsi • essere • imballare • potere • riconoscere • rivelarsi • sapere

1. I magazzinieri _____ le casse per tutta la notte affinché domani mattina tutto sia pronto per la spedizione.
2. Maria Grazia non _____ per vinta fin quando non ha visto i risultati dei suoi sforzi.
3. Antonietta _____ felicissima, perché il giorno dopo avrebbe rivisto Enrico dopo ben vent'anni di lontananza.
4. Sebbene avessero organizzato tutto alla perfezione, il ricevimento _____ veramente noioso.
5. Non (noi) _____ più che pesci pigliare, visto che ormai avevamo finito tutti i soldi in banca.
6. Gli escursionisti _____ così tanto che, appena arrivati in albergo, andarono subito a dormire.
7. Finché ci sarà un governo così instabile, la nostra nazione non _____ dare alcun segno di ripresa.
8. Per quanto Emilio e Sabrina si sforzino nell'aiutare gli altri, nessuno _____ mai la loro generosità.

6. CACCIA ALL'ERRORE

Leggi il testo e individua le forme verbali errate.

Italia 150°
CAMILLO
il panettone
dell'Unità d'Italia

Camillo Benso conte di Cavour

Un panettone per festeggiare i 150 anni d'Italia. Le celebrazioni per il 150esimo dell'unità d'Italia prevedono anche un panettone speciale, in vendita da ieri a Torino. Si chiama Camillo, in onore del conte di Cavour e lo si può acquistare in un negozio poco distante da dove sarebbe originariamente la sede del primo parlamento italiano.

È un normale panettone che riprenda tutta la tradizione piemontese non solo per il nome e la ricetta, ma soprattutto per gli ingredienti: mele di Cavour, nocciole Piemonte Igp, cioccolato di Torino e marron glacè della Val di Susa. L'idea, come riporta il sito di Repubblica, sarà del pasticcere Andrea Perino, proprietario di un forno sito in via Cavour a Torino, secondo la guida Reed Gourmet, il miglior panificio d'Italia.

Perino ha pensato a Cavour sia per il suo ruolo nell'unità d'Italia sia per le sue doti come l'umiltà, "cosa che oggi" spiegò "non ha più nessuno". La prima sfornatura ha visto 150 panettoni, proprio come gli anni dell'unità d'Italia. Lievitato naturalmente, "Camillo" del Piemonte ha molte caratteristiche: soffice e ricco, sia di sapori, sia di profumi, con una sottilissima crosta e un retrogusto acidulo che avrà spazzato via il rischio del dolce stucchevole.

"È per via dei cinque cereali: segale, riso, orzo, avena e frumento" dice Perino. "Il nostro obiettivo è far tornare la gente nel centro città – spiegò – prendendola anche un po' per la gola, approfittando delle celebrazioni per i 150 anni. Abbiamo fatto anche una torta, la "Cavour 150". C'è tutto il Piemonte dentro: dal cioccolato alle nocciole, dal maraschino alle mandorle, alla vaniglia.

(www.ilsussidiario.net)

7. IN TRENO

Leggi il testo e completa le frasi.

Galateo sulla freccia rossa

Gli italiani hanno molti problemi in questa fase storica. Ne hanno di seri e ne hanno di marginali.

Anche il progresso sostenibile rischia di metterli in crisi. Per dire: avevano ormai imparato a essere sciolti e a darsi arie in aereo, ma non riescono a far bella figura sull'alta velocità. Sui treni che, fino all'entrata in funzione della Frecciarossa, erano considerati un mezzo di trasporto poco prestigioso. Nella maggior parte dei casi poi lo è, cioè viaggiare in treno potrebbe essere bellissimo, però non credo che i pendolari che viaggiano su tratte particolarmente disagiate possano essere d'accordo su questo. Ma il Milano-Roma in tre ore sta soppiantando l'aereo, e ci sono ormai delle frasi fatte sul tema: "Ma vuoi mettere, niente ingorgo verso l'aeroporto, niente metal detector, si parte dal centro città e si arriva in centro, mi metto comodo e posso lavorare/dormire/leggere finalmente *Guerra e Pace* e finirlo prima di Piacenza ecc. ecc".

Ci sono le frasi fatte, ma non c'è ancora un galateo dell'alta velocità. E molti habitué che sulla Linate-Fiumicino sembravano irreprensibili (sapevano anche piegare perfettamente e in pochi decimi di secondi il loro cappottino blu manageriale prima di metterlo sul nastro rotante), nell'apparente più affabile vagone del treno spesso risultano dei gran cafoni. O forse, a volte, vengono svelati come tali. Forse in aereo seguivano le regole con abilità e scioltezza perché obbligati e guardati a vista dagli assistenti di volo. Perché i voli di linea sono uno dei pochi spazi italiani (sempre meno italiani) dove esiste la certezza della pena. I passeggeri che tengono un cellulare acceso, finiscono nei guai. Sul treno no. Distinti signori vestiti da similbanchieri affliggono l'intera carrozza con suonerie tunz-paraparatunz (e non si pensava conoscessero tali sonorità, forse gliele hanno impostate figli o giovani fidanzate di scarsa cultura musicale) sparate a volume da discoteca. I similbanchieri rispondono dopo ponderata riflessione, poi procedono a informare gli altri passeggeri dei loro impegni lavorativi, del collega Nardozzi che è un infame, di quello che si sono mangiati la sera prima. Le similbanchiere donne fanno lo stesso, anzi di più. Basta sedere a sole sei file di distanza da loro, basta un'ora tra Milano e Bologna, e si verranno a sapere tutte le loro vicende professionali e in più (bonus) sgrideranno compagni apatici/avranno una crisi di nervi contro amanti inaffidabili/faranno prediche a figli che hanno preso votacci. Sono insopportabili ma almeno sono interessanti.

Il peggio del peggio, in treno, è la mammina con bambino, maschio e amatissimo. In aereo lo terrebbe buono. In treno lo fa trastullare per due ore e mezza filate con un videogioco che fa rumori sinistri in sensurround appena il piccino tocca la tastiera. Chiederle di abbassare il volume la offende, comincia a urlare e accusa l'interlocutore di essere mosso da turbe pedopornografiche. Gli altri, alla stessa richiesta, non reagiscono così male. Tacciono stupiti e basta. Non silenziano lo smartphone. Ti guardano solo malissimo, pensando "e la miseria, guarda che buzzurri si incontrano sui treni". In effetti. Buon viaggio.

(M.L. Rodotà, Style – Corriere della Sera, International Edition)

1. Gli italiani in aereo _____ ma non riescono a far bella figura sul treno.
2. Prima che _____, i treni erano considerati un mezzo di trasporto poco prestigioso.
3. Nonostante _____, non c'è ancora un galateo dell'alta velocità.
4. Sebbene i viaggiatori in aereo _____, sul treno spesso risultano dei gran cafoni.
5. È un peccato che i voli di linea _____.
6. Sul treno se si tiene il cellulare acceso _____.
7. Succede spesso che distinti signori vestiti da similbanchieri _____.
8. È sufficiente sedersi a sei file di distanza per _____.
9. La mammina, appena si chiede di abbassare il volume, _____.
10. Gli altri ti guardano male e pensano che _____.

8. LE BUGIE BISOGNA SAPERLE DIRE (quarta e ultima parte)

Scegli la forma verbale corretta.

"Anzitutto, alla conferenza eravamo quattro gatti, quindi, se tua moglie ci fosse stata, l'avrei vista. In secondo luogo, del fatto che non ci **sia/fosse/era** ero ben certo per la semplice ragione che, pochi minuti prima di incontrare te, **avevo incontrato/ho incontrato/ebbi incontrato** lei che mi aveva domandato: "Sa per caso se alla conferenza c'era mio marito?" e le avevo detto che non **ci fosti/ c'eri stato/c'eri**. Quindi è chiaro che non c'era nemmeno lei, altrimenti non avrebbe domandato a me...".
Corrado non capiva. Allora era Isabella che aveva detto una bugia a lui. Ma per quale ragione?
"Ma come può essere" insisté "che mia moglie **ha voluto/abbia voluto/aveva voluto** sapere se io c'ero? Forse hai capito male".
"Ma fammi il piacere! Quando me l'ha detto **era/fu/è stato** con lei quel vostro amico di casa, come si chiama..."
"Della Pergola?" suggerì con lo sguardo nel vuoto.
E al "sì" del collega, **rimase/era rimasto/rimanesse** pensieroso a ricostruire una quantità di piccole circostanze che negli ultimi tempi gli **sono sfuggite/erano sfuggite/furono sfuggite**. E in silenzio corrugò le sopracciglia. Proprio come in silenzio le aveva corrugate sua moglie, quando lui le aveva detto d'essere stato a far visita a Della Pergola.

(A. Campanile, Manuale di conversazione, Rizzoli)

9. GIUSTIFICAZIONI INVEROSIMILI

Ricostruisci le giustificazioni collegando le frasi e coniugando i verbi al modo e al tempo opportuno.

L'alunno giustifica la sua assenza a scuola sostenendo

1. di essere rimasto intrappolato con Harry Potter nella camera dei segreti attendendo che _____

2. di essere stato sequestrato dal piumone che _____

3. di essersi attardato a causa di un gregge di pecore che, a sua detta, _____

4. di aver intrattenuto una prolungata discussione con i Re Magi su quale _____

5. di avere un motivo talmente segreto che, se lo dicesse al professore, _____

6. che era una mattina troppo bella per non andare al parco e che anche Aristotele _____

7. di essere andato a raccogliere i funghi e anticipa, inoltre, che a breve _____

8. di essere stato impegnato ad aiutare Leonardo Di Caprio affinché _____

a. gli (ostruire) _____ il passaggio. Lo stesso ha aggiunto di essersi addormentato contandole.

b. (dovere) _____ poi ucciderlo.

c. (essere) _____ d'accordo.

d. (avvalersi) _____ della complicità del cuscino.

e. (essere) _____ la stella da dover seguire per raggiungere la capanna.

f. (andare) _____ a castagne.

g. non (affondare) _____ insieme al Titanic.

h. il basilisco (lasciare) _____ libera l'uscita.

(L'alunno è stato assente causa assedio Testimoni di Geova, a cura di J. Beer, Rizzoli)

10. UN PO' DI BUONUMORE

Completa le barzellette con i verbi al tempo e al modo opportuno.

1

– Voglio che lei _____ la responsabilità di un errore che _____ io, il che _____ che la _____ licenziare.

dovere - fare – prendersi – significare

2

– _____ uscire con me? _____ prima che qualcuna ti _____ un bacio e ti _____ in un bel principe, eh?

aspettare - dare - trasformare - volere

3

Sapendo che il suo capo non le _____ mai _____ di uscire prima per assistere alla partita di calcio di suo figlio, Clara _____ di assumere una sosia.

decidere – permettere

4

Benché _____ convinto di aver appianato tutte le divergenze a colazione, al suo ritorno a casa Luca _____ la sensazione che Marta _____ ancora arrabbiata.

avere – essere (2)

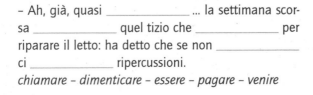

5

– Ah, già, quasi _____ ... la settimana scorsa _____ quel tizio che _____ per riparare il letto: ha detto che se non _____ ci _____ ripercussioni.

chiamare – dimenticare – essere – pagare – venire

6

– Il mio cuore _____ a 16 fidanzate e 4 mogli: _____ che _____ paura di un cheeseburger?

avere – pensare – sopravvivere

Soluzioni

UNITÀ 1

PASSATO REMOTO

1.

-are	-ere	-ire
indietreggiare	mettersi	sentirsi
avvicinarsi	essere	scoprirsi
voltarsi	vedere	dire
trovarsi	potere	tradirsi
brillare	stringere	ricoprirsi
fare	rispondere	intuire
sussurrare		grugnire
allungare		perquisire
esclamare		
mostrare		

2. *(vedi fondo pag.).*

3. 1-f; 2-m; 3-i; 4-a; 5-n; 6-b; 7-c; 8-l; 9-d; 10-e; 11-h; 12-g.

4. 1. perse, Legnano; 2. scolpì, Paolina Borghese; 3. tradirono, uccisero, Giulio Cesare; 4. sbarcarono, Marsala; 5. combatterono, saraceni; 6. cedette, il Veneto; 7. scoppiò, peste; 8. scoprirono, Toscana; 9. fondò, Napoli; 10. dovettero, barbariche.

5. **A.** 1. loro, scegliere; 2. io, salire; 3. io, chiudere; 4. lui/lei, vivere; 5. loro, scrivere; 6. loro, sciogliere; 7. lui/lei, spingere; 8. voi, stare; 9. io, vincere; 10. lui/lei, rompere; 11. io, ammettere; 12. lui/ lei, assumere; 13. lui/lei, essere; 14. io, escludere; 15. io, piacere; 16. loro, avere. La Divina Commedia.
B. 1. vissero; 2. decise; 3. costrinse; 4. si innamorò; 5. intrecciò; 6. nacque; 7. finse; 8. rientrò; 9. sorprese: 10. uccise; 11. ispirò. Verbo in più: morirono.

6. 1. conquistarono, F; 2. scrisse, V; 3. morì, F; 4. visse, V; 5. scoprì, F; 6. crollò, F; 7. divenne, V; 8. divise, F; 9. diventò, F; 10. distrusse, V; 11. presero, F; 12. sbarcarono, V.

7. I miei genitori si erano conosciuti a Todi nel 1914 quando mio padre faceva l'insegnante nelle scuole medie. La mamma era una sua alunna: lui aveva 22 anni, lei 15. **Si innamorarono** subito. Un anno dopo mio padre **partì** come volontario per la guerra. **Si sposarono** prima della fine della guerra – civilmente. La famiglia di mia madre proveniva da tradizioni carbonare ed era legata alla storia risorgimentale. La lotta per l'indipendenza e la libertà d'Italia era per mia madre una storia "che entrava in famiglia".
Poco dopo la fuga del babbo mia madre **lasciò** Roma: **vendette** precipitosamente il mobilio e tutto quello che possedeva e nel dicembre 1926 **si trasferì** con mia sorella e me a Todi, nella casa paterna. La mamma non si era mai occupata di politica; condivideva tuttavia le scelte di mio padre, che ambedue consideravano scelte morali. La polizia temeva – non a torto – la fuga di mia madre per raggiungere il marito, così **inviò** un dispaccio telegrafico per avvisare del pericolo. Intanto il babbo ci faceva pervenire le sue lettere attraverso strani giri, per evitare le intercettazioni. Ma nonostante tutte le precauzioni, la polizia **riuscì** a fermarne alcune, contenenti anche un lungo elenco di cose di cui aveva più urgentemente bisogno. Quelle cose mio padre non le **ricevette** mai.

2.

	io	tu	lui/lei/Lei	noi	voi	loro
avere	ebbi	avesti	ebbe	avemmo	aveste	ebbero
cogliere	colsi	cogliesti	colse	cogliemmo	coglieste	colsero
credere	credei/credetti	credesti	credé/credette	credemmo	credeste	crederono/credettero
essere	fui	fosti	fu	fummo	foste	furono
intuire	intuii	intuisti	intuì	intuimmo	intuiste	intuirono
sapere	seppi	sapesti	seppe	sapemmo	sapeste	seppero
spendere	spesi	spendesti	spese	spendemmo	spendeste	spesero
spingere	spinsi	spingesti	spinse	spingemmo	spingeste	spinsero
sussurrare	sussurrai	sussurrasti	sussurrò	sussurrammo	sussurraste	sussurrarono
venire	venni	venisti	venne	venimmo	veniste	vennero
vivere	vissi	vivesti	visse	vivemmo	viveste	vissero

8. 1. stabilì, riuscì, migliorò, ruppe; 2. organizzò, svolsero, arrivò, seguirono; 3. vinsero, comparve, diedero, poté; 4. scolpì, fece, fu; 5. diresse, eseguirono, adoperarono; 6. ricoverarono, volle, acconsentirono, risultò.

9. 1-c; 2-e; 3-d; 4-b; 5-a.

10. (vedi fondo pag.).

11. E, C, A, D, F, B. Forme verbali sbagliate: 1. paragrafo D, si chiamò → si chiamava; 2. paragrafo E, mi mettei → mi misi.

12. 1. diede; 2. fu; 3. nacque; 4. volle; 5. riprogettò, collocò; 6. dipinse; 7. ordinò; 8. studiò.
a-2; b-8; c-5; d-4; e-6; f-1; g-3; h-7.

13. 1. ebbe; 2. si diffuse; 3. proseguì; 4. produsse; 5. mise.

14. 1. fece, vennero; 2. andò, buttò; 3. fu, sbarbò; 4. scorse, rincorse, insorse, chiese, si perse.

15. Catturarono, trovò, decise, diede, scelse.
L'esploratore scelse la n. 2 (i leoni non possono sopravvivere a un anno di digiuno, quindi sono morti!).

16. vivettero → vissero.

TRAPASSATO REMOTO

1. A. Emilio Salgari è il più famoso scrittore italiano di romanzi d'avventura.

Nato a Verona nel 1862, appena ebbe concluso gli studi all'Istituto Nautico, fece una breve esperienza per mare lungo le coste adriatiche, ma sfortunatamente non poté raggiungere tutti i Paesi descritti nelle sue opere, luoghi che conobbe solo sui libri e non visitò mai realmente. Dopo che ebbe pubblicato i suoi primi romanzi a puntate su settimanali veronesi e milanesi, collaborò con l'editore berlinese Donath, che si era da poco stabilito a Genova. Fu in questo periodo che scrisse il primo romanzo del "ciclo dei corsari": *Il Corsaro Nero*. Il romanzo ottenne un buon successo, centomila copie vendute, ma non diede all'autore la tanto sospirata tranquillità economica; in compenso servì a diffondere in tutta Italia il suo nome. Donath, dopo che l'ebbe stampato a dispense tra il 1898 e il 1899, ne fece un volume unico, che uscì nel 1901.

Salgari scelse come ambientazione delle sue opere non solo le Antille, ma anche luoghi esotici orientali, come la Malesia e le Filippine. Famosissima e fortunatissima la storia di Sandokan, la Tigre di Mompracem, protagonista del "ciclo della pirateria della Malesia". Tanti successi letterari però portarono più beneficio agli editori che all'autore: per avere i soldi necessari a sopravvivere infatti il povero Salgari era costretto a scrivere tre libri l'anno. Questi enormi sforzi gli provocarono un forte stress, che si aggravò con la pazzia della moglie. L'esaurimento nervoso dello scrittore peggiorò anche dopo che ebbe rinchiuso la donna in manicomio, tanto che, ridotto allo stremo, nel 1911 si suicidò. Per ricordare questo autore di tante storie fantastiche, gli scienziati hanno battezzato un asteroide con il suo nome: 27094 Salgari.

10.

L	V	B	A	S	T	Ò	B	C	C	O	P
E	I	A	S	C	E	S	E	R	O	S	I
S	N	P	A	R	V	E	V	Ì	S	P	A
S	S	R	A	I	A	V	V	I	S	Ò	N
I	E	Ì	R	V	L	Ò	I	B	E	E	S
M	I	S	I	E	A	S	P	A	R	Ì	I
F	L	F	U	M	M	O	R	V	O	L	Ò
E	U	R	I	M	A	S	E	R	O	L	A
C	D	V	I	O	I	O	S	E	B	B	E
I	Ì	S	T	V	E	D	E	M	M	O	A

Titolo del romanzo: *Così parlò Bellavista*.

B.

Passato remoto	Trapassato remoto
fece	ebbe fatto
poté	ebbe potuto
conobbe	ebbe conosciuto
visitò	ebbe visitato
collaborò	ebbe collaborato
fu	fu stato
scrisse	ebbe scritto
ottenne	ebbe ottenuto
diede	ebbe dato
servì	fu servito
fece	ebbe fatto
uscì	fu uscito
scelse	ebbe scelto
portarono	ebbero portato
provocarono	ebbero provocato
si aggravò	si fu aggravato
peggiorò	fu peggiorato
si suicidò	si fu suicidato

2. 1. Furio Camillo, ebbe saputo, tornò, gettò; 2. Catone, ebbe parlato, chiuse; 3. Cicerone, ebbe scoperto, pronunciò; 4. Michelangelo, ebbe finito, lanciò, disse; 5. Galileo Galilei, ebbe ritrattato, disse; 6. ebbero sferrato, i soldati italiani, scrissero; 7. Vespasiano, ebbe ascoltato, replicò; 8. ebbe letto, Pier Capponi, gridò; 9. Garibaldi, ebbe visto, richiamò; 10. Giulio Cesare, ebbe oltrepassato, disse; 11. Massimo d'Azeglio, ebbe proclamato, esclamò.
Niccolò Machiavelli.

3. 1-b; 2-c; 3-a.

4. Soprannominarono, passò, vide, si innamorò, ebbe chiesto, si sentì, pensò, ci riuscì, vide, si mise, raccolse, fu entrato, fu, chiamò, ordinò, ebbe terminato, poté, prese.

5. a. Lorena 3, y; b. Dalia 1, z; c. Mafalda 2, x.

6. Un macellaio stava lavorando nel suo negozio e restò molto sorpreso quando vide entrare un cane. Lo cacciò fuori ma lui tornò subito dentro. Cercò quindi di mandarlo via ancora, ma si rese conto che il cane aveva un foglio in bocca. Dopo che lo ebbe preso, lo lesse con curiosità:
"Mi potrebbe mandare 12 salsicce e tre bistecche di manzo, per favore?". **B. Il macellaio notò che il cane aveva in bocca anche un biglietto da 50 euro.**
Così preparò un sacchetto con le salsicce e le bistecche, e lo ripose nella bocca del cane.
Il macellaio rimase molto colpito da questo fatto e, siccome era già ora di chiudere il negozio, decise di seguire il cane che stava andando in strada con il sacchetto tra i denti. Appena l'incredibile animale fu arrivato ad un incrocio, si alzò sulle zampe posteriori e, con una delle anteriori, schiacciò il pulsante dei pedoni per cambiare il segnale del semaforo, aspettando pazientemente che diventasse verde. **C. Allora attraversò la strada e camminò fino ad una fermata dell'autobus, mentre il macellaio stupefatto lo seguiva da vicino.** Alla fermata il cane guardò verso la mappa dei percorsi e degli orari e si sedette sul marciapiede ad aspettare il suo autobus. Ne arrivò uno che non era il suo, e non si mosse. Arrivò dunque un altro autobus ed il cane, dopo che ebbe visto che era quello giusto, salì dalla porta posteriore affinché il conduttore non lo potesse vedere. Il macellaio, a bocca aperta, lo seguì. All'improvviso la bestiola si alzò sulle zampe posteriori e suonò il campanello della fermata, sempre con il sacchetto tra i denti. Non appena l'autobus si fu fermato, scese, e così fece anche il macellaio. **A. Camminarono entrambi per la strada, uno davanti e l'altro dietro a seguirlo, finché il cane si fermò davanti una casa.** Pose allora il sacchetto sul marciapiede e, prendendo la rincorsa, si lanciò contro la porta. Ripeté l'azione diverse volte, ma nessuno aprì. Girò allora intorno alla casa, saltò un recinto, si avvicinò ad una finestra e con la testa colpì diverse volte il vetro. Ritornò alla porta che finalmente si aprì e comparve un uomo che cominciò immediatamente a rimproverarlo in modo rude.
Il macellaio corse verso l'uomo e gridò:
"Santo cielo, ma che cosa sta dicendo? Il suo cane è un genio!"
E l'uomo irritato rispose:
"Un genio??? Negli ultimi cinque giorni **è già la seconda volta che questo stupido dimentica le chiavi di casa!!!**".

UNITÀ 2

1. 1. A; 2. A; 3. C; 4. A; 5. A; 6. P; 7. P; 8. C; 9. A; 10. P; 11. C; 12. A; 13. P; 14. C/P; 15. C; 16. P; 17. P; 18. A.

2. **A.** si sta occupando; gioverà; farà; andava; è fermata; ha iniziato; ha cominciato; sarà; sta facendo; sarà; ha preso; crescerà; capiranno; saranno.

B. ero arrivata da poche ore→ sono arrivata; i bambini mi stanno invitando a entrare → mi hanno invitata; era arrivata sei mesi fa → è arrivata; siete stati un po' più tranquilli → siete.

3. 1. avrebbero portato; 2. riuscirete; 3. sarà; 4. ci sono stati; 5. avrà corretta; 6. sta scalando; 7. saremmo lasciati; 8. vorresti; 9. ho mai tradito; 10. presenterà; 11. ha assistito; 12. ha salvato.

4. si era affezionato; leggerete; ho potuto; risolverete; ho accennato; dovete; vorrò; fermerà; dirà; era diventato; sembrava; era riuscito; ha sequestrato; trovò; sembrava; ho; gioco.

5. Vi dico in genere i menù che io e Giovanna ci **preparavamo** in **quel** lungo inverno: rape rosse e soia con cipolle. Quando io **sostenevo** che **avremmo avuto** bisogno di più calorie Giovanna **alzava** le spalle e **diceva**: "Possiamo anche fare il risotto con la soia, il riso è un alimento completo", come **diceva** il suo ricettario di cucina zen. Allora io **dicevo** che **bastava** fumare un po' di meno ed ecco che col prezzo di un pacchetto di sigarette ci **saremmo comprate** per esempio due etti di stracchino.
La soia poi **era diventata** uno di quegli alimenti per i vegetariani ricchi che **comprano/compravano** tutto nelle erboristerie, ma noi **conoscevamo** una bottega in vico della Maddalena frequentata da ragazzi cosiddetti extracomunitari, da tossici e prostitute e anche da vecchi pensionati dove la soia **costava** milleottocento lire al chilo. Con mezzo chilo di soia ci **mangiava** una banda di persone abbastanza affamate.
Giovanna una sera **arrivò** e **aveva** una bella sorpresa: una grande pagnotta pugliese con un bel mazzo di aglio per squisite bruschette. **Disse** che non **aveva saputo** resistere a **quella** tentazione e che anzi **quella** notte **aveva sognato** che noi due insieme **facevamo** fuori una montagna di pane e di aglio e che, quando **si era svegliata**, **era stata presa** da **quel** fortissimo desiderio.

Io **pensai** che almeno nei sogni **avremmo potuto** mangiare cibi più lussuosi. Comunque **quei** desideri materiali di Giovanna mi **diedero** grande gioia perché finalmente **si mangiava**.
Mentre **banchettavamo** lei a un tratto **rimase** con il pane a mezz'aria, **sgranò** gli occhi e **disse**: "Ehhhhhhh! Ehi!"
Io: "Sì...", continuando a ingozzarmi
Lei: "Perché secondo te mi è venuta questa voglia così incontenibile? Mi sa che sono incinta!"

6. **A.** 1. è diventato; 2. è; 3. ha raccolto; 4. ha superato; 5. ha/aveva pubblicato; 6. ha utilizzato; 7. aveva vista; 8. ha scoperto; 9. si è imbattuto; 10. ha perso; 11. ha/aveva messo; 12. appariva; 13. avevano diagnosticato; 14. dimostrava; 15. si stava godendo/si godeva; 16. ha aggiornato; 17. si stava sposando/si sposava; 18. aveva chiesto; 19. ha potuto; 20. ha lanciato.
B. 1. aveva cambiato; 2. ha scoperto; 3. avrebbe chiesto; 4. è riuscito; 5. ha utilizzato; 6. si trovava; 7. si interrogava; 8. ha ritrovato; 9. aveva pubblicato; 10. ha aperto; 11. aveva sottovalutato; 12. ha cancellato; 13. si sono conosciuti; 14. si sono incontrati; 15. aveva conosciuto; 16. è naufragato; 17. tradiva; 18. avrebbe festeggiato; 19. sembrava; 20. era.

7. A 2, B 1, C 3, D 2, E 1, F 3, G 2, H 3, I 1, L 3, M 2, dopo che il condottiero morì pugnalato.

8. 1. ho finito; 2, ringrazio; 3. succede; 4. arriverà, sarà; 5. sparo, tira; 6. sembra; 7. penso, telefono, ordino; 8. portiamo, deve; 9. mi chiamo, ha, hanno aggredito, hanno derubato; 10. dice; 11. posso, cercherò, ho incrociato.
Soluzione: Come faceva il signore a ordinare le ruote al meccanico senza sapere il modello dell'auto? Probabilmente è implicato nella rapina e sa di che macchina si tratta.
a. 6; b. 3; c. 5; d. 11; e. 9; f. 7; g. 2; h. 4; i. 1; l. 8; m. 10.

UNITÀ 3

1. 1. a; 2. c; 3. b; 4. c; 5. a; 6. b; 7. a; 8. b.

2. **A.** Per anni è stata poco più di una indiscrezione, ma ora la relazione tra Gianni Agnelli e Jackie Kennedy <u>avrebbe trovato</u> definitiva conferma nelle parole della stessa ex *first lady*. È uno dei dettagli più curiosi emersi, a 17 anni dalla morte, da una serie di registrazioni che la figlia, Caroline Kennedy, ha deciso di rendere pubbliche.

La moglie di John Fitzgerald Kennedy, stufa delle continue infedeltà del marito, si concesse un mese di vacanza in Italia con la sorella. Era l'estate del 1962. Affittarono Villa Episcopio a Ravello, a picco sulla scogliera amalfitana. A bordo dell'Agneta, lo yacht di Agnelli (che avrebbe trascorso gran parte del mese nella villa) le sorelle Kennedy assaggiarono la dolce vita della costa, in bar e ristoranti, sull'isola di Capri, alle rovine di Paestum. Tutto questo non è una novità, ma la conferma di Jackie Kennedy non era mai arrivata.

Dalle registrazioni scopriamo inoltre il movente del tradimento: Jackie avrebbe trovato nella camera da letto della Casa Bianca un paio di mutandine che, secondo lei, sarebbero appartenute a una stagista di 19 anni.

Vita sentimentale a parte, le registrazioni gettano una nuova luce sull'assassinio di Kennedy, a Dallas, in Texas, il 22 novembre del 1963. Jackie credeva che dietro l'omicidio ci fosse l'allora vice presidente Lyndon Johnson che avrebbe orchestrato l'omicidio assieme alle lobby del petrolio del Texas. Lee Harvey Osward, che sparò al presidente, era solo la mano di un complotto molto più grande.

Temendo che le sue rivelazioni potessero innescare una spirale di vendette contro la sua famiglia, Jackie Kennedy aveva chiesto che le registrazioni fossero pubblicate solo 50 anni dopo la sua morte.

Ma a rompere il silenzio è stata la figlia, Caroline, che ha deciso di rendere pubbliche le "dichiarazioni esplosive" della madre a soli 17 anni dalla sua morte. Caroline sarebbe giunta a un accordo con ABC per cui, in cambio della rivelazione delle dichiarazioni di Jackie Kennedy, l'emittente s'impegna a cancellare la serie televisiva "The Kennedys".

B. 1. vuole; 2. sarebbe venuta; 3. avrebbe passato; 4. sarebbero state; 5. fanno; 6. si sarebbe accordata.

3. 1. gruppo verbi B: si sarebbe sentito; avrebbe chiesto; avrebbe iniziato; avrebbe detto; avrebbe risposto; sarebbe quasi svenuto; si troverebbe.

2. gruppo verbi A: nuoterebbe; sarebbe recentemente apparsa; confermerebbe; risalirebbe; avrebbe trovato; sarebbe; potrebbe.

3. gruppo verbi C: avrebbe deciso; sarebbero accadute; proverebbe; durerebbe; dovrebbero; avremmo contattato; sarebbe.

4. **A.** Secondo fonti investigative, oltre al feretro di Mike Bongiorno dal cimitero di Dagnente **sarebbero sparite** anche le cassette con le immagini delle telecamere esterne al cimitero.

Questa mattina presto sul posto sono arrivati gli investigatori, che dovranno stabilire la dinamica di quanto è accaduto e soprattutto cercare elementi utili per ritrovare la salma del noto conduttore. Da un primo sopralluogo degli inquirenti **sembrerebbe** che i ladri non abbiano lasciato impronte digitali; un lavoro quasi impeccabile e studiato nei minimi particolari, ma, a detta di fonti ben informate, i malviventi **avrebbero commesso** un errore: un cellulare spento, tenuto in tasca, che può aiutare gli inquirenti a trovare qualche traccia utile

Sgomento da parte del sindaco di Arona, che ha dichiarato: "Metteremo a disposizione tutto quanto necessario per ricostruire la vicenda e soprattutto per ritrovare quanto prima la salma di Mike Bongiorno".

Alcune indiscrezioni circa i motivi del trafugamento puntano sull'ipotesi di un sequestro a scopo di estorsione, ma al momento non **sarebbe giunta** alcuna rivendicazione del furto, né **sarebbero arrivate** alla famiglia richieste di denaro per la restituzione della bara.

Secondo quanto riportato dal *Corriere* le indagini **potrebbero** essere "lunghe e complesse". Questo quanto ha affermato Giulia Perrotti, procuratore capo di Verbania.

B. Quattro operai sono stati denunciati dagli uomini della Forestale per incendio colposo. Secondo diversi testimoni, **sarebbero stati** loro ad appiccare involontariamente uno degli incendi che da giorni stanno distruggendo le colline intorno a Genova. Dalle prime ricostruzioni degli inquirenti, gli uomini, al lavoro nel cimitero di Nervi, **avrebbero perso** il controllo di un fuoco acceso per smaltire alcune vecchie bare; il fuoco **si sarebbe poi esteso** al monte Moro e al monte Fasce dove tutt'ora i Vigili del Fuoco sono all'opera per cercare di domare le fiamme. Sempre a detta degli inquirenti, un quinto uomo, il cui nome non è stato ancora reso noto, **sarebbe** responsabile di un altro incendio intorno a Genova: secondo alcune indiscrezioni **si tratterebbe** di un contadino che **si sarebbe addormentato** mentre bruciava l'erba secca nel suo campo.

C. Sette operatori ecologici si sono astenuti dal lavoro perché, secondo quanto da loro riferito, le scarpe antinfortunistica **farebbero** male ai piedi. Accade a Isola delle Femmine, piccolo comune alle porte di Palermo, dove sette operatori ecologici hanno deciso di astenersi dal lavoro, perché le scarpe antinfortunistica che hanno ricevuto in dotazione **provocherebbero**, a detta loro, dolori lancinanti ai piedi. Secondo fonti giornalistiche i sette operatori ecologici **avrebbero fatto** pervenire, tramite il responsabile della sicurezza, una lettera al presidente della società, lamentando anche l'inadeguatezza del guardaroba assegnato ad ogni singolo lavoratore: un giubbotto e un paio di pantaloni estivi. I cittadini si lamentano che la protesta riguardante gli indumenti, e la conseguente astensione dal lavoro, ha creato disservizi nella raccolta dell'immondizia in paese. Secondo le ultime indiscrezioni, la società responsabile della raccolta dell'immondizia **avrebbe** così **deciso** di ricomprare le scarpe antinfortunistica, pertanto la situazione **dovrebbe** tornare alla normalità nel giro di qualche giorno.

5. Notizie confermate: 2, 4, 6. Notizie non confermate: 1, 3, 5.

6. 1. c; 2. a; 3. b; 4. b; 5. b; 6. a.

7. 1. Gli aveva promesso che dopo l'università si sarebbero sposati e avrebbero avuto tanti bambini.
2. Pensava che sarebbero rimasti a vivere nel loro piccolo paese.
3. Diceva che avrebbero abitato in campagna e avrebbero avuto due cani e due gatti.
4. Era sicura che non si sarebbero lasciati mai.
5. Era certa che niente avrebbe potuto turbare il loro matrimonio.
6. Giurava che sarebbero stati felici e la loro vita sarebbe stata bellissima.
7. Gli assicurava che lo avrebbe amato per sempre.
8. Prevedeva che avrebbero passato una serena vecchiaia con tanti nipotini.

8. 1. sarebbe stato/avrebbe fatto freddo/la temperatura sarebbe scesa; 2. avrebbe/sarebbe piovuto; 3. avrebbe/sarebbe nevicato; 4. avrebbe fatto molto caldo/un caldo torrido; 5. avrebbe fatto/sarebbe stato bel tempo/ci sarebbe stato il sole; 6. ci sarebbe stata la nebbia.

9. 1. I giornalisti sportivi prevedevano che ieri Flavia Pennetta avrebbe vinto il Roland Garros.
2. Speravo che il giorno dopo/seguente/l'indomani sareste venuti tutti a cena da me.

3. Marta diceva che l'estate seguente/successiva sarebbe andata in vacanza in Liguria.
4. Era tardissimo, avevo paura che avremmo perso il treno.
5. Pensavo che mio figlio un giorno sarebbe diventato dottore.
6. La maga ha previsto/aveva previsto che mi sarei trasferito in un paese asiatico per lavoro.
7. Ero sicuro che avresti passato l'esame di anatomia con il massimo dei voti.
8. Sembrava che a giorni sarebbe tornato il freddo polare.
9. Era l'una passata: era probabile che avremmo trovato l'ufficio postale chiuso.
10. Nadia mi aveva confidato che Luca mi avrebbe telefonato per chiedermi un appuntamento.

10. 1. sarebbe caduto, sì; 2. sarebbe diventata, sì; 3. avrebbero conquistato, no; 4. avrebbe scoperto, sì; 5. avrebbe distrutto, no; 6. sarebbe passata, sì; 7. avrebbe incoronato, no; 8. avrebbe unificato, no; 9. sarebbe rimasta, no; 10. si sarebbe alleata, no; 11. sarebbe andata, no; 12. sarebbe cominciato, sì.

11. (vedi fondo pag.).

12. A. 1. sarei potuto uscire, e; 2. lo sapevo, a; 3. non mi sarei più girato, b; 4. avresti preso, d; 5. ci sarebbe stato, c.
B. l'ordine delle strisce è E, C, G, D, A, F, H, B.
1. Cos'altro avrei potuto fare? La frittata senza zucchine!; 2. non mi veniva più in mente a chi!; 3. non esattamente! Purtroppo ho solo compiuto trent'anni!; 4. non saremmo andati lontano con l'auto rubata!

UNITÀ 4

1. (vedi inizio pag. seg.).

2. 1. f; 2. d; 3. g; 4. a; 5. b; 6. a; 7. c; 8. b; 9. e; 10. e; 11. d; 12. g.

3. 1. e; 2. h; 3. d: 4. a; 5. i; 6. c; 7. f; 8. l; 9. g; 10. b.

11.

Prima del momento della narrazione	Momento della narrazione	Dopo il momento della narrazione
aveva potuto fare	era	avrebbe potuto sospettare
era potuto venir	si scervellava	avrebbe raccontato
	avvertì	avrebbe detto
	architettava	sarebbe stata

1.

presente	passato	imperfetto	trapassato
sorridano	abbia risalito	potesse	fossero diventate
creda	sia venuto	saltasse	
sia	abbia scelto		
	abbia toccato		
	si sia resa		
	abbia deciso		
	abbia abboccato		

4. 1. voglio dormire/andare a dormire; 2. voglio che dormiate/che andiate a dormire; 3. pensiamo di andare a teatro; 4. pensiamo che loro vadano a teatro; 5. desidero assaggiare/mangiare questa torta; 6. desidero che assaggiate/mangiate questa torta; 7. credo di avere la febbre; 8. credo che tu abbia la febbre.

5. 1. sappia, e; 2. sciolga, d; 3. salgano, a; 4. faccia, f; 5. rimanga, b; 6. sia, c.

6. 1. stia scrivendo, faccia; 2. sia, si sia deciso; 3. metta, timbri; 4. siano; 5. sia, abbiano già bevuto; 6. abbia fatto, abbia sostituito; 7. allunghi, abbiano arrestato; 8. muoia, abbia rubato, siano finiti, abbia messo.

7. 1. è un peccato che, vada; 2. è il caso che, chiami; 3. a meno che, si dichiari; 4. è probabile che, vada, rimanga, prima che, chiuda; 5. malgrado, tenti, sebbene, abbia detto; 6. è ovvio che, finisca/sia finito, sembra, si tratti/si sia trattato; 7. in modo che, trovi.

8. voglia; 1. siate venuti; 2. possiate; 4. vada, sia dipeso; 5. abbia pensato, avesse; 6. abbia spento. Se fosse stato veramente un black out della centrale elettrica, il ventilatore non avrebbe continuato a funzionare. Pertanto è stato qualcuno dei presenti a spegnere l'interruttore della luce.

9. 1. filasse; 2. andassero; 3. fossero; 4. piacesse; 5. potesse; 6. fosse; 7. portasse; 8. regalassero.

10. 1. Sono contento che i prezzi siano così bassi, non mi aspettavo che i prezzi fossero così bassi; 2. Sarebbe opportuno che tu andassi dal barbiere, forse è il caso che tu vada dal barbiere; 3. È un peccato che il mercato di Porta Portese non sia più quello di una volta, sarebbe bello che il mercato di Porta Portese fosse quello di una volta; 4. È una vergogna che anche quel politico sia corrotto, non avrei mai creduto che anche quel politico fosse corrotto; 5. Non vorrei che i miei mi cacciassero di casa, temo che i miei mi caccino di casa; 6. Mi auguro che non mi salga la febbre, preferirei che non mi salisse la febbre.

11. Davvero? Io invece pensavo 1. si fosse laureato in geologia; 2. avesse cominciato a studiare danza all'Accademia Nazionale; 3. si fossero trasferiti a Mantova; 4. si fossero sposati in Comune; 5. fossi nato in estate; 6. avesse lavorato in Germania.

12. 1. avesse bussato; 2. faccia; 3. interverrà; 4. troviamo, diventiamo; 5. arrabbiate; 6. sarebbe perso; 7. riesca; 8. intendano; 9. accolga; 10. dilaghi. OLIVIERO TOSCANI, famoso FOTOGRAFO.

13. 1. pare non **avessero** saputo rispondere → abbiano saputo riponere; 2. che si **tratterebbe** di una domanda → tratti/trattasse; 3. le uova **vengono** dalle pecore → vengano; 4. le patatine **erano** di plastica → siano; 5. l'amato bacon inglese **proveniva** → provenga; 6. tra gli ingredienti dello yogurt ci siano **stati** → ci siano; 7. pare che **avevano** detto → abbiano detto; 8. gli altri **elencarono** ingredienti → abbiano elencato.

14. 1. abbia perso; 2. dicesse; 3. apra; 4. potessi; 5. arrivino; 6. svolgeste; 7. vi foste incontrati; 8. abbia tradito; 9. vada; 10. riuscissero; 11. dorma; 12. venga; 13. avessi disdetto; 14. ascoltassero.

15. 1. Malgrado Carlo stesse svolgendo da un'ora il compito di matematica, non riusciva ancora a risolvere il problema; 2. Tiziano mi ha prestato la macchina purché gliela restituissi presto; 3. I soldati dovevano fare le esercitazioni tutti i giorni, sia che piovesse sia che nevicasse; 4. Non mi è piaciuto molto lo spettacolo: nonostante gli attori fossero bravi, la sceneggiatura era un po' troppo banale; 5. Quantunque Francesco avesse sempre delle idee originali, le sue trovate pubblicitarie non erano mai così efficaci; 6. Chiunque avesse rotto il vetro doveva ripagarlo; 7. Il dottore aveva detto che non voleva essere disturbato a meno che non si trattasse di una questione urgente; 8. Sarebbe stato meglio che avessi scattato le foto prima che facesse buio; 9. Fabio voleva/ha voluto fermarsi all'autogrill perché gli sembrava che avessimo forato una gomma; 10. Era la storia più assurda che io avessi mai sentito!

16. 1. b, avesse smesso; 2. d, ci fosse stata; 3. h, avessi giocato; 4. a, venissero; 5. f, fosse; 6. c, avessimo; 7. g, potessi; 8. e, fossi riuscito.

17. mai; mai avrei immaginato; prima che; attendeva; temo; penso; credevi; non mi sembra; può darsi; affinché; sarebbe meglio; ho paura; può essere. Rebus: M+arco polo → Marco Polo.

18. 1. Che Fabrizio non fosse una cima ne eravamo certi!; 2. Che Paola e Angelo siano amanti è di dominio pubblico!; 3. Che quel palazzo prima o poi crollasse lo sapevano tutti!; 4. Chiunque chieda di me, digli che sono partito per le vacanze!; 5. Che non si girino più i film di una volta è opinione condivisa da tutti!; 6. Mio marito è troppo appiccicoso, ovunque io vada mi segue!.

19. 1. purché/a patto che; 2. malgrado/benché/sebbene; 3. perché/affinché; 4. prima che; 5. malgrado/benché/sebbene; 6. purché/a patto che; 7. perché/affinché; 8. prima che; 9. prima che; 10. perché/affinché; 11. malgrado/benché/sebbene; 12. malgrado/benché/sebbene.

20. A. 1. **sia** ferito; 2. ci **incontrassimo**; 3. che **diventassimo** amici; 4. che **vivessimo** insieme; 5. che **sia** un segno; 6. **sia** completamente accartocciata; 7. che noi **brindassimo**; 8. che lei **possa** dire; 9. che **ARRIVI LA POLIZIA**.
B. (vedi a destra).

21. a. 6; b. 7; c. 1; d. 2; e. 4; f. 3; g. 5.

UNITÀ 5

1. Per una notte Casnate, piccolo paese in provincia di Como, si è trasformato in una località da Far West ma senza sparatorie, senza sceriffi e senza ladri di bestiame. C'erano però i banditi e c'era anche un treno che correva nella notte. L'assalto al treno,

si sa, è uno dei classici delle storie dei fuorilegge nell'America del XIX secolo.
Le cose a Casnate si sono svolte in modo rapido e semplicissimo: i banditi hanno agito con freddezza e tempestività degne di applauso. Giovedì 26 aprile un treno merci, partito da Chiasso e diretto a Venezia, mentre sta marciando in aperta campagna, <u>viene bloccato</u>, dopo una curva, da un semaforo rosso. Il macchinista ferma il convoglio e si mette in contatto con la vicina stazione, domandando spiegazioni, ma nessuno sa niente del semaforo. <u>Si dà</u> inizio a un rapido giro di telefonate tra le varie stazioni della zona, senza però che il mistero <u>sia chiarito</u>. Un quarto d'ora dopo lo stop, il semaforo torna verde e il treno riparte. Una pattuglia di polizia <u>è inviata</u> sul posto per effettuare un sopralluogo nel punto in cui <u>è stato fermato</u> il treno. L'intera zona <u>viene ispezionata</u> con attenzione ma non <u>viene segnalato</u> nulla di irregolare. Un'ora dopo quel semaforo <u>viene archiviato</u> fra i tanti misteri che hanno luogo lungo i binari delle ferrovie.
Più tardi un automobilista avvisa i vigili che un camion si è rovesciato in una scarpata. Accorrono i vigili di Casnate e scoprono che il carico del veicolo <u>è costituito</u> da 240 scatoloni di sigarette piene di stecche di Merit e Marlboro. <u>Viene immediatamente chiamata</u> la Finanza, pensando che si tratti di merce di contrabbando, ma dopo l'apertura del primo scatolone, <u>viene costatato</u> che il carico è regolare, con il bollo del Monopolio di Stato, ed <u>è in seguito collocato</u> in un magazzino della caserma. Del conducente del camion nessuna traccia e non c'è alcun documento a bordo.
Il caso <u>è risolto</u> solo quando il treno merci arriva a Venezia: il portellone di un vagone del treno <u>è stato forzato</u> e il carico di sigarette che trasportava

20. B.

			p	o	n	g	a	n	o	
	s	t	e	s	s	e	r	o		
					t	r	a	g	g	a
		d	e	s	s	i				
				v	a	d	a			
t	r	a	d	u	c	e	s	s	i	m	o
			s	c	e	l	g	a		
				f	a	c	e	s	t	e
				s	p	e	n	g	a	
	f	o	s	s	i	m	o			
			t	o	l	g	a	n	o	
b	e	v	e	s	s	i				
			a	z	z	i	t	t	i	s	c
d	i	c	e	s	s	i				
		v	o	g	l	i	a	t	e	

scomparso nel nulla. Un vero colpo da maestri, che spiega il mistero di quel semaforo rosso che era stato piazzato dopo una curva, in modo che il macchinista non potesse rendersi conto di quello che stava succedendo in coda. La fortuna però non ha più assistito i ladri nell'allontanarsi in fretta dal luogo del colpo: il camion si è ribaltato costringendo i banditi a fuggire abbandonando il bottino.

2. a. 5; b. 1; c. 6; d. 4; e. 2; f. 3.

3. 1. Il Lago di Como bagna Lecco. Lecco è bagnata dal Lago di Como; 2. La notte scorsa il temporale ha svegliato Teo. Teo è stato svegliato dal temporale; 3. Ieri mattina la polizia ha fermato il camion. Il camion è stato fermato dalla polizia; 4. È probabile che i bambini abbiano rotto il vetro/la finestra. È probabile che il vetro/la finestra sia stato/a rotto/a dai bambini; 5. Fra un po' la neve coprirà completamente la macchina. La macchina sarà ricoperta completamente dalla neve; 6. Nell'antichità i Greci bruciarono/incendiarono Troia. Troia fu bruciata/incendiata dai Greci; 7. Domani l'oculista visiterà Fulvio. Fulvio domani sarà visitato dall'oculista; 8. Era prevedibile che dopo qualche ora avrebbero chiuso l'aeroporto per nebbia. Era prevedibile che dopo qualche ora l'aeroporto sarebbe stato chiuso per nebbia.

4. 1. La gioielleria Damiani è stata svaligiata dalla "banda del buco"; 2 *Il barbiere di Siviglia* fu musicato da Gioacchino Rossini nel 1816; 3. La ricetta degli struffoli napoletani è stata tramandata in famiglia dalla nonna; 4. Il primo premio alla Mostra del cinema di Venezia è stato vinto da un regista iraniano; 5. Il brano *Alle porte del sogno* è cantato da Irene Grandi; 6. Gli abiti da sposa di molte donne famose furono confezionati dalle sorelle Fontana; 7. La maggior parte delle reti italiane durante i mondiali del 1982 furono segnate da Paolo Rossi; 8. L'Italia meridionale nel Medioevo fu occupata dagli Aragonesi; 9. Voglio che tutte queste carte siano messe subito in ordine; 10. Negli anni Settanta la filosofia *hippy* era seguita da molti giovani; 11. Le promesse dei politici non dovrebbero essere ascoltate dalla gente; 12. Pensavo che il bilancio della società fosse controllato con maggior attenzione dai revisori dei conti; 13. La ragazza era stata seguita fino a casa da un uomo losco e poco raccomandabile; 14. Gli ospiti supponevano che tutte quelle pietanze fossero state cucinate da me; 15. Appena questo libro sarà pubblicato sarà comprato da tutti; 16. L'invito non è stato spedito perché la celebrazione è stata annullata dal ministro proprio ieri; 17. La verdura dovrebbe essere lavata con cura prima di essere mangiata; 18. Dicono che il seminario del prof. Marano sia stato ascoltato con molto interesse dagli studenti.

5. 1. va scongelata; 2. vanno mescolati; 3. va lavorato; 4. va amalgamato; 5. va imburrato; 6. va lasciata; 7. va conservato.

6. 1. Per superare la crisi andranno fatti molti sacrifici dai cittadini; 2. Tempo fa venivano prodotti cibi molto più genuini e naturali; 3. non è possibile; 4. I gelati vanno conservati nel congelatore, non nel frigo; 5. Le patate sono bruciate! Il forno andava spento prima; 6. non è possibile; 7. Pensavo che il Chianti venisse prodotto in Friuli, non in Toscana; 8. Vorrei che venisse fatta più attenzione a quello che dico; 9. È una vergogna! Gli animali vengono maltrattati troppo dalla gente; 10. Non possono assolutamente venir dette queste cose di Barbara, è una persona meravigliosa; 11. non è possibile; 12. Non è giusto che ogni volta la cameretta venga pulita da Mario senza l'aiuto di suo fratello.

7. 1. è sostenuta; 2. sono/vengono vinti; 3. vengono/sono assegnati; 4. sono state svolte; 5. sono/vengono consegnate; 6. vengono/sono lette; 7. viene/è sottoposta; 8. vanno/vengono riordinate; 9. vengono/sono letti; 10. vengono vinti; 11. vengono/sono convocati; 12. viene/è posta; 13. viene/è dichiarata.

8. 1. Il bagnino era stato trovato in coma; 2. I soccorsi non sono stati chiamati subito perché gli amici erano intontiti dall'alcol e dalla droga; 3. L'arresto cardiaco è stato provocato da qualcosa che il bagnino aveva ingerito; 4. Nessun nome è stato ancora inserito nel registro degli indagati; 5. In Questura sono stati ascoltati i testimoni che lo avevano visto nelle ore precedenti; 6. Il bagnino era stato visto in compagnia di un amico; 7. Sul luogo del decesso sono state ritrovate tracce di cocaina e molte bottiglie vuote di whisky.

9. 1. i; 2. r; 3. i; 4. p; 5. r; 6. r; 7. p; 8. i; 9. r; 10. p; 11. i; 12. p.

10. 1. r; 2. c; 3. r; 4. c; 5. c; 6. c; 7. c; 8. r; 9. r; 10. c; 11. r; 12 r.
a. 1, 2, 3, 4, 6; b. 5, 7, 9, 10, 12; c. 4; d. 10; e. 8.

11. 1. In Italia nel 2010 si è fumato meno; 2. Si dovrebbero condividere le idee pacifiste di Gandhi; 3. Tra breve non si userà più il telefono fisso, per comunicare si useranno solo cellulari e computer; 4. Pensavo che in questo ristorante si potessero ordinare anche cibi vegani; 5. In quell'albergo ci si rilassa, ci si diverte e si paga poco; 6. Dopo il concerto si andrà in discoteca; 7. Fino a metà Ottocento si usavano le candele per illuminare la casa; 8. Se si dorme poco, il giorno dopo non si è abbastanza lucidi per lavorare bene.

12. 1. fu rasa; 2. è dedicato; 3. sarebbe stata battuta; 4. fu scritta; 5. si può; 6. furono diretti; 7. si mangia; 8. è stata data; 9. vennero cedute. Il politico è GIULIO ANDREOTTI.

13. a. si fa/viene fatta/è fatta, si coltiva/viene coltivato/è coltivato, sia stato introdotto, si produce/viene prodotta/è prodotta; b. sono previsti, si possono, si consuma/viene consumata/è consumata; c. si prepara/viene preparata/è preparata, si considera/è considerata/viene considerata. 1. b; 2. c; 3. a.

14. 1. ha immortalato → è immortalato; 2. vanno esauriti → sono andati esauriti; 3. viene stata → è stata; 4. sono avuti immortalati → sono stati immortalati.

15. Sono stati ammessi, è stato passato, sono stati eliminati, sono giunti, è stato proclamato. Bertemi.

16. **A.** 1. va saldato; 2. venga contestata; 3. sarò pur sempre ricordato.
B. 1. decisero; 2. ripresero; 3. scelsero; 4. servivano; 5. raggiunsero; 6. optarono; 7. avevano installato; 8. proposero.

UNITÀ 6

1. se osservate attentamente le balene vi accorgerete che sono sempre circondate da amici (realtà); se aveste un po' di fortuna potreste anche sentire il loro verso (possibilità): se esistessero farebbero la fila dagli psicologi... non avrebbero vita sessuale... ucciderebbero tutti gli uomini che si avvicinano (possibilità); se ci fossero simili creature, sarebbero graziose (possibilità); se mi fossi lasciata influenzare dai media ... oggi sarei una donna sola e infelice (irrealtà); se vedo il mio sedere riflesso in uno specchio inevitabilmente penso (realtà).

2. 1. i; 2. r; 3. p; 4. r; 5. r; 6. i; 7. r; 8. p; 9. p; 10 i.

3. 1. sposi; 2. cacciano/cacceranno; 3. mi rivolgerò;

4. farà; 5. perderemo; 6. troverete; 7. ceneranno; 8. prendi; 9. vado, spedisco; 10. si vendicheranno; 11. starò; 12. ti sdrai; 13. avviso; 14. uscite; 15. aspettiamo, ce ne andiamo; 16. compro/comprerò. Il titolo dl film è: *State buoni se potete.*

4. 1. comprerebbe/acquisterebbe una Ferrari; 2. solleverebbe i pesi/farebbe pesistica/bodybuilding; 3. giochereste a tennis/fareste una partita a tennis; 4. farei il bagno/andrei a fare il bagno/nuoterei; 5. andrebbero in montagna; 6. si annoierebbero; 7. ci ubriacheremmo/saremmo continuamente ubriachi; 8. potrebbe fumare; 9. arresteresti i ladri/criminali; 10. farebbe un pic nic/andrebbe a fare un pic nic.

5. 1. Se Callimaco non avesse sentito parlare della bellezza di Lucrezia; 2. Se non l'avesse vista/se non avesse visto Lucrezia; 3. Se non si fosse finto medico; 4. Se Nicia non fosse stato sciocco e desideroso di diventare padre; 5. Se non si fosse rivolto a sua suocera e a Frate Timoteo; 6. Se Nicia non gli avesse dato qualche denaro/non lo avesse pagato; 7. Se Nicia non fosse stato così sciocco; 8. Se Callimaco non fosse stato giovane e bello.

6. 1-d; 2-l; 3-e; 4-f; 5-h; 6-a; 7-b; 8-i; 9-c; 10-g.

7. 1. avesse saputo, sarebbe venuto; 2. avessero imparato, avrebbero; 3. fossi arrivato, avresti incontrato; 4. fosse, mi fermerei; 5. vanno/andranno/andassero, dicono/diranno/direbbero; 6. avrei aiutato, avessi chiesto; 7. vediamo, torniamo; 8. dovessi, spedirei/spedirò; 9. avremmo chiamato, avessimo avuto; 10. dessi, ti troveresti; 11. inizierò/iniziassi, ricomincerò/ricomincerei; 12. avessero detto, avrei creduto; 13. sarebbero stati, avessi dato, avessi pesato; 14. avremmo potuto, foste stati.

8. 1. s'impegneranno; 2. sbucciassimo; 3. trova; 4. avesse superato; 5. rivolgerete; 6. avessero urlato; 7. fossi; 8. poteste; 9. piace; 10. avessi chiesto; 11. ascoltassimo. Il titolo del film è: I basilischi.

9. 1. a. piove, vanno, b. piovesse, andrebbero, c. avesse/fosse piovuto, sarebbero andati; 2. a. riceve, è, b. ricevesse, sarebbe, c. avesse ricevuto, sarebbe stato; 3. a. mi faccio, mi ammalo, b. mi facessi, mi ammalerei, c. mi fossi fatto/a, mi sarei ammalato/a; 4. a. abbiamo, leggiamo, b. avessimo, leggeremmo, c. avessimo avuto, avremmo letto; 5. a. c'è, fai, b. ci fosse, faresti, c. ci fosse stata, avresti fatto.

10. 1. fossi, c. scatterei; 2. mi trovassi, b. mi metterei; 3. avessi, a. farei; 4. mi svegliassi, b. mi metterei e mi inciprierei; 5. lavorassi, a. parlerei; 6. potessi, c. mi complimenterei e chiederei; 7. sapessi, a. farei; 8. finissi, b. mi metterei; 9. facessi, c. parlerei; 10. mi presentassi, a. prometterei. Il poeta è: Cecco ANGIOLIERI.

11. 1. Se Italo Marchioni non avesse inventato il cono, mangerei solo il gelato in coppetta; 2. Se Alessandro Volta non avesse inventato la pila, tu non potresti cambiare i canali con il telecomando; 3. Se Antonio Meucci non avesse inventato il telefono, Samuele non parlerebbe con gli zii in Australia; 4. Se Luigi Bezzera non avesse inventato la macchina del caffè, non berremmo espresso; 5. Se Antonio Pacinotti non avesse inventato la dinamo, voi non andreste in bicicletta di notte; 6. Se Enrico Fermi non avesse costruito il reattore nucleare, le centrali non produrrebbero energia atomica; 7. Se Guglielmo Marconi non avesse inventato la radio, Giorgia non sentirebbe le notizie in macchina; 8. Se Evangelista Torricelli non avesse inventato il barometro, i metereologi non saprebbero che tempo fa.

12. Fosse avvenuto, avrei fatto, avrebbe fatto, si fosse verificato, mi fossi trovato, avesse tradito, avesse compiuto, sarei perdonato, procura, dovrei, avessi speso, avrei attirato, fossero stati, sarei stato arrestato, fosse stato, sarebbe.

13. "Se tu mi **dessi** una figurina, ne avrei quante te". E l'altro: "E se tu ne regalassi una a me, io ne **avrei** il doppio di te".
Uno ha **5** figurine e l'altro ne ha **7**.

14. a. 4; b. 5; c. 9; d. 8; e. 6; f. 2; g. 1; h. 3; i. 7.

15. A. Durante un litigio furibondo fra moglie e marito:
a. **LUI** : Se io fossi un po' più egoista, come dici tu, adesso non staremmo qui a discutere!
b. **LEI : E allora, abbi una volta tanto il coraggio di dirmi che non mi ami più!**
c. **LUI** : È una fissazione! Io ti amo sempre.
d. **LEI** : Non ti credo. Se tu mi avessi amata veramente avresti sposato un'altra!

B. 1. **LEI** : Amore, se io morissi, ti risposeresti?
2. **LUI** : Certo che no!
3. **LEI** : No? Perché? Non ti piace essere sposato?
4. **LUI** : Certo che mi piace!
5. **LEI : Allora, perché non ti risposeresti?**
6. **LUI** : Ok, va bene, mi risposerei, se questo può farti piacere...
7. **LEI** : E dormiresti con lei nel nostro letto?

8. **LUI** : Dove vorresti che dormissimo?
9. **LEI** : Sostituiresti le mie foto con le sue?
10. **LUI** : Si... Certamente...
11. **LEI** : E userebbe la mia macchina?
12. **LUI** : No, non sa guidare...
13. **LEI** : ...?!?
14. **LUI**: Ops... accidenti!!!

16.

```
                            B B S O
          O N O          E     N   E I T
       I B R   M            I     O    R
  N      A    U          H I S C  O    Ù
  I      F    I    I O T N    N    O    N P I
  N      L    L N M O I M    O    O
  S      T             M    N
  E R A I            E S S I P
```

Se fai il mio none non ci sono più. Soluzione: il silenzio.

17. Se a Milano ci fosse il mare sarebbe una piccola Bari; 3.

UNITÀ 7

1. 1. im; 2. in; 3. s; 4. fr; 5. s; 6. e; 7. im; 8. in; 9. fr; 10. e; 11. im; 12. fr.

2. 1. vivere; 2. essere descritto; 3 essere liquidato; 4. vivere; 5. realizzare; 6. vestirsi; 7. essere; 8. indossare; 9. essere; 10. riconoscersi; 11. farsi; 12. mettersi; 13. recitare; 14. dire; 15. diventare.

3. 1. essere; 2. saperlo; 3. divertirsi; 4. decidere; 5. essere; 6. capire; 7. comunicare; 8. immagazzinati; 9. poterteli; 10. spendere; 11. fare; 12. pensare; 13. risolvere.

4. 1. Quando ero giovane mi piaceva molto tirare con l'arco; 2. Ci sono tanti manifesti che sconsigliano di guidare in stato di ebbrezza; 3. Licia vorrebbe tanto lavorare part-time per potersi dedicare di più ai figli; 4. L'ufficio commerciale si occupa di spedire la merce all'estero; 5. Praticare lo yoga favorisce il benessere dell'individuo; 6. Il ministero ha attivato un numero verde per sostenere le vittime del terremoto; 7. Lorenzo e Luca hanno problemi nell'inserire i dati nell'archivio; 8. Il lavoro dello psicologo consiste soprattutto nell'ascoltare i pazienti.

5. 1. prendersi, b; 2. battersi, i; 3. arrampicarsi, h; 4. legarsela, e; 5. piangersi, a; 6. muoversi, g; 7. mettersi, f; 8. darsi, l; 9. levarsi, c; 10. strapparsi, d. La vignetta rappresenta il modo di dire n. 6.

6. 1. Credi di esserti comportato correttamente con Giulia?; 2. Fatti 3 km, ci siamo ricordati di avere lasciato il fornello acceso e siamo tornati subito indietro; 3. Questa notte ho sognato di essere naufragato su un'isola deserta e di essere inseguito dagli indigeni; 4. Michele e Andrea hanno pensato di essere veramente furbi: sono usciti di nascosto ma sono stati scoperti e puniti dai genitori; 5. Non vi siete resi conto di avere il sacchetto della spesa bucato e che le mele stavano cadendo lungo la via?; 6. Fabrizio mi ha detto di avere un appuntamento dal barbiere e per questo non poteva venire a pranzo da noi; 7. I turisti stranieri non hanno capito di dover girare alla seconda traversa a destra e per questo si sono persi; 8. Margherita e Miriana non riconoscono di non essere riuscite a fare un buon lavoro: sono troppo presuntuose.

7. 1. a; 2. per; 3. di; 4. per; 5. da; 6. di; 7. da; 8. a.

8. 1. Giampiero ha prenotato il viaggio senza chiedere agli altri se fossero d'accordo; 2. Invece di sprecare tempo cominciate subito a preparare il materiale per l'esposizione; 3. Devo telefonare all'avvocato prima di preparare i documenti da portare in tribunale; 4. I giocatori formarono le squadre prima di disputare l'incontro; 5. Invece di arrenderti subito prova a parlare con Mario per fargli cambiare idea; 6. Pina e Roberto dopo essersi conosciuti in chat si sono dati un appuntamento; 7. Non puoi prendere la medicina senza aver mangiato prima qualcosa!; 8. Valeria e Paola hanno letto le trame dei film prima di decidere quale andare a vedere.

9. 1. sostare; 2. gettare; 3. munirsi; 4. evitare; 5. tornare, depositare; 6. allacciare; 7. calpestare; 8. maneggiare; 9. attendere; 10. riporre.

10. 1. Ritirare la carta entro dieci secondi; 2. non è possibile; 3. Scegliere il tipo di operazione desiderata; 4. Scrivere l'importo desiderato; 5. Inserire la carta; 6. Digitare il codice PIN e assicurarsi di non essere osservato; 7. Ritirare la somma; 8. non è possibile; 9. Operazione in corso, attendere. L'ordine corretto delle operazioni è: 5, 6, 3, 4, 9, 7, 2, 8, 1.

11. 1. aver plagiato; 2. riuscire; 3. essere venuto; 4. aver risposto; 5. essersi ubriacato/a; 6. aver salvato; 7. andare; 8. aver comprato; 9. andare; 10. fare, uscire.

12. 1. tale da; 2. oltre a; 3. anziché, 4. piuttosto che; 5. in modo da; 6. tanto da; 7. oltre a.

13. 1. Avendo dimenticato il passeggino a casa, Roberta tiene/ha tenuto il bambino sempre in braccio; 2. Letizia lava/ha lavato i piatti ascoltando la radio; 3. Adriana e Rosa, essendosi incontrate casualmente davanti alla farmacia, decidono/hanno deciso di prendere insieme un caffè al bar; 4. Cristoforo scendendo le scale incontra/ha incontrato Laura; 5. L'anziana professoressa, avendo pensato con nostalgia alla scuola, va/è andata a salutare gli studenti.

14. 1. Avendo perso l'ultimo autobus, siamo stati costretti a chiamare un taxi; 2. Tornando dalla palestra, ho incontrato per strada Davide che portava a passeggio il cane; 3. Avendo giocato troppo con la Playstation, adesso ho mal di testa; 4. Gabriele è davvero soddisfatto, essendo stato selezionato per partecipare a una competizione agonistica; 5. Fumando di meno, non avresti sempre la voce roca; 6. Non avendo abbastanza soldi per acquistare un appartamento, rivolgetevi alla banca per accendere un mutuo; 7. Avendo lasciato il cellulare a casa, non posso comunicare a Bruno che l'appuntamento è stato posticipato; 8. Lorenzo riesce a essere sempre così attivo anche dormendo poche ore a notte.

15. Dicendo, sussurrandomi.

16. 1. trotterellando; 2. cogliendo, correndo, cogliendo; 3. assassinandosi; 4. sciupando; 5. scagliandola; 6. andando.

17. 1. Alessio ha fatto la strada dal centro fino all'ospedale correndo; 2. Avendo/essendo piovuto/Piovendo improvvisamente, mi sono completamente inzuppata; 3. Correndo nei/con i sacchi, i concorrenti procedono a saltelli; 4. Il personale ospedaliero sfilò in corteo protestando contro i tagli alle spese sanitarie; 5. Il furgoncino di Filippo e Marina sarebbe costato di meno pagando in un'unica soluzione e non a rate; 6. Il dirigente mi rende la vita difficile richiamandomi continuamente; 7. Giacomo riuscì a farsi strada tra la folla spintonando; 8. Usando la tecnologia informatica si può comunicare gratuitamente con tutto il mondo.

18. 1. Mentre giravo per il mercato dell'antiquariato, ho visto molti oggetti interessanti 2. Se rileggessi le e-mail prima di spedirle, eviteresti di fare tanti errori; 3. Poiché lavora tutto il giorno curvo in cantiere, ogni tanto Gianni avverte forti dolori alla schiena; 4. Quando completò tutti gli accertamenti, Valentina fu finalmente sicura di essere rimasta incinta; 5. Anche se si impegna/malgrado/sebbene si impegni quotidianamente negli esercizi col violoncello, Cecilia non riesce a migliorare le sue esecuzioni musicali; 6. Quando si liberò dalla catena con cui era legato, il cane poté finalmente correre libero per i campi; 7. Se segui/seguirai tutte le istruzioni del tecnico, riuscirai a istallare correttamente il programma; 8. Anche se aveva abbondantemente mangiato/malgrado/sebbene avesse abbondantemente mangiato a pranzo, verso le cinque del pomeriggio Edoardo fu colto da una fame improvvisa.

19. aspettò due giorni dopo avendo festeggiato → dopo aver festeggiato; soluzione: 5 d.C

20. 1. Domandando si va a Roma; L'appetito vien mangiando.

21.

Sostantivi	Aggettivi	Verbi
passanti	decorate	addobbato
invitati	elevate	stappato
portate	ambulanti	riunite
mangiata	fritti	conclusa
croccante	vivente	
abbuffate	inaugurata	
	americanizzati	
	credenti	
	abbondante	
	precedenti	

22. 1. nato; 2. comparsa; 3. componenti; 4. diventato; 5. sopraffatto; 6. contraddistinto; 7. eccellente; 8. paralizzato; 9. scalcinato; 10. spinto/a; 11. chiamato; 12. aiutante; 13. amato; 14. messi.

23. 1. v; 2. f; 3. v; 4. f; 5. v; 6. f; 7. v; 8. v; 9. v; 10. f; 11. v; 12. f; 13. f; 14. v; 15. v; 16. f; 17. v; 18. v; 19. f; 20. v.

24. 1. finita; 2. fatte; 3. rassicuranti; 4. seminato; 5. incalzante; 6. sognante; 7. informatosi; 8. colorate.

25. 1. Finito lo spettacolo siamo andati a bere un cocktail in un bar vicino al teatro; 2. Hai letto la circolare riguardante le nuove normative sulle misure antincendio?; 3. Lasciatami con Fabio, mi sono messa insieme a Luciano; 4. I soldati, addestrati adeguatamente, potranno intraprendere quella difficile missione; 5. Luisa, trovato un lavoretto per mantenersi, se n'è andata di casa; 6. Avete visto oggi in chiesa Simonetta e Marcello? Durante la cerimonia avevano gli occhi splendenti di felicità; 7. Rottosi una gamba, Matteo ha dovuto camminare un mese con le stampelle; 8. Il pilota, atterrato a Zurigo, ha dovuto attendere a lungo prima che gli fosse comunicata la piazzola di sosta assegnata.

26.

Cotta	→ avendo cotto	→ dopo aver cotto
Considerate	→ avendo considerato	→ dopo aver considerato
Portatala	→ avendola portata	→ dopo averla portata
Preparatosi	→ essendosi preparato	→ dopo essersi preparato
Fatto	→ avendo fatto	→ dopo aver fatto
Arrivati	→ essendo arrivati	→ dopo essere arrivati
Guardati	→ avendo guardato	→ dopo aver guardato
Fatto	→ avendo fatto	→ dopo aver fatto
Vistosi	→ essendosi visto	→ dopo essersi visto
Divertitosi	→ essendosi divertito	→ dopo essersi divertito

27. **A.** Gobba a ponente, luna crescente. Gobba a levante, luna calante.
B. Fatta la legge, trovato l'inganno.

28. difficile **da descrivere**, impossibile **da dimenticare**; **per vivere** un'avventura; **esplorando** il patrimonio; **sognare a** occhi aperti; **provare** un'emozione; **farsi prendere dall'**entusiasmo; **sperimentando** il grande piacere **di capire** e **di scoprire**; **fare** di una gita scolastica; **partecipando a** percorsi; **riservati alle** scuole; **giocando con** macchine; si possono **sperimentare** direttamente; si può **comprendere** il principio; **capire** e **imparare** non è mai stato.

29. 1. raccontando; 2. svelare; 3. avendo troncato/interrotto; 4. aver assunto; 5. affettato; 6. confessando; 7. avendo nutrito; 8. stipulato; 9. catturare; 10. aver lasciato; 11. scattare; 12. avendo commesso; 13. impugnando; 14. cogliere.

30. *(vedi sotto)*.

30.

Servili	Causativi	Aspettuali
debbano svolgere	far fare	stanno pensando
poter organizzare	non si lasciano convincere	non smettono di fare
vogliono passare	fargli masterizzare	si accingono a raccogliere
potersi concentrare	farà recuperare	continua a richiamare
		si mettono a stilare

31. 1. lasceresti; 2. fate; 3. lascia; 4. far; 5. fa; 6. lasciar/far; 7. farmi; 8. fanno.

32. raccontata, stava facendo, si stava per scatenare, essendosi ancora fermato, essere, si fece pregare, essersi accomodato, si stava dirigendo, chiedendo, implorando, paralizzato, rimanendo, sopraffatto, rimastegli, iniziando, tremante, visto, bagnati, stravolti, varcato, avvicinandosi, dicendo. "Ma non è questo lo stupido che è salito sull'auto mentre stavamo spingendo?"

33. 1. messa; 2. fecero fermare; 3. informandosi; 4. stava per; 5. guardandosi; 6. lasciò parlare; 7. salutandolo.

34. 1. stava; 2. riesce; 3. mi trovo; 4. va; 5. stia; 6. mi limito; 7. stia; 8. cerchi.

35. 1. organizzata, conseguita, di, a, vino; 2. condotto, rispondendo, lamette da barba; 3. passato, lascia, fantasia; 4. lanciando, scritti, diretti, perturbazione; 5. fatto, sarcofago, incastonarli; 6. considerati, di, indicate, alito.

36. *(vedi sotto).*

UNITÀ 8

1. 1. come suo solito; 2. lunedì; 3. di corsa; 4. sera; 5. in giugno; 6. oro; 7. appartamenti; 8. di mattina; 9. come papà; 10. meno smog; 11. da piccolo; 12. da pallacanestro; 13. con pazienza; 14. sete; 15. senza paura; 16. 6.

2. 1. una; 2. la; 3. un; 4. le; 5. le; 6. le; 7. i; 8. un; 9. una; 10. la; 11. un; 12. la; 13. un; 14. il; 15. un; 16. una; 17. il; 18 la; 19. il; 20. i; 21. un'; 22. un; 23. la; 24. un; 25. una; 26. un; 27. un; 28. una; 29. una; 30. un; 31. il; 32. la; 33. una; 34. la; 35. un.

3. 1. hanno tavoli; 2. ho comprato dei tavoli; 3. un mio problema; 4. sua madre; 5. per piacere; 6. il piacere; 7. vado di fretta; 8. per la fretta; 9. con amore; 10. con l'amore; 11. senza l'aiuto; 12. senza cuore; 13. da caffè; 14. dal caffè; 15. ha ordinato il vino; 16. abbastanza vino; 17. ha detto il dottore; 18. come amministratore; 19. aveva molta fame; 20. per la fame; 21. proprio il martedì; 22. è martedì; 23. chiami la babysitter; 24. cercasi babysitter.

4. **A.** 1. per la truffa → per truffa; 2. nel tribunale → in tribunale; 3. a poliziotto → al poliziotto; 4. per la strada → per strada; 5. dei giocattoli → di giocattoli; 6. macchina di polizia → della polizia; 7. sulla cui viaggiano → su cui; 8. tre cominciano una fuga → i tre; 9. lungo strada → lungo la strada; 10. per il miracolo → per miracolo; 11. esplosione di loro macchina → della loro; 12. la ragazza bella e misteriosa → una ragazza; 13. della cui Aldo si innamora → di cui; 14. raggiunge altri due → gli altri due; 15. sollevata da sua morte → dalla sua morte; 16. si è sbarazzata di sue cose → delle sue cose; 17. le ha buttate nella strada → in strada; 18. tra moglie → tra la moglie; 19. morti in incidente → in un incidente; 20. verso ultima destinazione → l'ultima; 21. dal bravo truffatore → da bravo; 22. del nascosto → di nascosto.

B. Giovanni: in; il; del; in; il; della; di; in.
Aldo: in; il; una; una; il; in; il; un; la; della; del; la; del; la; da; una; uno; la; la; la; la; in; un; un.

5. 1. i; 2. le; 3. le; 4. x; 5. i; 6. del; 7. x; 8. il; 9. della; 10. di; 11. lo; 12. dei; 13. dei; 14. x; 15. x; 16. la;

36.

s					p	f	a	r	c	r	e	d	e	r	e
t					r		v								
a	s	s	t	a	p	e	r	e	s	p	l	o	d	e	r	e
r	e	e		n	n	c	r	e	s	c	e	n	d	o	f
i	n	m	o	d	o	d	a	s	p	r	o	n	a	r	m	i
d	z	i		a		e		a					u		o
e	a	n		r		r		l				b		r
n	f	a		s	e		v	f	i	n	i	t	a		i
d	a	t		e				a				r		t
o	r	i		n				t				e		e
	e			e				o						

1. aver salvato; 2. sta per esplodere; 3. sta ridendo; 4. in modo da spronarmi; 5. far credere; 6. andarsene, prendere; rubare; 7. crescendo; 8. senza fare; 9. seminati, fiorite; 10. finita.

17. un; 18. le; 19. del; 20. l'; 21. il; 22. x; 23. i; 24. un; 25. di; 26. un; 27. sul; 28. alla; 29. le; 30. la; 31. di; 32. le; 33. dai; 34. al; 35. alla; 36. la; 37. x; 38. la; 39. un; 40. dai.

6. 1. dall'altro, d; 2. in pasto, f; 3. a zero, m; 4. con la coda, g; 5. del manico, a; 6. del diavolo, l; 7. alle ginocchia, e; 8. al balzo, i; 9. coi fichi, n; 10. sullo stesso, b; 11. per il naso, h; 12. per il rotto, c. La preposizione di troppo è: fra.

7. sul; di; negli; di; d'; di; su; della; nel; di; nel; delle; delle; di; di; nella; agli; da; di; del.

8. Il Signor Bonaventura è un personaggio **dei** fumetti nato **nel** 1917 **dalla** fantasia di Sergio Tofano (Sto) e apparso per decenni **sulle** pagine **del** *Corriere dei Piccoli*, il supplemento per bambini **del** *Corriere della Sera*. Si trattava di una storia a tutta pagina composta da otto vignette, ognuna commentata con un testo in versi, in cui il protagonista indossava sempre una giacchetta rossa e ampi pantaloni bianchi. Immancabilmente **al** suo fianco c'era il fedele cane bassotto. Ogni sua avventura lo vedeva quasi sempre squattrinato **all'**inizio e milionario **alla** fine. Oltre **alle** famose storie a fumetti, Tofano ne fece anche oggetto di rappresentazioni teatrali, interpretando personalmente il personaggio in sei commedie musicali da lui stesso scritte, dirette e messe in scena.
I testi in versi che accompagnavano i disegni cominciavano sempre **con le** parole: *Qui comincia l'avventura* **del** *Signor Bonaventura*, ma conobbero anche delle variazioni come *Qui comincia la sventura...*, *Qui comincia la sciagura...* o *Il Signor Bonaventura, ricco ormai da far paura...* Le storie avevano uno schema regolare: la sventura **del** protagonista si trasformava in beneficio per altri e Bonaventura riceveva in premio un milione.
L'estrema semplicità **del** fumetto, unito **alla** candida ingenuità e onestà **del** protagonista, hanno spianato la strada **al** rapido successo **delle** storie presso intere generazioni di bambini. Il Signor Bonaventura è entrato **col/con il** suo proverbiale milione **nella** cultura italiana del '900. Sono state anche realizzate trasposizioni televisive **del** personaggio e **del** suo mondo. Dopo un primo tentativo, intorno **alla** metà **degli** anni '80, di creare una serie TV a cartoni animati, sono stati realizzati per la RAI **tra il** 2000 e il 2002 due cortometraggi in computer grafica 3D **dal** titolo *Bonaventura e il canotto* e *Bonaventura e il baule*. Quest'ultimo ha vinto il «Premio al personaggio» **al** Festival di Dervio **del** 2002.

9. 1. Il giorno della civetta; 2. A passo di gambero; 3. L'uomo dal fiore in bocca; 4. Canne al vento; 5. Ti ho sposato per allegria; 6. Il giardino dei Finzi-Contini; 7. Ti con zero; 8. Lettera a un bambino mai nato. *Io uccido*.

10. 1. a; 2. e; 3. c; 4. b; 5. h; 6. g; 7. d; 8. f.

11. **A.** 1. **con** sotto braccio; **di** cioccolata; **al** bar; **a** farsi un bicchierino; **all'**uovo.
2. **al** cinema; **di** corse; **di** cavalli; **sul** bianco; **sul** nero; **alla** fine; **sul** nero; **in** forma.
3. **per** strada; **dal** pelo lungo; **a** testa; **dall'**orecchio graffiato; **sull'**orecchio; **di** mettere; **a** forma; **di** mettere; **di** riconoscimento; **al** suo animale: **a** quadretti; **coi** bottoncini.
4. **sull'**aereo; **in** Giappone; **a** giocare; **in** Corea; **del** clima; **in** Corea.
5. **dal** pastore; una **delle** 400; **al** pascolo; **a** bassa voce; **ad** alta voce; **a** vicenda; **di** no; **a** indovinare; **su** 400 pecore.
6. **di** Milo; **su** una sedia; **con** uno sguardo; **di** Luigi XVI.
B. **nella** stessa zona; **alla** meglio; pranzo **al** sacco; panino **al** prosciutto; un giorno **d'**estate; la pistola **d'**ordinanza; **di** avere coraggio; **da** meno; in mezzo **agli** occhi; **al** fianco; panino **al** formaggio; **alla** mortadella; **fra** un singhiozzo e l'altro; pollo **ai** peperoni; la frittata **di** verdure; **in** nero; **da** solo.

UNITÀ 9

1. Il film è ambientato a Sagliena, un paesino dell'Italia centrale, nell'immediato <u>dopoguerra</u>. Qui è stato appena trasferito il maresciallo Antonio Carotenuto (Vittorio de Sica), che dovrà adattarsi alla <u>monotonia</u> e alla <u>tranquillità</u> della <u>vita</u> di paese. Aiutato dalla domestica Caramella (Tina Pica), il fascinoso e attempato sottoufficiale dirige la locale stazione dei carabinieri, non rinunciando però a correre dietro a qualche gonnella, naturalmente con la <u>discrezione</u> che la divisa impone. Nel paese spiccano i personaggi della ruspante e sensuale Maria (Gina Lollobrigida), detta la Bersagliera, la quale, nonostante l'apparente <u>sfacciataggine</u>, nasconde il suo <u>amore</u> per l'appuntato Pietro Stelluti, e quello della levatrice Annarella (Marisa Merlini), che ha attirato subito le <u>attenzioni</u> del maresciallo. Poiché il giovane carabiniere per l'eccessiva <u>timidezza</u> non si dichiara, Maria, un po' per ingelosirlo e un po' per

divertimento, intraprende con Antonio, tra ritrosie e concessioni, alcune schermaglie amorose. Dopo innumerevoli peripezie, Annarella, segretamente innamorata del maresciallo, riuscirà a fidanzarsi con lui, mentre Maria porterà Pietro a manifestare i suoi sentimenti.
Il titolo è tratto da una delle battute del film. De Sica si rivolge a un contadino seduto su un gradino intento a mangiare:
De Sica: «Che te magni?»
Contadino: «Pane, marescià!»
De Sica: «E che ci metti dentro?»
Contadino: «Fantasia, marescià!!»
Il film, vincitore dell'Orso d'Argento al festival di Berlino del '54, lanciò Gina Lollobrigida come star del cinema italiano e fu il primo successo di Luigi Comencini.

2. **A.** 1. certezza; 2. clemenza; 3. astuzia; 4. scoraggiamento: 5. devozione; 6. entusiasmo, 7. moltitudine; 8. furbizia; 9. tranquillità; 10. cultura; 11. crudeltà; 12. simpatia; 13. cristianità/cristianesimo; 14. stupore; 15. logorio; 16. malattia; 17. coraggio; 18. importanza; 19. generosità; 20. comprensione; 21. sanità; 22. illusione; 23. severità; 24. pigrizia.
B. 1. traduzione; 2. conoscenza; 3. portamento; 4. spedizione; 5. allontanamento; 6. corruzione; 7. abbondanza; 8. spostamento; 9. speranza; 10. trasformazione; 11. trasferimento; 12. credenza.
C. 1. tenerezza, intenerire; 2. povertà, impoverire; 3. vicinanza, avvicinare; 4. lontananza, allontanare; 5. grandezza, ingrandire; 6. ricchezza, arricchire; 7. bellezza, abbellire; 8. bruttezza, imbruttire; 9. durezza, indurire; 10. bontà, imbonire; 11. cattiveria, incattivire; 12. piccolezza, rimpicciolire; 13. grassezza, ingrassare; 14. magrezza, dimagrire.

3. 1. b; 2. a; 3. c; 4. a; 5. c; 6. b; 7. a; 8. b; 9. c; 10. b; 11. a; 12. c; 13. b; 14. a. Il titolo del film è: *Il tormento e l'estasi.*

4. 1. sciame; 2. equipaggio; 3. mandria; 4. mobilio; 5. stormo; 6. squadra; 7. flotta; 8. abbigliamento; 9. gregge; 10. branco; 11. esercito; 12. banda; 13. stoviglie; 14. cucciolata; 15. orchestra; 16. comitiva.

5. branco di lupi, banco di pesci, stormo di gabbiani, massa di imbecilli.

6. 1. bisnonno; 2. extraterrestre; 3. antipasto; 4. ultrasuoni; 5. subacqueo; 6. pronipote; 7. vicedirettore; 8. sottomarino; 9. retromarcia; 10. seminterrato; 11. sottobanco.

7. **A.** 1-m, zuccheriera; 2-h, pinacoteca; 3-i, termometro; 4-g, macelleria; 5-l, speleologia; 6-n, calligrafia; 7-d, barometro; 8-a, bibliografia; 9-c, psicologia; 10-e, pattumiera; 11-b, pasticceria; 12-f, enoteca.
B. 1-l; 2-a; 3-d; 4-g; 5-h; 6-c; 7-i; 8-e; 9-b; 10-f.
Funzione suffissi in **A**: -grafia=scrittura, descrizione; -eria=luogo dove si vende qualcosa; -logia=studio di qualcosa; -metro=misura; -iera=contenitore; -teca= luogo di raccolta o custodia.
Funzione prefissi in **B**: indicano il contrario dei nomi.

8. 1. disoccupata; 2. infedele; 3. illegittimo; 4. analcoliche; 5. imprecisa; 6. disubbidiente; 7. asettico; 8. scontento; 9. inadeguato; 10. disonesto; 11. disordinata; 12. scotta; 13. irregolari; 14. antipatico; 15. 11.

9. 1. umano; 2. equino; 3. suino; 4. ovino; 5. felino; 6. bovino; 7. caprino: 8. canino; 9. ittico.

10. *(vedi fondo pag.).*

11. **A.** 1-d; 2-g; 3-h; 4-a; 5-l; 6-i; 7-b; 8-c; 9-f; 10-e.
B. 1. capisquadra; 2. posacenere; 3. passatempi; 4. banconote; 5. dopobarba; 6. contrabbandi; 7. bassorilievi; 8. chiaroscuri; 9. biancospini; 10. pellirossa/pellirosse; 11. piazzeforti; 12. arcobaleni; 13. capolavori; 14. altiforni.

12. Boschetto, collinetta, casetta, vecchietta, porticina, pargoletti, casina, vecchiaccia.

13. *(vedi inizio pag. seg).*

14. 1. F; 2. V; 3. F; 4. F; 5. V; 6. F; 7. F; 8. V; 9. F; 10. F; 11. V; 12. F; 13. F; 14. F; 15. V; 16. F; 17. F; 18. F; 19. V; 20. F.
a. grilletto; b. bagnino; c. tacchino.

10.

nome+nome	nome+aggettivo	aggettivo+nome	verbo+nome	verbo+verbo	avverbio+nome
autostrada	camposanto	altorilievo	girasole	andirivieni	contrordine
capocomico	cassaforte	francobollo	grattacielo	fuggifuggi	doposcuola
pescecane	palcoscenico	lungomare	lavastoviglie	lasciapassare	maledizione
ragnatela	terrapieno	millepiedi	salvagente	toccasana	sottopassaggio

Parola della barzelletta: lavastoviglie.

13.

accrescitivo	diminutivo	dispregiativo	vezzeggiativo
amicone	festicciola	gentaglia	cavalluccio
carrozzone	giovanotto	giovinastro	pazzerello
furbacchione	manina	mostriciattolo	ragazzetta
mattacchione	montagnola	parolaccia	sorrisetto
sorellona	orsacchiotto	poetucolo	storiella

15. 1. verdognolo/verdastro; 2. bluastro; 3. boccuccia; 4. umidiccio; 5. rossastro; 6. asprigno; 7. alberello; 8. vinello; 9. giallastro/giallognolo; 10. amarognolo; 11. belloccio; 12. cavalluccio; 13. appiccicaticcio; 14. pastorello; 15. grassoccio; 16. malaticcio.

16. 1. regolarmente; 2. male; 3. lentamente; 4. rapidamente; 5. tassativamente; 6. silenziosamente; 7. bene; 8. facilmente; 9. estremamente; 10. probabilmente; 11. recentemente; 12. stupidamente.

17. *(vedi fondo pag.).*

18. 1. effettivamente; 2. per lo più; 3. oggi; 4. più; 5. ogni anno; 6. ovunque; 7. da allora; 8. in poi; 9. attualmente; 10. circa; 11. più; 12. proprio; 13. ancor meglio; 14. negli ultimi anni; 15. inoltre.

19. 1. sicuramente; 2. scrupoloso; 3. fuori; 4. solo; 5. ovunque; 6. necessariamente; 7. sotto; 8. come; 9. solo; 10. volte.

20. È il buio.

UNITÀ 10

1. 1. d; 2. a; 3. f; 4. b; 5. g; 6. c; 7. e.

2. 1. e, colui che; 2. h, colui che; 3. d, colui che; 4. i, coloro che; 5. l, colui che; 6. g, coloro che; 7. m, coloro che; 8. n, colui che; 9. b, coloro che; 10. a, colui che; 11. f, coloro che; 12. c, colui che.

3. 1. colui che, c; 2. coloro che, h; 3. colei che, b; 4. coloro che, d; 5. coloro che, f; 6. coloro che, l; 7. colei che, i; 8. coloro che, g; 9. colui che, e; 10. coloro che, a.

4. **A.** la cui tiratura iniziale; la cui traduzione appare in ben 53 paesi; i cui contenuti sono sviluppati; la cui forza negli anni è stata sempre quella di godere del silenzio; la cui vita dall'ottobre del 2006 è protetta da una scorta di carabinieri; i cui membri si sentono ormai fortemente in pericolo; nel cui testo è spiegata anche la funzione della letteratura.
B. 1. gli interventi delle organizzazioni criminali; 2. l'unico intento della persona; 3. le contraddizioni della mia terra; 4. la parte sana del mio Paese; 5. il contenuto delle scritte; 6. i crimini di chi era stato responsabile.
C. la Campania; la camorra; 5000 copie; uno spettacolo teatrale; è stato minacciato dalla camorra; infondano fiducia; contro di lui; coloro che hanno massacrato la sua terra.
Quando **l'uomo con** la biro incontra **l'uomo con** la pistola, **l'uomo con** la pistola è un uomo morto.

5. 1. Silvio, le cui barzellette non fanno mai ridere, è antipatico a tutti; 2. Mario, i cui genitori sono in carcere, è un bambino problematico; 3. Milena, il

17.

modo	tempo	luogo	quantità	giudizio	interrogativi	indicativi
così	da poco	oltre	più	naturalmente	come mai	ecco
continuamente	spesso	dentro	più	magari	perché	proprio
come	sempre	dove	quasi	forse		proprio
come	sempre		troppo	davvero		proprio
come	quando		parecchio	sì		
in realtà	alla fine		più			
personalmente	mai		più			
come	attualmente		ancora			
bene			po'			
ordinariamente						
esattamente						

cui marito perde un sacco di soldi alle scommesse sui cavalli, vuole divorziare; 4. I discorsi dei politici, i cui contenuti sono a volte incomprensibili, spesso non vengono ascoltati da nessuno; 5. Ilenia, la cui casa si trova in aperta campagna, viene tutti i giorni in ufficio in bicicletta; 6. Anna, il cui amore per gli animali è noto a tutti, è andata a liberare le cavie nei laboratori di vivisezione: 7. Tiziana, il cui buon cuore è celato dietro un velo di acidità, è una vera amica; 8. Boccaccio, le cui novelle sono lette ancora oggi in tutto il mondo, visse nel 1300.

6.   1. della/sulla cui; 2. per la cui; 3. nelle cui; 4. della cui; 5. alla cui; 6. fra le cui; 7. con il cui; 8. dal cui; 9. alle cui; 10. per la cui; 11. alle cui; 12. sul cui.

7.   1-4-3-6-2-7-5.

8.   1. d, w; 2. i, v; 3. a, x; 4. g, r; 5. c, u; 6. b, z; 7. l, s; 8. f, q; 9. h, y; 10. e, t.

9.   1. Giorgia, i cui gioielli sono solo paccottiglia, è davvero una grande sbruffona, f; 2. Non permettiamo che i nostri cuccioli vengano adottati da coloro che non garantiscono affidabilità totale, c; 3. Colui che riuscirà a estrarre la spada dalla roccia sarà re d'Inghilterra, e; 4. Voglio andarmene da questa città, la cui aria è ormai irrespirabile, b; 5. Non ti fidare di coloro che ti offrono affari troppo vantaggiosi, probabilmente sono truffatori, a; 6. Quell'atleta, dei cui meriti sportivi nessuno dubitava, ha vinto quattro ori alle ultime olimpiadi, d.

10. 2, n; insufficienza toracica.

a	l	f	**r**	i	t	a	o	b	**n**	r	
m	i	r	i	m	ì	p	r	n	o	o	
o	s	o	y	a	g	k	i	x	u	z	
p	i	z	z	a	o	i	u	s	y	r	
a	l	i	c	e	v	m	w	c	b	a	
p	n	n	m	l	e	a	u	ì	a	d	
e	o	t	a	e	g	u	g	j	k	a	
r	f	e	n	t	i	r	w	u	r	r	
o	u	r	l	t	r	i	i	o	m	h	
w	r	y	i	r	m	u	a	l	x	g	
i	s	b	o	a	a	l	r	s	a	r	
s	p	l	l	e	n	i	s	z	s	u	
t	q	a	m	a	x	z	u	l	a	v	
a	s	m	a	r	i	p	b	t	i	n	
n	o	n	w	q	n	a	m	i	u	q	
b	n	a	u	r	r	u	b	l	i	o	
u	n	s	i	l	v	i	e	c	t	d	
l	y	n	o	u	e	p	e	r	a	y	
i	r	i	s	n	r	a	b	p	x	a	

UNITÀ 11

1.   *(vedi inizio pag. seg.).*

2.   1. Rita telefonò all'ufficio personale della sua ditta e comunicò che quel giorno non sarebbe andata in ufficio perché aveva l'influenza e che l'indomani/ il giorno dopo/successivo gli avrebbe portato il certificato medico.
2. I Signori Ponzio si scusarono con me dicendo che gli dispiaceva davvero molto ma c'era stato un imprevisto e non sarebbero potuti venire a cena da noi la sera dopo/successiva.
3. Paolo urlava a Sara di sbrigarsi perché la partita sarebbe cominciata dopo poco/a breve/di lì a poco e si chiedeva come fosse possibile che lei riuscisse sempre a fare tardi.
4. Al telefono da Berlino dove si trovava per un Erasmus, Claudia mi disse contenta che lì non era mai sola perché tutti gli amici l'andavano a trovare, poiché/in quanto/dal momento che non c'era nessuno che si lasciasse scappare l'occasione di visitare quella incredibile città.
5. Antonietta riferì a Cristina che si era stupita di non aver incontrato Luca due giorni prima al concerto di Branduardi in quanto/perché/poiché sapeva che è un suo fan scatenato.
6. Grazia rispose al citofono a Daniele e disse che Serena non c'era e che era uscita proprio in quel momento con il loro amico Manuele.
7. Damian da Sidney chiamò Miriam a Tbilisi e lei

1.

① Poi accoglie la successiva: "Bella, come stai bene oggi! Vieni, accomodati".	Poi accoglie la successiva dicendole che sta bene (oggi/quel giorno) e la invita ad accomodarsi.
② "Mia figlia sì è fatta da sola: con sei figli mica potevamo aiutarla", conferma la madre Angiolina.	La madre Angiolina conferma che sua figlia sì è fatta da sola, perché con sei figli non potevano aiutarla.
③ "La mia prima cliente abitava proprio in questo quartiere", ricorda.	Ricorda che la sua prima cliente abitava proprio in quel quartiere.
④ "Ormai si è creata una rete: è il vantaggio di essere qui da molto tempo", spiega.	Spiega che ormai si è creata una rete ed è il vantaggio di essere lì da molto tempo.
⑤ "Ho bisogno della libertà della grande città. Non sopporto più la mentalità provinciale del mio paese di origine", dice convinta.	Dice convinta di avere bisogno della libertà della grande città e che non sopporta più la mentalità provinciale del suo paese di origine.
⑥ "Vi assicuro anche che, se fossi rimasta in Calabria, non sarei mai riuscita ad avere le mie soddisfazioni professionali!".	Ci assicura anche che, se fosse rimasta in Calabria, non sarebbe mai riuscita ad avere le sue soddisfazioni professionali.
⑦ "Ma per farlo doveva andarsene", sostiene rassegnata.	Sostiene rassegnata che per farlo doveva andarsene.
⑧ E aggiunge: "Non è forse una donna ammirevole?".	E chiede/domanda se non sia forse una donna ammirevole.

l'informò che l'anno successivo/seguente lei e la sua famiglia se ne sarebbero andati dalla Georgia e sarebbero andati a vivere in Australia, proprio dove abitava lui.

8. La segretaria rispose a Maria che il Signor Faiola non era più lì e che era partito per un viaggio di affari in Estremo Oriente e sarebbe tornato dopo dieci giorni.

9. Fui felicissimo quando il mio istruttore di judo mi disse che ero bravo e che avevo fatto grandi progressi rispetto al mese prima, esortandomi a continuare così/in quel modo.

10. Donato cercò la madre a casa della vicina ma lei gli rispose che Ester non c'era più, ma che era stata lì da lei fino a venti minuti prima.

3.

1. a 13 anni avrebbe fatto quello che fa adesso: recitare e scrivere.

2. avendo il potere assoluto per un giorno per prima cosa mangerebbe qualcosa che le piace perché adesso è sempre a dieta.

3. se la sua vita fosse un film, il regista sarebbe sicuramente Vittorio De Sica.

4. se all'inferno la obbligassero ad ascoltare sempre una canzone, sarebbe una di quelle che ascoltano sempre i tassisti.

5. la parola che dovrebbe essere abolita è "solare".

6. entrando in una stanza dove ci fossero tre uomini l'attirerebbe quello con l'espressione di curiosità nei suoi confronti.

7. di tabù oggi purtroppo non ce ne sono più.

8. risponderebbe al bambino che non si muore ma si vive sempre, e gli direbbe di non pensarci.

9. la vera differenza tra un bambino e un adulto è che il bambino è più bello.

10. si immagina che il paradiso sia pieno di animali.

11. se la sua casa bruciasse salverebbe la prima cosa che le capita/capiterebbe perché ha solo cose che ama.

12. il vero lusso consiste nell'essere a posto col proprio senso estetico.

13. se le rimanessero 12 ore di vita farebbe quello che sta facendo in questo/quel momento perché dodici ore non valgono altro che niente.

14. è convinta che la cultura conti più dell'amore.

15. la volta che ha riso di più è stata quando le è riuscito bene uno sketch.

16. il posto dove vorrebbe andare è il Perù.

17. è difficile dire quale sia stato il suo più grande fallimento perché non si è mai sentita fallita.

18. non c'è una cosa che avrebbe voluto e non ha avuto, perché è stata fortunata.

19. è meglio che non le chieda quale sia la prima cosa che le viene in mente quando il/la giornalista dice Italia.

20. la felicità per un bambino consiste nell'imparare a parlare e a esprimersi.

4.

1. Simone confessa a Claudio di aver litigato con Rossella e che per questo non andrà all'appuntamento che hanno nel pomeriggio.

2. Claudio dice a Veronica che Simone ieri ha litigato con Rossella e che per questo ha deciso di non andare all'appuntamento che avrebbero avuto l'indomani.

3. Veronica racconta a Francesco che Claudio le ha detto che Simone ha litigato con Rossella e per questo non si è presentato all'appuntamento del giorno prima.

4. Francesco parla con Alessandro dicendogli che Simone ha litigato poco prima con Veronica e per questo avrebbe deciso di rimandare l'appuntamento con lei alla settimana successiva.

5. Alessandro incontra Riccardo e gli riferisce che Francesco gli ha raccontato che Simone ha lasciato Veronica perché non si è fatta viva all'appuntamento che si erano dati due giorni prima.

6. Riccardo allora va da Giorgio e gli spiffera subito la notizia che Alessandro gli ha detto proprio in quel momento che Simone non sta più con Veronica perché sembra che lei gli abbia dato un appuntamento e che quando lui si è recato sul posto l'abbia trovata abbracciata a un altro.

7. Giorgio si precipita da Marta e le dice che Riccardo gli ha riferito che Veronica ha messo le corna a Simone perché lui non andava mai agli appuntamenti.

8. Marta eccitata va da Noemi e le sussurra che Simone è libero e le consiglia di dargli un appuntamento.

5. Trovò Isabella che doveva essere rientrata da poco, a giudicare dal fatto che aveva ancora addosso gli abiti di fuori. Corrado stava per spiattellarle la progettata bugia, ma la donna lo prevenne chiedendogli di scusarla perché aveva fatto tardi in quanto/perché era stata alla conferenza del commendator Ciclamino.
Corrado si morse le labbra. Stava per farla grossa. Fortuna che Isabella, precipitosa come sempre, aveva parlato per prima. Se lui avesse detto subito la sua bugia, la moglie avrebbe scoperto tutto.
Pensò fra sé che Carolli fosse un imbecille, chiedendosi perché avesse asserito con tanta fermezza una cosa di cui evidentemente non era certo, e che avrebbe dovuto trovare subito una bugia di ripiego.
Corrado, guardando di sottecchi la moglie, mormorò che aveva fatto tardi anche lui, perché era stato a far visita a Della Pergola, che stava poco bene.
Era la prima bugia che gli fosse venuto da dire. Della Pergola era un amico di casa. Corrado notò che Isabella aveva corrugato leggermente le sopracciglia.
Si domandò se Isabella avesse indovinato che mentiva. Alla fine Corrado preferì cambiar discorso e per tutta la sera parlarono d'altro.

L'indomani Corrado trovò il collega d'ufficio e gli disse che per poco non lo aveva messo in un bel pasticcio la sera prima/precedente.
L'amico gli chiese il perché e Corrado rispose che gli aveva assicurato che sua moglie il pomeriggio del giorno prima non era stata alla conferenza di Ciclamino e invece....
Carolli ribadì che non c'era stata.
Corrado lo rimproverò che era probabile che lui non l'avesse vista tra la folla e aggiunse che non avrebbe dovuto assicurargli una cosa di cui non poteva esserne certo.

6. 1. di aver sopportato una critica ingiusta senza reagire, l; 2. che avrà la sensazione che qualcuno parli di lui in sua assenza, b; 3. che si rifiutava di rubare il posto a qualcuno, i; 4. (dicendo) che non avrebbero ottenuto nessun risultato, a; 5. che non si era arresa facilmente e che aveva lottato fino alla fine, g; 6. di avere pazienza, h; 7. (dicendo) che non si sarebbe dovuto arrabbiare così facilmente, d; 8. di non lasciargli alternative, e; 9. (dicendo) di finirla di fingersi rammaricato, f.; 10. c. approfittare di un'improvvisa opportunità favorevole = cogliere la palla al balzo

7. 1. dichiara: "sono passato sul sentiero verso le 22"; 2: afferma: "sono uscito di casa, che è vicinissima alla villa, appena smesso di piovere"; 3. sostiene: "stavo passeggiando con tutta calma sul sentiero verso le 22.20"; 4. dice: "ero lì intorno alle 22.40". Hanno mentito i sospetti n. 2 e 4.

8. 1. Il comandante disse ai suoi soldati: "Attaccate i nemici allo squillo delle trombe".
2. Ieri sera mio figlio non voleva dormire e ha insistito nel dire/ha insistentemente detto/ripetuto/chiesto: "Raccontami ancora una fiaba!".
3. Fabio ti aveva promesso: "Non starò via a lungo, tornerò fra tre mesi!".
4. Il questore ordinò al direttore del carcere: "Le guardie rilascino i prigionieri!".
5. Rimasi molto delusa quando il mio ragazzo mi disse: "Non è la prima volta che visito Londra, ci sono già stato in vacanza con una mia vecchia fiamma".
6. Dopo aver parlato a lungo con lei, Francesco giurò a Luisa: "Da questo momento in poi ti darò sempre retta e seguirò i tuoi consigli".
7. Gli studenti pregavano ripetutamente il professore: "Sposti la verifica alla settimana prossima!".
8. Mio fratello mi confidò: "Temo che le chiavi di casa mi siano cadute dalla tasca mentre ero in motorino: sarà difficile ritrovarle".

9. L'impiegato comunicò ai clienti della banca: "Il sistema informatico si è bloccato ma ritornerà in funzione di qui a poco".

10. Fabrizio va dal barbiere e gli dice: "Mi spunti i capelli di qualche centimetro!".

9. 1. Ferzan ha raccontato divertito: "Sono stato per lungo tempo considerato come un bravo regista italiano dalle lontane origini turche, fino al momento in cui qualcuno mi propose come candidato all'Oscar per il migliore film italiano, cosicché molti si affrettarono a ridefinirmi un 'regista turco con profonde conoscenze dell'Italia'".

2. Ferzan dichiara: "La vostra cultura mi affascina perché siete gente che trasmette una positività che mi trascina."

3. Ferzan ha confessato: "Quando venni a vivere a Roma, rimasi molto stupito dalla mia portiera perché faceva le pulizie per le scale cantando romanze della Tosca e del Rigoletto, di cui conosceva perfettamente le parole, malgrado non fosse mai stata all'Opera".

4. Ferzan svela: "Ho intenzione di comprare, un appartamento alla volta, tutto il palazzo, in modo che, dopo la mia morte, diventi un ostello per gli studenti del centro di cinematografia che non sanno dove abitare, proprio come me all'inizio".

5. Ferzan si domanda: "Perché nei posti pubblici si trovano sempre più spesso impiegati che alzano la voce, come se io fossi sordo, appena sentono un nome straniero?".

6. Ferzan ha detto: "Sono sicuro che loro mi vogliono bene per quello che sono e non per quello che guadagno, che spendo, comunque, quasi tutto con loro, con i miei amici, con quella che noi chiamiamo 'la tribù'".

7. Ferzan ricorda: "Quando ci siamo conosciuti abbiamo messo in piedi una sorta di comune, un porto di mare dove, soprattutto la domenica, giorno che ho sempre detestato, si preparava quello che avevamo ribattezzato pranzo della Caritas, perché tutti erano invitati. Adesso le cose sono cambiate siamo diventati grandi e il quartiere è diventato di moda, con molti locali e una sua vita notturna. Però, quando ci è possibile, cerchiamo di rispettare la tradizione".

10. Un uomo entrò in una banca e chiese all'usciere: "Posso parlare con un funzionario addetto ai prestiti?". Accolto nell'ufficio del bancario, gli spiegò: "Devo recarmi in viaggio all'estero per due settimane e ho bisogno di un prestito di 5000 euro". Il funzionario gli rispose: "La banca richiede alcune forme di garanzia per concedere un prestito". Così l'uomo tirò fuori un mazzo di chiavi dicendo: "Queste sono le chiavi di una Ferrari nuova fiammante parcheggiata in strada di fronte alla banca!"; consegnò anche il libretto di circolazione e i documenti dell'assicurazione. Il funzionario accettò di ricevere l'auto come garanzia e gli concesse il prestito. Il presidente della banca e i suoi funzionari risero alle sue spalle affermando: "Uno che utilizza una Ferrari da 200 mila euro come garanzia di un prestito di 5000 è di certo uno stupido!".

Un impiegato della banca si mise alla guida della Ferrari e la parcheggiò nel garage sotterraneo della banca. Due settimane più tardi il proprietario dell'auto ritornò, restituì i soldi presi in prestito e pagò gli interessi pari a 15 euro e 41 centesimi. Il solito funzionario gli disse: "Siamo veramente lieti di averLa avuta come cliente, questa operazione è andata molto bene!". Aggiunse anche: "Siamo un po' confusi perché alcuni giorni fa abbiamo assunto qualche informazione sul Suo conto e siamo venuti a sapere che è un multimilionario. Ci chiediamo, pertanto, perché si è dato la pena di chiedere questo prestito di 5000 euro?".

L'uomo rispose: "Conoscete in città un posto dove parcheggiare per due settimane la Ferrari a soli 15 euro e 41 centesimi e avere la certezza di ritrovarla al ritorno?".

11. 1. a. da quale binario partisse il treno per Livorno, b. quanto fosse costato il biglietto di prima classe, c. se fosse un diretto o se avrebbe dovuto cambiare a Pisa; 2. a. a che ora sarebbe cominciata la riunione con la direttrice il venerdì successivo/seguente, b. quale fosse l'ordine del giorno, c. se fossero state prese decisioni importanti nella riunione precedente; 3. a. se aveva/avesse compilato la domanda di trasferimento, b. dove sarebbe andata se avessero accettato la sua domanda, c. se era/fosse sicura di volersi trasferire e se non si trovava/trovasse bene lì; 4. a. dove sarebbero andati di bello in vacanza, b. se quello era/fosse il depliant dell'hotel che avevano prenotato, c. se si erano/fossero assicurati che accettino/accettassero animali; 5. a. se secondo lui, nel caso piova/piovesse, si farà/si farebbe lo stesso il concerto, b. nel caso decidesse di andare al concerto con lui, troverebbe ancora i biglietti, c. se avrebbe pagato di meno i biglietti se li avesse comprati al botteghino.

12. A. 1. Il giornalista chiede ad Alessandro quando ha deciso di voler diventare uno chef. Alessandro risponde che a 17 anni aveva già ben chiaro in mente che voleva fare quel mestiere, mentre non aveva mai pensato di far parte del mondo dello spettacolo, anche se poi in seguito ci è finito lo stesso.

2. Il giornalista chiede quali esperienze lavorative ha/abbia avuto prima di approdare in televisione. Alessandro risponde che la prima esperienza lavorativa l'ha fatta per tre anni sulle navi da crociera, dove ha iniziato la gavetta come lavapiatti, ha conosciuto tantissima gente di tutte le nazionalità, ha imparato a lavorare in gruppo e ha preso tante padellate in testa (che in seguito ha restituito!). Poi ha lavorato in giro un po' per tutto il mondo: San Francisco, Londra, New York, Milano, Perugia.

3. Il giornalista chiede quale è/sia la caratteristica più importante che deve avere una persona che vuole diventare un bravo chef. Alessandro risponde che sicuramente sono l'umiltà e la tenacia, perché bisogna imparare dagli altri e non mollare mai davanti alle difficoltà, proprio mai.

4. Il giornalista chiede se ha/abbia un ristorante o un locale e se sì, dove. Alessandro risponde che in questo momento non ha un locale suo, anche se in passato ne ha avuti, ma ha qualche progetto, e all'orizzonte c'è la possibilità di crearne uno, magari partendo proprio da Milano.

5. Il giornalista chiede di cosa è/sia più goloso. Alessandro risponde che lo è di tutto, che è onnivoro e goloso di molte cose.

6. Il giornalista chiede se preferisce/preferisca il vino bianco o rosso. Alessandro risponde che è stagionale, che ama tutti e due ma preferisce il bianco d'estate, il rosso d'inverno e lo champagne tutto l'anno.

7. Il giornalista chiede se fosse un cibo quale sarebbe. Alessandro risponde che sarebbe un tiramisù.

8. Il giornalista chiede che cosa gli dicono/dicano più spesso. Alessandro risponde che gli chiedono come gli sia venuto in mente di fare lo chef.

9. Il giornalista chiede se gli piacciono/piacciano gli animali. Alessandro risponde che gli piacciono tantissimo ma non ne possiede perché non è quasi mai a casa e non avrebbe senso tenere un animale per lasciarlo solo tutto il giorno.

10. Il giornalista chiede quale musica ascolta/ascolti e se suona/suoni qualche strumento. Alessandro risponde che la musica gli piace tutta: jazz, blues, classica, hip-hop, non ha confini. Per quanto riguarda lo strumento musicale aveva cominciato a suonare il sassofono ma, vista la complessità dello strumento, ha abbandonato perché gli portava via troppo tempo, che voleva invece dedicare alla sua prima passione: la cucina.

11. Il giornalista chiede quale è/sia il viaggio più bello che abbia fatto. Alessandro risponde che lo identifica con il periodo di tempo che ha passato sulle navi da crociera, con le quali ha girato tutto il mondo: in quegli anni la sua casa era la nave sulla quale lavorava. È stata un'esperienza bellissima e nello stesso tempo anche drammatica, perché nel 1994 ha affrontato un naufragio sulle coste del Sud Africa, a bordo dell'Achille Lauro: ha passato tre giorni a bordo di una zattera nel mezzo dell'oceano aspettando i soccorsi.

12. Il giornalista chiede che se è/sia impegnato sentimentalmente. Alessandro risponde che non lo è da circa 5 anni, perché con il suo mestiere è molto difficile poter dedicare del tempo e delle attenzioni costanti a una persona; non esistendo orari, sabati e domeniche, festività, è davvero dura avere un rapporto fisso anche se lo desidera molto: ancora non ha trovato la donna giusta.

13. Il giornalista chiede se si fidanzerebbe con una cuoca. Alessandro risponde che sarebbe difficile. Ma la sua lei dovrebbe comunque sapere cucinare. Adesso che ci pensa, se fosse una cuoca potrebbero cucinare a giorni alterni.

B. Pollicino: "Sono sicuro di aver lasciato le briciole per ritrovare la strada"; Alessandro: "La panatura è perfetta: nessuno grattugia il pane come Pollicino!".

13. a. "Non ti sei ancora collegato a Internet?", 4; b. "Non serve che mi faccia vedere i muscoli, basta il palmo della mano!", 1; c. "Questa notte posso andare a dormire a casa del mio nuovo amico?", 5; d. "Interrompi i lavori! La mamma ha cambiato idea, andremo in montagna!", 7; e. "Il prossimo sarà Marco Rocci, che darà una dimostrazione di quello che accadde all'antica città di Pompei", 2; f. Sarà un bel match! Mia moglie vuole sempre avere l'ultima parola!", 8; g. "Ti ho finalmente comprato il cucciolo che desideravi tanto!", 9; h. "Faccia attenzione! Sotto ci potrebbe essere un berretto che ho perso ieri!", 6; i. "È meglio se ti scegli un altro posto e la pianti di fare il portiere!", 3.

UNITÀ 12

1. 1. sapeva; 2. sarebbe tornato; 3. riesca; 4. si fosse riconciliato; 5. sia andato, deciderà; 6. era stato; 7. arriverà; 8. sia stato; 9. riporterà/avrà riportato; 10. sarebbe scoppiato.

2. 1. a; 2. l; 3. d; 4. g; 5. b; 6. i; 7. c; 8. f; 9. h; 10. e.

3. 1. perché grandinava; 2. che tramonti il sole; 3. perché si erano commossi; 4. perché è stato pazientemente curato dalla madre; 5. che venga/ sia inaugurata la fiera; 6. perché Luca vi ha invitati; 7. i lavori stradali abbiano provocato disagi; 8. perché temeva di non riuscire a salutare Vincenzo prima che partisse.

4. 1. avesse studiato abbastanza, meritasse, avrebbe avuto; 2. fossi uscita, fossi, sarei arrivata; 3. avesse lavorato, avesse, avrebbe resistito; 4. avesse vinto, si vantasse, avrebbe ritirato; 5. avessero gradito, facessero, si sarebbe sentita; 6. avesse bevuto, fosse, avrebbe guidato.

5. 1. imballano/imballeranno; 2. si dà; 3. era; 4. si rivelò; 5. sapevamo; 6. avevano camminato; 7. potrà; 8. riconosce.

6. poco distante da dove <u>sarebbe</u> originariamente la sede del primo parlamento italiano; è un normale panettone che <u>riprenda</u> tutta la tradizione piemontese; l'idea, come riporta il sito di Repubblica, <u>sarà</u> del pasticcere Andrea Perino; "cosa che oggi" <u>spiegò</u> "non ha più nessuno"; con sottilissima crosta e un retrogusto acidulo che <u>avrà spazzato</u> via il rischio del dolce stucchevole; Il nostro obiettivo è far tornare la gente nel centro città – <u>spiegò</u> – prendendola anche un po' per la gola.

7. 1. Gli italiani in aereo sono sciolti e si danno arie, ma non riescono a fare bella figura sul treno; 2. Prima che entrasse in funzione il Frecciarossa, i treni erano considerati un mezzo di trasporto poco prestigioso; 3. Nonostante ci siano le frasi fatte, non c'è ancora un galateo dell'alta velocità; 4. Sebbene i viaggiatori in aereo sembrino/sembrassero irreprensibili, sul treno spesso risultano dei gran cafoni; 5. È un peccato che i voli di linea siano uno dei pochi spazi italiani (sempre meno italiani) dove esiste la certezza della pena; 6. Sul treno se si tiene il cellulare acceso non si finisce nei guai; 7. Succede spesso che distinti signori vestiti da similbanchieri affliggano l'intera carrozza con suonerie tunz-paraparatunz; 8. È sufficiente sedersi a sei file di distanza per sapere tutte le vicende professionali delle similbanchiere donne; 9. La mammina, appena si chiede di abbassare il volume, si offende, comincia a urlare e accusa l'interlocutore di essere mosso da turbe pedopornografiche; 10. Gli altri ti guardano male e pensano che sul treno si incontrino dei buzzurri.

8. fosse; avevo incontrato; c'eri; abbia voluto; era; rimase; erano sfuggite.

9. 1. h, lasciasse; 2. d, si sarebbe avvalso; 3. a, avrebbe ostruito; 4. e, fosse; 5. b, dovrebbe; 6. c, sarebbe/ sarebbe stato; 7. f, sarebbe andato; 8. g, affondasse.

10. 1. si prenda, ho fatto, significa, dovrò; 2. vuoi, aspetto, dia, trasformi; 3. avrebbe mai permesso, decise/ha deciso; 4. fosse, ebbe, fosse; 5. dimenticavo, ha chiamato, era venuto, avessimo pagato, sarebbero state; 6. è sopravvissuto, pensi, abbia.